Juillet 2009

à la

voyage

afin de poursuivre

voyage, à travers de

grands écrivains ...

Bonne Fête !

Véro

HISTOIRES DE TOSCANE

HISTOIRES DE TOSCANE

Textes réunis par Lucien d'Azay

Deuxième tirage

SORTILÈGES

2002

Chez le même éditeur :

Histoires de chats
Autres histoires de chats
Histoires de chevaux
Histoires de chiens
Histoires de fauves
Histoires d'escargots
Histoires d'éléphants
Histoires de rats
Histoires de fourmis
Histoires de serpents
Dernières nouvelles des loups
Histoires de joueurs
Histoires de marins
Le Noël des écrivains
Histoires de Bretagne
Histoires de Venise
Histoires d'Égypte
Histoires de Provence
Histoires de Londres
Histoires de Rome
Histoires de New York
Histoires de Chine
Histoires de déserts
Histoires de jardins
Histoires de montagnes
Histoires d'îles
Voyages aux pays des merveilles du monde
À bicyclette
Histoires d'opéra

À paraître :

Histoires de Paris
Histoires d'Irlande
Histoires de trains

Première édition 2001

ISBN : 2-251-49156-2

Préface

La ville à la campagne : c'est en Toscane que le vieux rêve d'Alphonse Allais (mais n'est-ce pas, au fond, le rêve du monde civilisé ?) a été exaucé. Des villes incarnant à tour de rôle l'archétype de la ville idéale, villes « parfaites » si l'on veut, et toujours éminemment *médiévales,* Sienne, Lucques, Pienza, Pistoie, San Giminiano, toutes blotties autour de leur cœur en forme de conque, comme d'épaisses boucles brunes auréolant le visage même de l'amour, le foyer érectile de leur tour et de leur radieuse intimité. Mais que seraient ces villes sans la somptueuse campagne où elles s'enchâssent, faisceaux contournés de fibres qui resserrent et dégrafent l'écrin du tissu toscan ? On ne jouit jamais autant de Florence que depuis les fermes collines qui l'entourent, à Fiesole, à Settignano, dans les jardins de Boboli, où la nature semble empiéter sur la ville comme pour mordre à belles dents dans le gros fruit bleu de sa coupole orangée. Rien de plus rustique que les cités toscanes. Rien de plus *policé* que cette campagne où l'on broute, dirait-on, en levant le petit doigt. Patrie des *gentlemen farmers* les plus snobs de la terre (de Sienne, s'entend), la Toscane (*divine Tuscany*) est une invention anglaise, dont une partie de cricket, avec ses *wickets,* ses *stumps* et ses *umpires,* peut nous donner par exemple l'idée. Il n'est pas étonnant qu'elle soit devenue la colonie d'élection de l'élite britannique. Le goût pour le « perpendiculaire » (cyprès en faction), pour la « voûte en éventail » (oliviers échevelés), le style « décoré », « fleuri » ou « curviligne » qui « donne l'impression d'un chaos ordonné, comparable aux enchevêtrements étroitement imbriqués et contournés de l'ornementation insulaire primitive », l'*exubérance fantasque*, le *classicisme pittoresque* de « bosquets plantés au gré d'un savant hasard », le souci de « susciter des émotions au lieu de satisfaire le sens d'un ordre rationnel et objectif », cette *dualité* qui, selon Erwin Panofsky[1], caractérise le tempérament anglais, nation à la fois romantique et conservatrice, cette combinaison de rationnel (*cascine* ou villas classiques) et d'irrationnel (sensibilité égotiste face à la nature) s'est épanouie dans le *Chiantishire* bien mieux qu'en Cornouailles ou dans le Kent.

Ainsi, à la faveur des Anglais, les Toscans se toscanisent à qui mieux mieux sur cette terre anglicisée. Fiers, farouches, volontiers enclins au sarcasme sec et salace, viveurs par excellence, ils ont conservé l'élégance si typiquement aristocratique d'un civisme fondé sur l'espace des champs, sur les valeurs forcément bucoliques des âmes nobles, que la vie a pris l'habitude de gâter. En France, le jacobinisme a hélas expurgé la province d'un tel orgueil. En Italie, c'est la Toscane qui donne de l'ombrage à la capitale. La langue même, cette arrogante façon d'aspirer les *c* qui affecte le toscan au point de contaminer ses *q*, ce halo asthmatique (*gorgia*) dont se pare la diatribe florentine, participe d'une distinction de classe qui n'est pas sans rappeler le *stammering* de l'anglais d'Oxford. Le Toscan hèle davantage qu'il ne parle.

Fleur de lys, Renaissance, steak, chianti, huile d'olive, cuir et peaux tannées, terre de génies – Dante, Botticelli, Machiavel, Léonard de Vinci, Galilée, etc. – où l'on sait aussi compter et jouer au football, terre pareille à la *cassatta*, brune, pistache et rose comme les marbres de Sainte-Marie-des-fleurs, la Toscane et sa riche panoplie sont la « poire pour la soif » de l'humanité. Qu'on écoute encore la sagesse de ce rêve exaucé. Qu'on s'arrête du côté d'Arezzo ou de Pise pour suivre la leçon des grands maîtres, Piero della Francesca, L. B. Alberti ou Brunelleschi, et cette façon d'aimer la vie de plain-pied, de l'embrasser tout à trac, dans l'ivresse solaire de l'instant, comme on savoure la fraternité d'un cigare (toscan), la douce rugosité des feuilles de tabac lorsqu'elles

1. *Les Antécédents idéologiques de la calandre Rolls-Royce*, Le Promeneur, 1996.

vous hâlent avec délices le bout des doigts. Les vrais fumeurs n'avalent pas la fumée. Et ils savent qu'il n'y a rien de meilleur que cet instant où l'on « allume », l'incandescence grésillante de la première bouffée. C'est ainsi que je rêve de Toscane, de ce pays qui, d'avril à septembre, grésille au soleil avec des senteurs de figues et d'olives marinées.

Lucien d'Azay

STENDHAL

Florence, Sienne et Volterra

Pietramala, 19 janvier 1817 – En quittant Bologne pour traverser l'Apennin, la route de Florence suit d'abord une jolie vallée à peu près horizontale. Après avoir marché une heure à côté du torrent, nous avons commencé à monter au milieu de petits bois de châtaigniers qui bordent le chemin. Arrivés à Loïano et regardant au nord, nous avons trouvé une vue magnifique : l'œil prend en travers cette fameuse plaine de Lombardie, large de quarante lieues, et qui, en longueur, s'étend de Turin à Venise. J'avouerai qu'on sait cela plus qu'on ne le voit ; mais on aime à chercher tant de villes célèbres au milieu de cette plaine immense et couverte d'arbres comme une forêt. L'Italien aime à faire le *cicerone* ; le maître de poste de Loïano a voulu me persuader que je voyais la mer Adriatique (dix-neuf lieues) : je n'ai point eu cet honneur-là. Sur la gauche, les objets sont plus voisins de l'œil, et les sommets nombreux des Apennins présentent l'image singulière d'un océan de montagnes fuyant en vagues successives. – Je bénis le ciel de n'être pas savant : ces amas de rochers entassés m'ont donné ce matin une émotion assez vive (c'est une sorte de *beau*), tandis que mon compagnon, savant géologue, ne voit, dans cet aspect qui me frappe, que des arguments qui donnent raison à son compatriote, M. Scipion Breislak, contre des savants anglais et français. M. Breislak, né à Rome, prétend que c'est le feu qui a formé tout ce que nous voyons à la surface du globe, montagnes et vallées. Si j'avais les moindres connaissances en météorologie, je ne trouverais pas tant de plaisir, certains jours, à voir courir les nuages et à jouir des palais magnifiques ou des monstres immenses qu'ils figurent à mon imagination. J'observai une fois un pâtre des chalets suisses qui passa trois heures, les bras croisés, à contempler les sommets couverts de neige du Jungfrau. Pour lui, c'était une musique. Mon ignorance me rapproche souvent de l'état de ce pâtre.

Une promenade de dix minutes nous a conduits à un trou rempli de petites pierres d'où s'exhale un gaz qui brûle presque toujours ; nous avons jeté une bouteille d'eau sur ces pierres ; aussitôt le feu a redoublé, ce qui m'a valu une explication d'une heure qui eût transformé pour moi, si je l'eusse écoutée, une belle montagne en un laboratoire de chimie. Enfin mon savant s'est tu, et j'ai pu engager la conversation avec les paysans réunis autour du foyer de cette auberge de montagne ; il y a loin de là au charmant salon de Mme Martinetti, où nous étions hier soir. Voici un conte que je viens d'entendre sous l'immense cheminée de l'auberge de Pietramala.

Il y a près de deux ans qu'on s'aperçut avec terreur, à Bologne et à Florence, qu'en suivant la route sur laquelle nous sommes, les voyageurs disparaissaient. Les recherches de deux gouvernements sans nerf n'arrivent qu'à cette certitude, c'est que jamais on ne trouvait de dépouilles dans les montagnes de l'Apennin. Un soir, la tourmente força un Espagnol et sa femme à s'arrêter dans une infâme auberge de Pietramala, le village où nous sommes : rien de plus sale et de plus dégoûtant, et cependant l'hôtesse, pourvue d'une figure atroce, portait des bagues de diamant. Cette femme dit aux voyageurs qu'elle va envoyer emprunter des draps blancs chez le curé, à trois milles de distance. La jeune Espagnole est mortellement effrayée de l'aspect sinistre de l'auberge ; sous prétexte d'aller chercher un mouchoir dans le carrosse, le voyageur fait un signe au *vetturino* et lui parle sans être vu ; celui-ci, qui avait entendu parler de disparitions de voyageurs, avait autant de peur au moins. Ils conviennent bien vite de leurs faits. En présence de l'hôtesse, l'Espagnol lui recommande de les réveiller à cinq heures du matin, au plus tard. Le voyageur et sa femme se disent malades, mangent fort peu au souper et se retirent dans leur chambre ; là, mourant de peur et prêtant l'oreille, ils attendent que tous les bruits aient cessé dans la maison, et vers les une heure ils s'échappent et vont rejoindre le *vetturino*, qui était déjà à un quart de lieue, avec ses chevaux et sa voiture.

De retour à Florence, le *vetturino* conta sa peur à son maître, M. Polastro, homme fort honnête. La police, sollicitée par lui, eut beaucoup de peine à faire arrêter un homme sans aveu qui paraissait souvent à cette auberge de Pietramala. Menacé de la mort, il révéla que le curé Biondi, chez lequel l'hôtesse envoyait emprunter des draps blancs, était le chef de leur bande, qui arrivait à l'auberge sur les deux heures du matin, au moment où l'on supposait les voyageurs endormis. Il y avait toujours de l'opium dans le vin servi au souper. La loi de la bande était de tuer les voyageurs et le *vetturino* ; cela fait, les voleurs replaçaient les corps morts dans la voiture, et la faisaient traîner par les chevaux dans quelque endroit désert, entre les sommets de l'Apennin. Là, les chevaux eux-mêmes étaient tués, la voiture et les effets des voyageurs brûlés ; on ne conservait absolument que l'argent et les bijoux. On enterrait avec le plus grand soin les cadavres et les débris de la voiture ; les montres et les joyaux étaient vendus à Gênes. Réveillée enfin par cet aveu, la police surprit toute la bande à un grand dîner dans le presbytère de Biondi : on trouva chez elle la digne hôtesse qui, en envoyant prendre des draps, donnait avis à la troupe que des voyageurs dignes de ses soins venaient d'arriver à l'auberge.

D'après tout ce qu'on m'a dit, je vois que je serai obligé de penser du mal des Florentins actuels. Je ne veux pas du moins trahir les droits de l'hospitalité, et je viens de brûler dix-sept lettres de recommandation que j'avais pour Florence.

Florence, 22 janvier 1817 – Avant-hier, en descendant l'Apennin pour arriver à Florence, mon cœur battait avec force. Quel enfantillage ! Enfin, à un détour de la route, mon œil a plongé dans la plaine, et j'ai aperçu de loin, comme une masse sombre, *Santa Maria del Fiore* et sa fameuse coupole, chef-d'œuvre de Brunelleschi. « C'est là qu'ont vécu le Dante, Michel-Ange, Léonard de Vinci !

me disais-je ; voilà cette noble ville, la reine du Moyen Âge ! C'est dans ces murs que la civilisation a recommencé ; là, Laurent de Médicis a si bien fait le rôle de roi, et tenu une cour où, pour la première fois depuis Auguste, ne primait pas le mérite militaire. » Enfin, les souvenirs se pressaient dans mon cœur, je me sentais hors d'état de raisonner, et me livrais à ma folie comme auprès d'une femme qu'on aime. En Approchant de la porte *Santa Gallo* et de son mauvais arc de triomphe, j'aurais volontiers embrassé le premier habitant de Florence que j'ai rencontré.

Au risque de perdre tous ces petits effets qu'on a autour de soi en voyageant, j'ai déserté la voiture aussitôt après la cérémonie du passeport. J'ai si souvent regardé des vues de Florence, que je la connaissais d'avance ; j'ai pu y marcher sans guide. J'ai tourné à gauche, j'ai passé devant un libraire qui m'a vendu deux descriptions de la ville (*guide*). Deux fois seulement j'ai demandé mon chemin à des passants qui m'ont répondu avec une politesse française et un accent singulier ; enfin, je suis arrivé à *Santa Croce*.

Là, à droite de la porte, est le tombeau de Michel-Ange ; plus loin, voilà le tombeau d'Alfieri, par Canova ; je reconnais cette grande figure de l'Italie. J'aperçois ensuite le tombeau de Machiavel ; et, vis-à-vis de Michel-Ange, repose Galilée. Quels hommes ! Et la Toscane pourrait y joindre le Dante, Boccace et Pétrarque. Quelle étonnante réunion ! Mon émotion est si profonde, qu'elle va presque jusqu'à la piété. Le sombre religieux de cette église, son toit en simple charpente, sa façade non terminée, tout cela parle vivement à mon âme. Ah ! si je pouvais oublier... ! Un moine s'est approché de moi ; au lieu de la répugnance allant presque jusqu'à l'horreur physique, je me suis trouvé comme de l'amitié pour lui. Fra Bartolomeo de San Marco fut moine aussi ! Ce grand peintre inventa le clair-obscur, il le montra à Raphaël, et fut le précurseur du Corrège. J'ai parlé à ce moine, chez qui j'ai trouvé la politesse la plus parfaite. Il a été bien aise de voir un Français. Je l'ai prié de me faire ouvrir la chapelle à l'angle nord-est, où sont les fresques du Volterrano. Il m'y conduit et me laisse seul. Là, assis sur le marchepied d'un prie-Dieu, la tête renversée et appuyée sur le pupitre, pour pouvoir regarder au plafond, les *Sibylles* du Volterrano m'ont donné peut-être le plus vif plaisir que la peinture m'ait jamais fait. J'étais déjà dans une sorte d'extase, par l'idée d'être à Florence, et le voisinage des grands hommes dont je venais de voir les tombeaux. Absorbé dans la contemplation de la beauté sublime, je la voyais de près, je la touchais pour ainsi dire. J'étais arrivé à ce point d'émotion où se rencontrent les *sensations célestes* données par les beaux-arts et les sentiments passionnés. En sortant de *Santa Croce*, j'avais un battement de cœur, ce qu'on appelle des nerfs à Berlin ; la vie était épuisée chez moi, je marchais avec la crainte de tomber.

Je me suis assis sur l'un des bancs de la place de *Santa Croce* ; j'ai relu avec délices ces vers de Foscolo, que j'avais dans mon portefeuille ; je n'en voyais point les défauts : j'avais besoin de la voix d'un ami partageant mon émotion :

... Io quando il monumento
Vidi ove posa il corpo di quel grande
Che temprando lo scettro a'regnatori
Gli allôr ne sfronda, ed alle genti svela
Di che largrime grondi e di che sangue ;
E l'arca di colui che nuovo Olimpo
Alzò in Roma a' Celesti ; e di chi vide
Sotto l'etereo padiglion rotarsi
Più mondi, e il Sole irradiarli immoto,
Onde all' Anglo che tanta ala vi stese
Sgombrò primo le vie del firmamento ;
Te beata, gridai, per le felici
Aure pregne di vita, e pe' lavacri
Che da' suoi gioghi a te versa Apennino !
Lieta dell' aer tuo veste la luna
Di luce limpidissima i tuoi colli
Per vendemmia festanti ; e le convalli
Poppolate di case e d'oliveti
Mille di fiori al ciel mandano incensi :
E tu prima, Firenze, udivi il carme
Che allegrò l'ira al Ghibellin fuggiasco,
Et tu i cari parenti e l'idioma
Desti a quel dolce di Calliope Labbro

Che Amore in Grecia nudo e nudo in Roma
D'un velo candidissimo adornando,
Rendea nel gembo a Venere Celeste :
Ma più beata che in un tempio accolte
Serbi l'Itale glorie, uniche forse,
Da che le mal vietate Alpi e l'alterna
Onnipotenza delle umane sorti
Armi e sostanze t'invadeano ed are
E patria e, tranne la memoria, tutto.
....
.... *E a questi marmi*
Venne spesso Vittorio ad ispirarsi.
Irato a' patrii Numi, errava muto
Oue Arno è più deserto, i campi e il cielo
Desïoso mirando ; e poi che nullo
Vivente aspetto gli molcea la cura,
Qui posava l'austero, e avea sul volto
Il pallor della morte e la speranza.
Con questi grandi abita eterno : e l'ossa
Fremono amor di patria....................

Le surlendemain, le souvenir de ce que j'avais senti m'a donné une idée impertinente : il vaut mieux, pour le bonheur, me disais-je, avoir le cœur ainsi fait que le cordon bleu.

23 janvier 1817 – J'ai passé toute la journée d'hier dans une sorte de préoccupation sombre et historique. Ma première sortie a été pour l'église *del Carmine*, où sont les fresques de Masaccio ; ensuite, ne me trouvant pas disposé comme il le faut pour sentir les tableaux à l'huile du palais Pitti ou de la Galerie, je suis allé visiter les tombeaux des Médicis, à *San Lorenzo*, et la chapelle de Michel-Ange, ainsi nommée à cause des statues faites par ce grand homme. Sorti de *San Lorenzo*, j'errais au hasard dans les rues ; je considérais, dans mon émotion muette et profonde (les yeux très ouverts et ne pouvant parler), ces palais bâtis vers 1300 par les marchands de Florence : ce sont des forteresses. Je regardais, tout à l'entour de *Santa Maria del Fiore* (bâtie en 1293), ces arcades légèrement gothiques, dont la pointe élégante est formée par la réunion de deux lignes courbes (comme la partie supérieure des fleurs de lis frappées sur les pièces de cinq francs). Cette forme se retrouve sur toutes les portes d'entrée des maisons de Florence ; mais les modernes ont fermé avec un mur les arcades qui entouraient la place immense au milieu de laquelle *Santa maria del Fiore* s'élève isolée.

Je me sentais heureux de ne connaître personne, et de ne pas craindre d'être obligé de parler. Cette architecture du Moyen Âge s'est emparée de toute mon âme ; je croyais vivre avec le Dante. Il ne m'est peut-être pas venu dix pensées aujourd'hui, que je n'eusse pu traduire par un vers de ce grand homme. J'ai honte de mon récit, qui me fera passer pour *égotiste.*

Comme on voit bien, à la forme solide de ces palais, construits d'énormes blocs de pierre qui ont conservé brut le côté qui regarde la rue, que souvent le *danger* a circulé dans ces rues ! C'est l'absence de danger dans les rues qui nous fait si petits. Je viens de m'arrêter seul, une heure, au milieu de la petite cour sombre du palais bâti dans la *via Larga* par ce Côme de Médicis, que les sots appellent le *Père de la patrie.* Moins cette architecture vise à imiter le temple grec, plus elle rappelle les hommes qui ont bâti et leurs besoins, plus elle fait ma conquête. Mais, pour conserver cette illusion sombre qui, toute la journée, m'a fait rêver à Castruccio Castracani, à Uguccione della Faggiola, etc., comme si j'avais pu les rencontrer au détour de chaque rue, j'évite d'abaisser mes regards sur les petits hommes effacés qui passent dans ces rues sublimes, encore empreintes des passions du Moyen Âge. Hélas ! le bourgeois de Florence d'aujourd'hui n'a aucune passion ; car leur avarice n'est pas même une passion : ce n'est qu'une des convenances de l'extrême vanité combinées avec la pauvreté extrême.

Florence, pavée de grands blocs de pierre blanche de forme irrégulière, est d'une rare propreté ; on respire dans ses rues je ne sais quel parfum singulier. Si l'on excepte quelques bourgs hollandais, Florence est peut-être la ville la plus propre de l'univers, et certainement l'une des plus élégantes. Son architecture gréco-gothique a toute la propreté et tout le fini d'une belle miniature. Heureusement pour la beauté matérielle de Florence, ses habitants perdirent, avec la liberté, l'énergie qu'il faut pour élever de grands édifices. Ainsi l'œil n'est point choqué ici par ces indignes façades à la Piermarini, et rien ne trouble la belle harmonie de ces rues, où respire le beau idéal du Moyen Âge. En vingt endroits de Florence, par exemple en descendant du pont *della Trinità* et passant devant le palais Strozzi, le voyageur peut se croire en l'an 1500.

Mais, malgré la rare beauté de tant de rues pleines de grandiose et de mélancolie, rien ne peut être comparé au *Palazzo Vecchio.* Cette Forteresse, bâtie en 1298 par les dons volontaires des négociants, élève fièrement ses créneaux de brique et ses murs d'une hauteur immenses, non pas dans quelque coin solitaire, mais au milieu de la plus belle place de Florence. Elle a au midi la jolie galerie de Vasari, au nord la statue équestre d'un Médicis, à ses pieds le *David* de Michel-Ange, le *Persée* de Benvenuto Cellini, le charmant portique des *Lanzi,* en un mot, tous les chefs-d'œuvre des arts à Florence, et toute l'activité de sa civilisation. Heureusement cette place est le boulevard de Gand du pays, le lieu où l'on passe sans cesse. Quel édifice d'architecture grecque en pourrait dire autant que cette forteresse du Moyen Âge, pleine de rudesse et de force comme son siècle ? « Là, à cette fenêtre, du côté nord, me disait mon *cicérone,* fut pendu l'archevêque Pazzi, revêtu de ses habits pontificaux. »

Je regrette l'ancienne tour du Louvre. L'architecture gallo-grecque qui l'a remplacée, n'est pas d'une assez sublime beauté pour parler à mon âme aussi haut que la vieille tour de Philippe-Auguste. (Je viens d'ajouter cette comparaison pour expliquer mon idée ; quand pour la première fois je me trouvai à Florence, je ne pensais à rien qu'à ce que je voyais, pas plus au Louvre qu'au Kamchatka.)

À Florence, le *Palazza Vecchio* et le contraste de cette réalité sévère du Moyen Âge, apparaissant au milieu des chefs-d'œuvre des arts et de l'insignifiance des *marchesini* modernes, produit l'effet le plus grandiose et le plus vrai. On voit les chefs-d'œuvre des arts enfantés par l'énergie des passions, et plus tard tout devenir insignifiant, petit, contourné, quand la tempête des passions cesse d'enfler la voile qui doit faire marcher l'âme humaine, si impuissante quand elle est sans passions, c'est-à-dire sans vices ni vertus.

Ce soir, assis sur une chaise de paille, en avant du café, au milieu de la grande place et vis-à-vis le *Palazzo Vecchio,* la foule et le froid, fort peu considérables l'un et l'autre, ne m'empêchaient point de voir tout ce qui s'était passé sur cette place. C'est là que vingt fois Florence essaya d'être libre, et que le sang coula pour une constitution impossible à faire marcher. Insensiblement la lune, qui se levait, est venue marquer sur cette place si propre la grande ombre du *Palazzo Vecchio,* et donner le charme du mystère aux colonnades de la galerie, par-dessous lesquelles on aperçoit les maisons éclairées au-delà de l'Arno.

Sept heures ont sonné au beffroi de la tour ; la crainte de ne pas trouver de place au théâtre m'a forcé à quitter ce spectacle terrible : j'assistais, pour ainsi dire, à la tragédie de l'histoire. Je vole au théâtre du *Hhohhomero,* c'est ainsi qu'on prononce le mot *Cocomero.* Je suis furieusement choqué de cette langue florentine, si vantée. Au premier moment, j'ai cru entendre de l'arabe, et l'on ne peut parler vite.

La symphonie commence, je retrouve mon aimable Rossini. Je l'ai reconnu au bout de trois mesures. Je suis descendu au parterre, et j'ai demandé ; en effet, c'est de lui *Le Barbier de Séville* qu'on nous donne. Il a osé, en homme d'un vrai génie, traiter de nouveau le canevas qui a valu tant de gloire à Paisiello. Le rôle de Rosine est rempli par Mme Giorgi, dont le mari était juge dans un tribunal sous le gouvernement français. À Bologne, l'on m'a montré un jeune officier de cavalerie qui fait le *primo buffo.* Il n'y a jamais de honte, en Italie, à faire ce qui est raisonnable ; en d'autres termes, le pays est moins gâté par l'honneur à la Louis XIV.

Le Barbier de Séville de Rossini est un tableau du Guide : c'est la négligence d'un grand maître ; rien n'y sent la fatigue, le métier. C'est un homme d'infiniment d'esprit sans aucune instruction. Un Beethoven qui aurait de telles idées, que ne ferait-il pas ? Ceci m'a l'air un peu pillé de Cimarosa. Je ne trouve d'absolument nouveau, dans *Le Barbier de Séville,* que le trio du second acte entre Rosine, Almaviva et Figaro. Seulement, ce chant, au lieu d'être appliqué à une résolution d'intrigue, devrait l'être à des paroles de caractère et de parti pris.

Quand le danger est vif, quand une minute peut tout perdre ou tout sauver, il est trop choquant d'entendre répéter dix fois les mêmes paroles[1]. Cette *absurdité nécessaire* de la musique peut être facilement sauvée. Depuis trois ou quatre ans, Rossini fait des opéras où il n'y a qu'un morceau ou deux dignes de l'auteur de *Tancredi* et de *L'Italiana in Algeri.* Je proposais ce soir de réunir, sur un seul opéra, tous ces morceaux brillants. J'aimerais mieux avoir fait le trio du *Barbier de Séville* que tout l'opéra de Soliva, qui me plaisait tant à Milan.

21 janvier 1817 – J'admire de plus en plus le *Barbier.* Un jeune compositeur anglais, qui m'a tout l'air d'être sans génie, était scandalisé de l'audace de Rossini. Toucher à un ouvrage de Paisiello ! Il m'a conté un trait d'insouciance. Le morceau le plus célèbre de l'auteur napolitain est la romance : *Je suis Lindor.* Un chanteur espagnol, Garcia, je crois, a proposé à Rossini un air que les amants chantent sous les fenêtres de leurs maîtresses, en Espagne ; la paresse du maestro s'en est bien vite emparée : rien de plus froid ; c'est un portrait mis dans un tableau d'histoire.

Tout est pauvre au théâtre de Florence, habits, décorations, chanteurs : c'est comme une ville de France du troisième ordre. On n'y a de ballets que dans le carnaval. En général, Florence, située dans une vallée étroite, au milieu de montagnes pelées, a une réputation bien usurpée. J'aime cent fois mieux Bologne, même pour les tableaux ; d'ailleurs, Bologne a du caractère et de l'esprit. À Florence, il y a de belles livrées et de longues phrases. Le français, en Italie, ne passe pas Bologne et Florence.

Le caractère le plus rare chez un jeune Italien est, ce me semble, celui de la famille Primrose : « ... *They had but one character, that of being all equally generous, credulous, simple and inoffensive*[2]. » De telles familles ne sont pas rares en Angleterre. L'ensemble des mœurs y produit des jeunes filles d'un caractère angélique, et j'ai vu des êtres aussi parfaits que les filles du bon ministre de Wakefield ; mais il faut l'*habeas corpus,* et, je ne dirai pas les lois, mais les *usages* anglais, pour fournir aux poètes de tels caractères. Dans la sombre

1. Pour la musique, ce sont dix idées différentes.

2. « On voyait chez tous ces enfants le même caractère ; ils étaient également généreux, crédules, simples et inoffensifs. »

Italie, une créature *simple et inoffensive* serait bientôt détruite. Toutefois, si la candeur anglaise peut exister quelque part ici, c'est au sein d'une famille florentine qui vit à la campagne. À Milan, l'amour-passion viendrait bientôt animer cette candeur et lui donner plus de charme, mais un *autre* charme.

À en juger par les physionomies et par des observations faites *à l'anglaise*, c'est-à-dire à la table d'hôte de Mme Imbert, au café et au spectacle, le Florentin est le plus poli des hommes, le plus soigneux, le plus fidèle à ses petits calculs de convenance et d'économie. Dans la rue, il a l'air d'un commis à 1 800 francs d'appointements, qui, après avoir bien brossé son habit et ciré lui-même ses bottes, court à son bureau pour s'y trouver à l'heure précise. Il n'a pas oublié son parapluie, car le temps n'est pas sûr, et rien ne gâte un chapeau comme une averse.

En arrivant de Bologne, ce pays des passions, comment n'être pas frappé de quelque chose d'*étroit* et de *sec* dans toutes ces têtes[1] ? En revanche, quoi de plus beau que Mmes Pazz* et Mozz* ?

28 janvier 1817 – L'instinct musical me fit voir, dès le premier jour de mon arrivée, quelque chose d'*inexaltable* dans toutes ces figures ; et je ne fus nullement scandalisé, le soir, de leur manière sage et décente d'écouter *Le Barbier de Séville*. Ce ne sont pas là précisément les qualités qui brillent dans *La Cetra Sp...*, chanson qui fut chantée le carnaval dernier, en présence des personnes mêmes dont elle célèbre les galants exploits. C'est le triomphe de l'amour physique. Une scène tellement singulière me porterait à croire que l'*amour-passion* se rencontre rarement chez les Florentins. Tant pis pour eux ; ils n'ont qu'un pauvre supplément, mais qui a l'avantage immense de ne jamais conseiller de folies. Voici les premiers couplets

1. Je saute plusieurs pages; car, pour ce qui touche à la connaissance, du coeur humain et à ce qu'on appelle vilgairement *philosophie*, l'année 1826, tout occupée de la *critique de la raison pure* et du détrônement de Condillac, me semble éprouver un éloignement marqué pour les faits *racontés sans pathos*. Les gens adroits les craignent, les jeunes têtes ne les trouvent pas assez favorables au mysticisme et au spiritualisme.

Nel dì che bollono
D'amor le tresche
Solto le tuniche
Carnovalesche ;

Nume d'Arcadia,
Io non t'invoco,
Che i versi abbondano
Ben d'altro foco.

Sui Pindo piangono
Le nove Ancelle
Che teco vivono
Sempre zitelle.

Je conseille au voyageur de se procurer cette admirable chanson, et de se faire montrer aux *Cascine* ou au spectacle les dames qui assistèrent à la première lecture, et qui sont nommées tout au long dans le petit poème de M. le comte Giraud. Je n'ose raconter pourquoi huit dames ont été dernièrement mises aux arrêts chez elles par le grand-duc Ferdinand III.

La contrepartie de ces habitudes sociales, suivant moi si peu favorables au bonheur, c'est le pouvoir immense du p...e. Tôt ou tard personne ne pourra se passer ici d'un billet de confession. Les esprits forts du pays en sont encore à s'étonner de telle hardiesse que le Dante se permit contre le papisme, il n'y a que cinq cent dix ans. Quant aux libéraux de Florence, je les comparerais volontiers à certains pairs d'Angleterre, fort honnêtes gens d'ailleurs, mais qui croient sérieusement qu'ils ont droit à gouverner le reste de la nation dans leur propre avantage (*Corn Laws*). J'aurais compris cette erreur avant que l'Amérique ne vînt montrer que l'on peut être heureux sans aristocratie. Au reste, je ne prétends pas nier qu'elle ne soit fort douce ; quoi de mieux que de réunir les avantages de l'égoïsme et les plaisirs de la générosité ?

Les libéraux de Florence croient, ce me semble, qu'un noble a d'autres droits qu'un simple citoyen, et ils demanderaient volontiers, comme nos ministres, des lois pour protéger les forts. Un jeune

Russe, noble, bien entendu, m'a dit aujourd'hui que Cimabue, Michel-Ange, le Dante, Pétrarque, Galilée et Machiavel étaient patriciens : si telle est la vérité, il a raison d'en être fier. Ce sont les six plus grands hommes qu'ait produits ce pays industriel, et deux d'entre eux sont au nombre des huit ou dix plus grands génies dont l'espèce humaine puisse s'enorgueillir. Michel-Ange a de quoi faire la réputation d'un poète remarquable, d'un sculpteur, d'un peintre et d'un architecte du premier ordre.

Assis en dehors de la porte de Livourne, où je passe de longues heures, j'ai remarqué de fort beaux yeux chez les femmes de la campagne ; mais il n'y a rien dans ces figures de la douce volupté ni de l'air *susceptible de passion* des femmes de la Lombardie. Ce que vous ne trouverez jamais en Toscane, c'est l'air *exaltable*, mais en revanche, de l'esprit, de la fierté, de la raison, quelque chose de finement provocant. Rien n'est joli comme le regard de ces belles paysannes, si bien coiffées avec leur plume noire, jouant sur leur petit chapeau d'homme. Mais ces yeux si vifs et si perçants ont l'air plus disposés à vous juger qu'à vous aimer. J'y vois toujours l'idée du *raisonnable*, et jamais la possibilité de faire des folies par amour. Ces beaux yeux brillent du feu de la saillie bien plus que de celui des passions.

Les paysans de la Toscane forment, je le crois sans peine, la population la plus singulière et la plus spirituelle de toute l'Italie. Ce sont peut-être, dans leur condition, les gens les plus civilisés du monde. À leurs yeux, la religion est beaucoup plus une convenance sociale à laquelle il serait *grossier* de manquer, qu'une croyance, et ils n'ont guère peur de l'enfer.

Si l'on veut consulter l'*échelle morale*, on les trouvera fort au-dessus des bourgeois à 4 000 livres de rente et à tête étroite qui garnissent les salons des sous-préfectures de France ; seulement la conscription n'excitait pas chez nous le même désespoir qu'en Toscane. Les mères suivaient leurs fils en hurlant jusque dans les rues de Florence, spectacle vraiment hideux. C'était, en revanche, un spectacle comique que la sévérité du préfet, déconcertant d'un mot les petits moyens employés par les chambellans de la princesse Elisa, pour être dispensés de *faire un homme.*

Les tableaux des grands peintres de l'école de Florence m'ont conduit, par un autre chemin, à la même idée sur le caractère national. Les Florentins de Masaccio et du Ghirlandajo auraient l'air de fous s'ils se présentaient aujourd'hui au grand café à côté de *Santa Maria del Fiore* ; mais, comparés aux personnages de Paul Véronèse et du Tintoret (je choisis exprès des peintres sans idéal), ils ont déjà quelque chose de sec, d'étroit, de raisonnable, de fidèle aux convenances, d'INEXALTABLE, en un mot. Ils sont beaucoup plus près de la véritable civilisation, et infiniment plus loin de ce qui m'inspire de l'intérêt dans un homme. Bernardino Luini, le grand peintre des Milanais (vous souvenez-vous des fresques de Saronno ?), est certainement très froid, mais ses personnages ont l'air de petits Werther si vous les comparez aux gens sages des fresques de la *Nunziata* (chefs-d'œuvre d'André del Sarto). Afin que l'Italie offrît tous les contrastes, le ciel a voulu qu'elle eût un pays absolument *sans passions* : c'est Florence. Je cherche en vain dans l'histoire du dernier siècle un trait de passion dont la scène soit en Toscane. Rendez un peu de folie à ces gens-ci, et vous retrouverez des Pierre Marenghi allant à la nage incendier les vaisseaux ennemis. Qui eût dit, en 1815, que ces Grecs si souples, si obséquieux envers les Turcs, étaient sur le point de devenir des héros ?

Milan est une ville ronde et sans rivière, jetée au milieu d'une plaine parfaitement unie, et que coupent cent ruisseaux d'eau vive. C'est au contraire dans une vallée assez peu large, dessinée par des montagnes pelées, et tout contre la colline qui la borne au midi, qu'on a bâti Florence. Cette ville qui, par la disposition des rues, ressemble assez à Paris, est placée sur l'Arno comme Paris sur la Seine. L'Arno, torrent auquel une digue transversale, pour le service d'un moulin, donne, sous les ponts de Florence, l'apparence d'une rivière, coule aussi d'orient en occident. Si l'on monte au jardin du palais Pitti, sur la colline méridionale, et que de là on fasse le tour des murs jusqu'au chemin d'Arezzo, on prendra une idée du nombre infini de petites collines dont la Toscane se compose ; couvertes d'oliviers, de vignes et de petites plates-bandes de blé, elles sont cultivées comme un jardin. En effet, l'agriculture convient au génie tranquille, paisible, économe des Toscans.

Comme dans les tableaux de Léonard et de la première manière de Raphaël, la perspective est souvent terminée par des arbres sombres se dessinant sur l'azur d'un beau ciel.

Les fameuses *Cascine*, promenade où tout le monde va se montrer, sont situées comme les Champs-Élysées. Ce qui m'en déplaît, c'est que je les trouve encombrées de six cents Russes ou Anglais. Florence n'est qu'un musée plein d'étrangers ; ils y transportent leurs usages. La division en *castes* des Anglais, et le scrupule qu'ils mettent à s'y conformer, servent de texte à cent contes plaisants. C'est ainsi que se venge de leur luxe la pauvre noblesse florentine, qui se rassemble chaque soir chez Mme la comtesse d'Albany, veuve d'un prétendant et amie d'Alfieri. M. Fabre (de Montpellier), à qui la postérité devra les portraits de ce grand tragique, m'a montré, en objets d'art, les choses les plus curieuses. Je dois à l'obligeance d'un moine de Saint-Marc la vue des fresques admirables que Fra Bartolomeo a laissées sur les murs de sa cellule. Cet homme de génie cessa de peindre pendant quatre ans par humilité chrétienne, et reprit ensuite les pinceaux sur l'ordre de son supérieur. Il y a quinze jours qu'un peintre de ma connaissance allait faire des études d'après la jolie tête d'une jeune tresseuse de chapeaux de paille. Le peintre est un Allemand fort sage de quarante ans, et d'ailleurs les séances avaient lieu en présence de toute la famille, enchantée d'ajouter quelques pauls à son mince ordinaire. Ces séances ont choqué le curé. « Si la jeune fille continue, a-t-il dit, je la déshonorerai en la nommant à mon prône. » Voilà ce qu'on n'oserait pas se permettre en terre papale ; voilà les fruits amers de la patience sans bornes et de l'égoïsme.

N'oubliez pas, si vous êtes sensible à la force tonnante qu'un beau vers ajoute à une pensée énergique, de vous procurer les sonnets *Berta non sazia* et *L'urna di Berta* ; et les épigrammes :

Berta condotta al fonte da piccina...
Di Berta lo scrivano diceva al sor pievano...
Mentre un gustoso piatto Berta scrocca...
Dissi a Berta : devi esser obligata...
Si sentiron suonar dei francesconi...
Per cavalcare in buon caval da sella...
La Mezzi m'ha in secreto ricercato...
In mezzo ai birri armati di pugnali...

Depuis quelques heures que je possède ces vers si vifs, je les aurai relus dix fois. J'avertis que la mère n'en prescrirait pas la lecture à sa fille ; on y trouve d'ailleurs plus d'énergie que de grâce. – Je sens que mon cœur déserte les arts de Bologne. Lisant le Dante uniquement et avec amour, je ne pense plus qu'aux hommes du XIIe siècle, simples et sublimes du moins par la force des passions et par l'esprit. L'élégance de l'école de Bologne, la beauté grecque et non *italienne* des têtes du Guide commencent à me choquer comme une sorte de profanation. Je ne puis me le dissimuler, j'ai de l'amour pour le Moyen Âge de l'Italie[1].

29 janvier 1817 – Florence a sur l'Arno quatre beaux ponts, situés à distances à peu près égales, et qui forment, avec les quais et la colline du midi, garnie de cyprès se dessinant sur le ciel, un ensemble admirable. Cela est moins grandiose, mais bien plus joli que les environs du célèbre pont de Dresde. Le second des ponts de Florence, en descendant l'Arno, est chargé de boutiques d'orfèvrerie. C'est là que j'ai rencontré ce matin un lapidaire juif, avec lequel jadis je faillis me noyer ; Nathan est passionné pour sa religion, et pousse à un point étonnant une sorte de philosophie tranquille et l'art fort utile de payer peu pour toutes choses. Nous nous sommes revus avec beaucoup de plaisir. Il m'a conduit à

[1]. Je supprime toutes mes descriptions de tableaux. M. le président de Brosses a dit cent fois mieux (t. II, p. 11 à 67). Le bon goût de ce contemporain de Voltaire m'étonne toujours. Quant à M. Benvenuti et aux autres peintres venus depuis 1740, les tableaux de Girodet et des autres élèves de l'immortel David font plaisir à voir, si on les compare à *La Mort de César*, aux *Travaux d'Hercule*, à la *Judith* de M. Benvenuti. Comme les Florentines sont infiniment plus belles que les femmes nées à Paris, on trouve dans ces tristes tableaux quelques têtes d'un contour agréable. Ce qui rend si insipides les ouvrages de nos artistes modernes, c'est que le gouvernement s'obstine à ne commander que des tableaux de miracles à des gens qui n'ont peut-être pas toute la ferveur de Fra Bartolomeo. Pour courir la chance d'être quelque chose, il faut agir, peindre ou écrire sous la dictée de ses passions. Les articles florentins, suivant toute apparence, sont trop sensés pour éprouver de ces mouvements inconvenants et dispendieux qu'on nomme passions. Sous ce rapport, ce sont des gens du meilleur ton. Je n'ai rien vu en Italie, parmi les tableaux modernes, qui rappelle, même de loin, je ne dirai pas la grâce céleste de Prud'hon, mais *La Pesle de Jaffa*, ou la tête de la *Didon* de M. le naron Guérin.

l'instant, pour ne pas se séparer de moi, et comme son associé, chez un homme auquel il a vendu 10 louis une excellente pierre gravée de Pikler. Le marché, qui a duré trois quarts d'heure, m'a semblé court ; excepté l'énonciation du prix on n'y a pas prononcé un seul des mots qu'un Français eût employés en pareille occurrence. L'Italien qui achète une bague songe à faire collection pour ses descendants ; acquiert-il une estampe de 30 francs, il en dépensera 50 pour la transmettre à sa postérité dans un cadre magnifique. J'ai vu à Paris M. le baron de S *** dire en achetant un livre rare : « Il se vendra 50 francs à ma vente » (c'est-à-dire à la vente qui suivra son décès). Les Italiens ne savent pas encore que rien de ce que fait un homme riche ne lui survit dix ans. La plupart des maisons de campagne où l'on a bien voulu me recevoir, appartenaient à la même famille depuis un siècle ou deux.

Nathan m'a conduit ce soir dans une société de riches marchands, sous le prétexte de me faire voir un fort joli théâtre de marionnettes. Cette charmante bagatelle n'a que cinq pieds de large, et pourtant offre une copie exacte du théâtre de la Scala. Avant le commencement du spectacle, on a éteint les lumières du salon ; les décorations font beaucoup d'effet, parce que, quoique fort petites, elles ne sont pas traitées comme des miniatures, mais à la Lanfranc (par un élève de M. Peregò de Milan). Il y a de petites lampes proportionnées au reste, et tous les changements de décorations s'effectuent rapidement et par les mêmes moyens qu'à la Scala ; rien de plus joli. Une troupe de vingt-quatre marionnettes de huit pouces de haut, qui ont des jambes de plomb et qu'on a payées un sequin chacune, a joué une comédie délicieuse et un peu libre, abrégée de *La Mandragore* de Machiavel. Les marionnettes ont ensuite dansé un petit ballet avec beaucoup de grâce.

Mais ce qui m'a charmé plus que le spectacle, c'est l'agrément et l'esprit de la conversation de ces Florentins, c'est le ton de politesse aisée avec lequel ils ont bien voulu m'accueillir. Quelle différence avec Bologne ! Ici, la curiosité qu'inspire une nouvelle figure l'emporte d'emblée sur l'intérêt qu'on prend à l'amant. N'a-t-on pas du temps de reste pour parler à celui-ci ?

J'ai vu ce soir la raison embellie par toute l'aménité que peut lui donner une longue expérience ; l'urbanité et le savoir-vivre brillaient plus dans les discours que le naturel ou la vivacité, et les saillies, assez rares, ont été pleines de mesure. L'ensemble avait un tel agrément, que je me suis repenti un instant d'avoir jeté au feu mes lettres de recommandation. Il y avait là deux des personnes à qui j'étais recommandé. L'honneur cependant m'en faisait un devoir ; car jusqu'ici je n'ai dit que du mal des Florentins, tels que Côme III et Léopold les ont faits. Mais je ne dois pas être aveugle pour leurs qualités aimables : elles seraient tout à fait de mise à Paris, à la différence de l'amabilité bolonaise, qui semblerait de la folie, ou qui effaroucherait par le *sans-gêne.* Heureusement on n'a presque pas parlé de littérature, on n'a dit qu'un mot sur *Old Mortality,* roman de Walter Scott, qui vient d'arriver au cabinet littéraire de M. Molini. On a cité huit ou dix vers de M. J.-B. Niccolini, qui réellement ont quelque chose de la magnificence de Racine. J'ai remarqué dans l'assemblée fort nombreuse, cinq ou six femmes assez jolies, mais d'un air beaucoup trop raisonnable pour sembler femmes à mes yeux ; avec tant de raison, on ne doit comprendre que la partie matérielle de l'amour.

J'oubliais que ce matin j'ai pris une sédiole pour aller voir la célèbre chartreuse à deux milles de Florence. Le saint bâtiment occupe le sommet d'une colline sur la route de Rome ; vous le prendriez au premier aspect pour un palais ou pour une forteresse gothique. L'ensemble est imposant, mais l'impression bien différente de celle que laisse la Grande-Chartreuse (près de Grenoble). Rien de saint, rien de sublime, rien qui élève l'âme, rien qui fasse vénérer la religion : ceci en est plutôt une satire ; on songe à tant de richesses entassées pour donner à dix-huit fakirs le plaisir de se mortifier. Il serait plus simple de les mettre au cachot et de faire de cette chartreuse la prison centrale de toute la Toscane. Elle pourrait bien n'avoir encore que dix-huit habitants, tant ces gens-ci me semblent bons calculateurs et exempts des passions qui peuvent égarer l'homme.

Un pauvre domestique corse, nommé Cosimo, a ces jours-ci scandalisé tout Florence. Ayant appris que sa sœur, qu'il n'avait pas vue depuis vingt ans, s'était laissé séduire, dans les montagnes de la Corse, par un homme appartenant à une famille ennemie, et enfin avait pris la fuite avec cet homme, il a mis les affaires de son maître dans le plus grand ordre, et s'est allé brûler la cervelle dans un bois à une lieue d'ici. Ce qui est exactement raisonnable ne donne pas prise aux beaux-arts ; j'estime un sage républicain des États-Unis, mais je l'oublie à tout jamais en quelques jours : ce n'est pas un homme pour moi, c'est une chose. Je n'oublierai jamais le pauvre Cosimo ; cette déraison m'est-elle personnelle ? Le lecteur va répondre. Je ne trouve rien à blâmer, mais rien d'intéressant chez les sages Toscans. Par exemple, leur cœur ne fait aucune différence entre le droit d'être libre et la tolérance de faire ce qui leur plaît, dont ils jouissent sous un prince (Ferdinand III) rendu sage par l'exil, mais qui jadis fit commencer cinq mille procès de tendance au jacobinisme, contre pareil nombre de ses sujets (*sic dicitur*).

Le bourgeois toscan, d'un esprit timide, jouit du calme et du bien-être, travaille à s'enrichir et un peu à s'éclairer, mais sans songer le moins du monde à prendre place dans le gouvernement de l'État. Cette seule idée, qui le détournerait du soin de son petit pécule, lui fait une peur horrible, et les nations étrangères qui s'en occupent lui semblent un ramassis de fous.

Les Toscans me représentent l'état des bourgeois de l'Europe à la cessation des violences du Moyen Âge. Ils dissertent sur la langue et sur le prix des huiles, et, du reste, craignent si fort le trouble, même celui qui mènerait à la liberté, que, sollicités par un nouveau Cola di Rienzi, probablement ils se battraient contre lui et pour le despotisme actuel. À de tels hommes il n'y a rien à dire : *gaudeant bene nati.* Tel serait peut-être l'état de torpeur de la plus grande partie de l'Europe, si nous avions eu un gouvernement *assoupissant* comme celui de la Toscane. Ferdinand a compris qu'il n'avait ni assez de soldats ni assez de courtisans pour vivre heureux au milieu de l'exécration publique. Il vit en bon homme, et on le rencontre seul dans les rues de Florence. Le grand-duc a trois ministres, dont un ultra, M. le prince Neri Corsini, et deux fort raisonnables, MM. Fossombroni, géomètre célèbre, et Frullani ; il ne les voit qu'une fois par semaine, et ne gouverne presque pas. Chaque année, Ferdinand III commande pour 30 000 francs de tableaux aux mauvais peintres que lui désigne l'opinion publique, qui les admire ; chaque année aussi, il achète une ou deux belles terres. Pour peu que le ciel conserve cet homme raisonnable à la Toscane, je suis convaincu qu'il finira par lui proposer de la gouverner *gratis*. On fait le plus grand éloge de sa femme, princesse de Saxe, et de la sœur de sa femme, qui a épousé le prince royal (régnant en 1826). S'il n'y avait pas d'intrigues et de p...e dans les petites villes de Toscane, on y vivrait fort heureux ; car le peuple nomme lui-même ses maires et officiers municipaux (*anziani*). Mais tout cela est nominal, comme l'invitation que l'empereur Léopold fit au sénat de Milan (1790) de délibérer *sur les choses utiles au pays*. Ces bourdes-là sont prises au sérieux par les Roscoë et autres grands historiens anglais.

La maréchale de Rochefort disait au célèbre Duclos : « Pour vous, je ne suis pas en peine de votre paradis : du pain, du fromage et la première venue, et vous voilà heureux. » Le lecteur voudrait-il d'un tel bonheur ? N'aime-t-il pas mieux le malheur passionné et déraisonnable de Rousseau ou de lord Byron ?

On m'a présenté, à la *Certosa*, le registre de papier jaune, épais comme du carton, sur lequel la plupart des voyageurs inscrivent une niaiserie. Quel n'a pas été mon étonnement de trouver en si mauvaise compagnie un sonnet sublime sur la mort ! Je l'ai relu dix fois. Ce soir, lorsque j'ai parlé de ma découverte, tout le monde m'a ri au nez. « Quoi ! m'a-t-on dit, vous ne connaissiez pas le sonnet de Monti sur la mort ? » J'ajoute à part moi : « Jamais un voyageur ne doit se figurer qu'il connaît à fond la littérature d'un pays voisin. »

LA MORTE
Sonetto

Morte, che sei tu mai ? Primo dei danni
L'alma vile e la rea ti crede e teme ;
E vendetta dei ciel scendi ai tiranni,
Che il vigile tuo braccio incalza e preme.

Ma l'infelice, a cui de' lunghi affanni
Grave è l'incarco, e morta in cor la speme,
Quel ferro implora troncator degli anni,
E ride all' appressar dell' ore estreme.

Fra la polve di Marte, e le vicende,
Ti sfida il forte che ne' rischi indura ;
E il saggio senza impallidir ti attende.

Morte, che se' tu dunque ? Un' ombra oscura,
Un bene, un male, che diversa prende
Dagli affetti dell'uom forma e natura[1].

Nathan confirme tous mes aperçus sur le caractère florentin qu'il approuve beaucoup ; il se méfie tellement du sort, qu'il regarde toute passion comme un malheur : il a grand-peine à faire une exception pour la chasse. Il est du reste grand partisan de cette doctrine intérieure que Lormea me prêchait à Hambourg : répondre poliment et avec gaieté à tous les hommes ; du reste, regarder leurs paroles comme un vain bruit ; ne pas souffrir qu'elles produisent le moindre effet sur notre for intérieur, excepté le cas de danger flagrant, comme : « Rangez-vous, voilà un cheval qui s'échappe. » Pour un ami intime, si l'on croit en avoir, on peut faire cette exception : écrire ses conseils, et les examiner un an après, jour pour jour.

Faute de cette doctrine, les trois quarts des hommes se damnent pour des fautes qui ne sont pas même aimables à leurs yeux ; et par elle des hommes assez bornés ont été fort heureux. Elle délivre en peu de temps du malheur de désirer des choses contradictoires.

Volterra, 31 janvier 1817 – Comme toutes les villes de cette ancienne Étrurie dont Rome naissante détruisit la civilisation

1. LA MORT, sonnet.

Ô Mort ! qu'es-tu ? Pour l'âme basse et la coupable, le premier des maux. Aux tyrans cruels tu parais une vengeance du ciel qui les presse et les accable.

Mais le malheureux fatigué du poids de longues infortunes, et qui depuis longtemps a vu tour espoir s'éteindre dans son cœur, implore ce fer par qui va finir le cours de ses misères, et sourit à l'approche du dernier moment.

Au milieu des hasards et de la poussière des combats, le héros te défie, les périls l'endurcissent. Le sage t'attend sans pâlir.

Qu'es-tu donc, ô Mort ? Une nuit impénétrable, un bien, un mal, et tu prends des noms opposés, suivant le dernier sentiment qui fait battre ce cœur expirant.

vraiment libérale pour l'époque, Volterra est placée au point le plus élevé d'une haute colline, à peu près comme Langres. J'ai trouvé *l'honneur national* de la petite ville fort en colère de je ne sais quel article d'un voyageur genevois, qui prétend que l'*aria cattiva* décime tous les ans les habitants de Volterra. M. Lullin parle fort bien de l'agriculture toscane, qu'il appelle cananéenne, en l'honneur des noces de Cana ; du reste, le style genevois a une certaine *emphase puritaine* qui m'amuse toujours. Les Voterriens accusent M. Lullin de s'être trompé de plusieurs millions seulement, en essayant d'évaluer l'exportation des chapeaux de paille que l'on fabrique en Toscane. « Ne voyez, leur disais-je, qu'un hommage à l'Italie dans les huit ou dix volumes que nous autres gens du Nord imprimons chaque année sur le pays du *beau*. Que vous importe que nous déraisonnions ? Le fâcheux serait qu'on ne parlât pas de vous, et qu'on traitât Volterra comme Nuremberg. » Je visite, la plume à la main, les murs cyclopéens, objets de mon voyage ; j'examine une grande quantité de petits tombeaux d'albâtre ; je passe une soirée fort intéressante dans le couvent de MM. les frères Scolopi, c'est-à-dire chez des moines. Qui me l'eût dit, il y a trois mois ?

Je ne puis trop me louer de la politesse vraiment remplie de grâces de M. le marquis Guarnacci, chevalier de Saint-Étienne, qui a bien voulu me montrer son cabinet d'antiquités, et ensuite me conduire chez MM. Ricciarelli, patriciens de Volterra, qui ont un tableau du fameux Daniel Ricciarelli de Volterra, leur ancêtre et l'un des bons imitateurs de Michel-Ange. Propreté charmante des fabriques de vases d'albâtre et de petites statues ; gentillesse de quelques-unes de ces petites figures. – Regards audacieux des capucins que je rencontre à la procession ; contraste avec leur humble démarche. L'évêque de cette ville de quatre mille habitants a 40 000 livre de rente.

J'ai trouvé bon nombre de mensonges et d'exagérations dans les planches que M. Micali, auteur de *L'Italie avant les Romains (L'Italia avanti il dominio dei Romani)*, a consacrées à Volterra. Ce qui manque le plus aux savants italiens, après la clarté, c'est l'art de ne pas regarder comme prouvés les faits dont ils ont besoin ; leur manière de raisonner, en ce genre, est incroyable. Toutefois M.

Raoul Rochette a gâté cet ouvrage en le mettant en français. M. Niebuhr serait bien supérieur à tout ceci, si la malheureuse philosophie allemande ne venait jeter du louche et du vague sur les idées du docte Berlinois. L'indulgence du lecteur ira-t-elle jusqu'à me passer une comparaison gastronomique ? On connaît ce vers de M. Berchoux :

Et le turbot fut mis à la sauce piquante.

À Paris, on sert à part le turbot et la sauce piquante. Je voudrais que les historiens allemands se pénétrassent de ce bel usage ; ils donneraient séparément au public les faits qu'ils ont mis au jour, et leurs réflexions *philosophiques.* On pourrait alors profiter de l'histoire, et renvoyer à un temps meilleur la lecture des idées sur l'*absolu.* Dans l'état de mélange complet où se trouvent ces deux bonnes choses, il est difficile de profiter de la meilleure.

Castelfiorentino, 1er février 1817, à deux heures du matin – Ce soir, à six heures, à mon retour de Volterra, je suis entré dans ce village, situé à quelques lieues de Florence. J'avais à ma sédiole le petit cheval le plus maigre et le plus vite ; mais je l'ai modéré de façon à être comme forcé de demander l'hospitalité dans une maison de Castelfiorentino, entre Empoli et Volterra. J'ai trouvé trois de ces paysannes de Toscane si jolies et si supérieures, à ce que l'on dit, aux dames des villes. Il y avait sept à huit paysans auprès d'elles. Je donnerais en mille à deviner l'occupation de cette société de laboureurs : ils improvisaient, chacun à son tour, des contes en prose dans le genre des *Mille et une Nuits.* J'ai passé à écouter ces contes une soirée délicieuse, de sept heures à minuit. Mes hôtes étaient d'abord auprès du feu, et moi à dîner à ma table ; ils ont vu mon attention, et peu à peu m'ont adressé la parole. Comme il se trouve toujours un enchanteur dans ces histoires si jolies, je leur suppose une origine arabe. Une surtout m'a tellement frappé, que je l'écrirais si je pouvais la dicter. Mais comment entreprendre d'écrire moi-même trente pages ? Le merveilleux le plus extravagant crée des événements qui amènent les développements de passion les plus vrais et les plus imprévus. L'imagination est étonnée par la hardiesse des inventions et séduite par la fraîcheur des peintures. Un amant s'est caché dans un arbre pour regarder sa maîtresse, qui se baigne dans un petit lac ; l'enchanteur, son rival, est absent ; mais le magicien, quoique éloigné, s'aperçoit de ce qui se passe par la vive douleur que lui cause une bague ; il dit un mot, et successivement les bras, les jambes, la tête du pauvre amant, tombent de l'arbre sur lequel il est perché, dans le lac. On donne ses discours à sa maîtresse et les réponses de celle-ci pendant cette punition cruelle ; par exemple, quand l'amant n'a plus de corps et qu'il ne lui reste que la tête, etc. Ce mélange de folie et de vérité touchante produit sur moi un effet délicieux ; il y avait des moments, en écoutant ces contes, où je me voyais au XVe siècle. La soirée s'est terminée par de la danse. Je m'étais si bien *fait petit* dans la conversation, que les hommes m'ont vu sans jalousie danser avec eux et ces trois jolies paysannes jusqu'à une heure du matin. Cependant une ouverture que j'ai hasardée sur la beauté du pays, qui pourrait bien m'engager à passer la journée de demain à Castelfiorentino, n'a eu aucun succès. « La beauté du pays le 1er février ! a répondu l'un des paysans ; monsieur veut nous faire un compliment, etc., etc. » Je n'avais fait cette proposition indirecte que pour ne pas manquer à la fortune. Il eût été par trop fou d'espérer que je pourrais persuader la vérité à ces paysans, c'est-à-dire que c'étaient les grâces de leur esprit, la politesse si originale de leurs manières, et non quelque projet ridicule sur la beauté de leurs femmes, qui, par une *tramontana* abominablement forte et perçante, me retenaient deux jours dans un trou tel que Castelfiorentino. Je n'entreprends pas de description de ma soirée ; je sens trop que la seule manière de la peindre serait de rapporter les contes délicieux qui en ont fait le charme. Comme ce mot est faible ! qu'il est mal d'en avoir abusé ! Les six heures de cette soirée se sont envolées pour moi comme si j'avais joué au pharaon en bonne compagnie ; j'étais tellement occupé que je n'ai pas eu un instant de langueur pour réfléchir sur ce qui m'arrivait.

Je compare cette soirée à celle que je passai à la Scala, le jour de mon arrivée à Milan : un plaisir passionné inondait mon âme et la fatiguait ; mon esprit faisait des efforts pour ne laisser échapper aucune nuance de bonheur et de volupté. Ici, tout a été imprévu et plaisir de l'esprit, sans effort, sans anxiété, sans battement de cœur ; c'était comme un plaisir d'ange. Je conseillerais au voyageur de se faire passer dans les villages de Toscane pour un Italien de la Lombardie. Dès la première phrase, les Toscans voient que je parle fort mal ; mais, comme les mots ne me manquent pas, dans leur dédain superbe pour tout ce qui n'est pas la *toscana favella*, lorsque je leur dis que je suis de Como, ils me croient sans peine. Je m'expose, il est vrai : il serait fâcheux de me trouver vis-à-vis d'un Lombard ; mais *c'est un des dangers de mon état*, comme dit au sage Ulysse Grillus changé en porc par Circé[1]. La présence d'un Français donnerait sur-le-champ une tout autre physionomie à la conversation.

L'honneur national du lecteur dira que je suis affecté de monomanie, et que mon idée fixe est l'admiration pour l'Italie ; mais je me manquerais à moi-même, si je ne disais pas ce qui me *semble* vrai. J'ai habité pendant six ans ce pays, que l'homme à l'honneur national n'a peut-être jamais vu. Il ne fallait pas une préface moins longue pour faire tolérer l'effroyable hérésie que voici : je crois en vérité que le paysan toscan a beaucoup plus d'esprit que le paysan français et qu'en général le paysan italien a reçu du ciel infiniment plus de susceptibilité de sentir avec force et profondeur, autrement dit, infiniment plus d'énergie de passion.

En revanche, le paysan français a beaucoup plus de *bonté*, et de ce *bon sens* qui s'applique si bien aux circonstances ordinaires de la vie. Le paysan de la Brie qui a mille francs déposés dans une maison de banque ou prêtés sur hypothèque est rassuré par l'idée de cette petite fortune. La possession d'un capital de mille francs consistant en autre chose qu'un fonds de terre est, au contraire, le pire sujet d'inquiétudes que l'on puisse donner à un paysan italien. J'excepte le Piémont, les environs de Milan et la Toscane ; j'excepte surtout l'État de Gênes, où, le territoire ne produisant pas assez de blé pour la subsistance des habitants, tout le monde est négociant. Sans être sorties de notre belle France, les personnes qui ont voyagé dans le Midi savent que la bonté est rare parmi les paysans. Le quartier général de la bonté est Paris ; elle règne surtout à cinquante lieues à la ronde.

1. Dans l'admirable *Dialogue* de Fénelon.

Sienne, 2 février 1817 – Quelle n'a pas été ma joie, en rentrant à Florence ce matin, de rencontrer au café un de mes amis de Milan ! Il court à Naples pour voir l'ouverture du théâtre de Saint-Charles, reconstruit par Barbaja après l'incendie d'il y a deux ans ; il arrivera trop tard. Il me propose une place dans sa calèche ; cette idée renverse tous mes projets raisonnables, et j'accepte ; car enfin, je voyage non pour connaître l'Italie, mais pour me faire plaisir. Je crois que ma grande raison a été que cet ami parle milanais : la prononciation arabe du Florentin me dessèche le cœur, et, en parlant avec mon ami *delle nostre cose di Milan*, une sorte de sérénité et de bonheur tranquille se répand dans mon âme. Cette conversation pleine de candeur n'offre jamais l'ombre d'un mensonge, jamais de crainte du ridicule. J'ai vu cet aimable Milanais dix fois peut-être en ma vie, et il me fait l'effet d'un ami intime.

Nous ne nous sommes arrêtés que dix minutes à Sienne pour la cathédrale, dont je ne me permettrai pas de parler. J'écris en voiture ; nous avançons avec lenteur, au milieu d'une suite de petites collines volcaniques, couvertes de vignes et de petits oliviers : rien de plus laid. Pour nous refaire, de temps à autre, nous traversons une petite plaine empuantie par quelque source malsaine. Rien ne porte à la philosophie comme l'ennui d'une laide route. « Je voudrais bien, me dit mon ami, que l'on proposât un prix pour l'examen de cette question : *Quel mal Napoléon a-t-il fait à l'Italie ?* »

On répondrait : « Il a donné deux degrés de civilisation, tandis qu'il lui eût été facile d'en accorder dix. »

Napoléon dirait de son côté : « Vous m'avez rejeté une de mes lois les plus essentielles (l'enregistrement des actes, repoussé en 1806 par le corps législatif de Milan) ; j'étais corse, je comprenais le caractère italien, qui n'est pas décousu comme celui des Français ; vous m'avez fait peur. Par incertitude, autant que par fantasmagorie monarchique, j'ai renvoyé toute grande amélioration jusqu'à ce voyage de Rome que jamais je n'ai pu faire ; il m'a fallu mourir sans voir la ville des Césars, et sans dater du Capitole un décret digne de ce nom. »

Torrenieri, 3 février 1817 – Nous avons soupé hier à Buonconvento. La calèche avait heureusement besoin de quelques réparations ; j'ai abandonné mon ami, et suis allé m'établir dans la boutique du barbier (c'est un sacrifice que je fais à mon devoir de voyageur). J'y trouve heureusement un jeune curé des environs, beau parleur, qui, me voyant étranger, veut absolument me faire les honneurs du pays, et me céder son tour sur le grand fauteuil de cuir : j'accepte. Rien n'attache comme les bienfaits, et j'obtiens, en faisant beaucoup de frais, une heure de conversation intime avec ce jeune curé. Tantôt, en vertu de sa robe, il me dit beaucoup de mal des Français ; tantôt, en vertu de son esprit dont il a infiniment (du raisonnable s'entend et de l'exact, à la florentine), il porte aux nues cette administration française si raisonnable, si forte, si exacte, et qui semait sur la pauvre Italie du XVIe siècle les conséquences de la civilisation du XVIIIe. Par le gouvernement de Napoléon, l'Italie sautait à pieds joints trois siècles de perfectionnements. Dans les îles de la mer Pacifique, que les Anglais découvrent aujourd'hui, et que la petite vérole dépeuple sans cesse, ils ne portent pas l'inoculation, cette invention bienfaisante tant calomniée par les têtes à perruque de 1756, mais la vaccine, bien supérieure à l'inoculation. Tel était notre rôle en Italie.

L'administration impériale, qui souvent en France étouffait les lumières, en Italie ne froissait que l'absurde ; de là l'immense et juste différence de la popularité de Napoléon en France et en Italie. En France, Napoléon ôtait les Écoles centrales, gâtait l'École polytechnique, souillait l'instruction publique, et faisait avilir les jeunes âmes par son M. de Fontanes. La dose de sens commun et de libéralité que M. de Fontanes n'osait ôter aux établissements de l'université impériale eût été encore un immense bienfait pour l'Italie. Dans les pays à imagination, comme Bologne, Brescia, Reggio, etc., plusieurs jeunes gens, ignorant les frottements que le moindre établissement nouveau rencontre en ce monde, et la tête échauffée des utopies impossibles de Rousseau, blâmaient hautement Napoléon, mais sans voir clairement et, nettement en quoi il trahissait le pays et méritait Sainte-Hélène. À Florence, au contraire, pays où l'on ne voit jamais que la réalité, le système de Napoléon brillait de tous ses avantages. j'ai parcouru avec mon curé presque toutes les branches de l'administration. La petitesse et le vexatoire de l'administration française n'étaient visibles que dans les Droits réunis. Mais, par exemple, notre Code civil, ouvrage des Treilhard, des Merlin, des Cambacérès, succédait sans intermédiaire aux lois atroces de Charles Quint et de Philippe II.

Le lecteur ne saurait se figurer les absurdités desquelles nous avons guéri l'Italie. « Par exemple, me dit mon jeune curé, en 1796, c'était encore une impiété, dans ces vallées de l'Apennin, sur lesquelles la foudre se promène deux ou trois fois par mois, de faire placer un paratonnerre sur sa maison ; c'était s'opposer à la volonté de Dieu. » (Les méthodistes anglais ont eu la même idée.) Or, ce que l'Italien aime le mieux au monde, c'est l'architecture de sa maison. Après la musique, l'architecture est celui des beaux-arts qui remue le plus profondément son cœur. Un Italien s'arrête et passe un quart d'heure devant une belle porte que l'on construit dans une maison nouvelle. Je conçois le comment de cette passion : à Vicence, par exemple, la sottise méchante du commandant de place et du commissaire de police autrichiens ne peut détruire les chefs-d'œuvre de Palladio, ne peut empêcher qu'on en parle. C'est à cause de ce goût pour l'architecture que les Italiens qui arrivent à Paris sont si choqués, et que leur admiration pour Londres est si vive : « Où trouver au monde, disent-ils, une rue égale ou comparable à *Regent street* ? »

Mon jeune curé me dit que Cosme Ier de Médicis, ce prince funeste, qui a brisé le caractère des Toscans, achetait à tout prix, pour les faire brûler à l'instant, les mémoires manuscrits et les histoires où l'on parlait de sa maison.

Il ne montre de loin, à l'aide d'un beau clair de lune, les restes de plusieurs de ces villes de l'antique Étrurie, toujours situées au sommet de quelque colline. Sensations paisibles de cette belle nuit, vent très chaud. Pendant la route, que nous reprenons à deux heures du matin, mon imagination franchit l'espace de vingt et un siècles, et, je fais à mon lecteur cet aveu ridicule : je me sens indigné contre les Romains, qui vinrent troubler, sans autre titre que le courage féroce, ces républiques d'Étrurie qui leur étaient si supérieures par les beaux-arts, par les richesses et par l'art heureux. (L'Étrurie, conquise l'an 280 avant Jésus-Christ, après quatre cents années d'hostilités.) C'est comme si vingt régiments de Cosaques venaient saccager le boulevard et détruire Paris : ce serait un malheur même pour les hommes qui naîtront dans dix siècles ; le genre humain et l'art d'être heureux auraient fait un pas en arrière.

Hier soir, à notre auberge du Lion d'Argent, en soupant avec sept ou huit voyageurs arrivés de Florence, nous avons été l'objet de trois ou quatre traits de la politesse la plus exquise. Pour compléter les agréments de la soirée, nous sommes servis à table par deux jeunes filles d'une rare beauté, l'une blonde et l'autre brune piquante : ce sont les filles du maître de la maison. On dirait que le Bronzino a dessiné d'après elles ses figures de femmes, dans son fameux tableau des *Limbes*[1], si méprisé des élèves de David, mais qui me plaît beaucoup comme éminemment toscan. En Italie, une ville est fière de ses jolies femmes comme de ses grands poètes. Nos convives, après avoir admiré les traits si nobles de nos jeunes paysannes, entament une vive discussion sur les beautés de Milan comparées à celles de Florence. « Que pouvez-vous préférer, disait un Florentin à Mmes Pazz*, Cors***, Nenci, Mozz* ? » « Mme Centol doit l'emporter sur tout ! » s'écriait un Napolitain. « Mme Florenz* est peut-être plus belle que Mme Agost* », disait un Bolonais. Je ne sais pourquoi il me semble peu délicat d'écrire en français le reste de cette conversation. Rien n'était plus décent que nos discours ; nous parlions comme des sculpteurs.

Pendant tout le souper, nous avons été en plaisanterie suivie avec les jolies filles qui nous servaient ; et, chose singulière en un tel lieu, jamais il n'y a eu la plus petite approche vers des idées trop libres. Elles ont souvent répondu aux agaceries des voyageurs par de vieux proverbes florentins ou par des vers. Les filles d'un aubergiste à son aise sont beaucoup moins séparées de la société ici qu'en France ; personne en Italie n'a jamais songé à copier les manières d'une cour brillante. Quand Ferdinand III paraît au milieu de ses sujets, il ne produit d'autre effet que celui d'un particulier fort riche, et par

1. Alors à *Santa Croce*, et transporté depuis à la galerie de Florence, comme peu décent dans une église. Les prêtres ont eu raison: cependant ce tableau ne scandalisait personne depuis deux siècles qu'il était à *Santa Croce*. Les convenances font des progrées: source d'ennui.

là peut-être très heureux. On juge librement son degré de bonheur, la beauté de sa femme, etc. Il n'entre dans la tête de personne d'imiter ses manières.

Extrait de *Rome, Naples et Florence.*

JEAN GIONO

Florence

La pierre scellée dans le pavé de la piazza della Signoria, sur l'emplacement du bûcher de Savonarole (voir le portrait de cet « agitateur » dans l'orgueilleuse cellule de San Marco) dit : « Ne promettez jamais. » (Sous-entendu : Vous pourriez être obligé de tenir.) On se demande comment un homme qui avait ce nez et ces lèvres en est arrivé à promettre de *traverser le feu.* Ce qui est, dans tous les cas, la dernière des choses à faire.

Il ne faut jamais exagérer ses dons devant des commerçants : ils deviennent des acteurs de Grand-Guignol et avec un talent fou. L'Angelico était beaucoup plus malin : avec ses couleurs suaves il travaillait paisiblement, à travers dieu, pour la C.I.T. (Compagnie Italienne de Tourisme). Si on veut voir les Florentins des grands mouvements historiques, ce n'est pas au couvent de Saint-Marc qu'il faut aller, mais à l'église de Saint-Marc. Ne pas se fier à la façade qui est de 1780. L'intérieur est de l'époque des passions, c'est-à-dire des cavernes.

À première vue, c'est chez Maxim's, en 1900, tel que nous le restituerait un Cécil B. De Mille, en technicolor. Des torsades, des draperies à profusion ; cet or et ce rouge qui enflamment les taureaux et les vieux ministres. Mais ici le propos est plus savant.

Tout se passe comme si (pourquoi n'emploierais-je pas, moi aussi, cette formule commode ?) on voulait instaurer le mythe du *roi mort* et même du *roi dépecé.* (Si cet homme a une grande valeur, tuons-le, il ne pourra plus nous échapper ; coupons-le en morceaux, il occupera une plus grande place parmi nous.) Les murs sont éclairés de vitrines, la lumière vient de là où sous des lampes électriques est étalé tout un musée Dupuytren en faveurs roses. Ce sont les châsses, où l'on voit des doigts, des dents, des rotules, des omoplates et même des viscères sacrés.

On coudoie évidemment, devant ces vitrines, la dactylo qui veut de l'augmentation ou les gentillesses de son Jules et vient déposer un œillet devant une vésicule biliaire en bocal, mais j'ai été bouleversé par trois femmes, abîmées dans la foi la plus respectable. Des hommes viennent là aussi, dont il est difficile de deviner la profession. Quelques ouvriers, mais les fidèles masculins ont l'air de se recruter surtout parmi ceux qui s'habillent en bleu marine et dont le premier outil est la cravate. Au contraire, parmi les femmes, une plus grande proportion de femmes du peuple que de bourgeoises. Les trois dont je viens de parler semblent être deux filles qui accompagnent leur mère. Des revendeuses du marché à légumes, sans doute. Je n'ai jamais rien vu de ma vie qui soit plus en faveur de la religion que l'attitude et le comportement de ces trois femmes. Elles avaient sans doute à demander quelque chose de très important. Elles le faisaient avec une noblesse, une sérénité, une confiance qui me rendaient envieux.

Notre époque, si riche en débris humains de toute sorte, est peut-être promise à un bel avenir. Je suis resté un bon moment à côté de ces femmes si exceptionnelles. Pour ne pas les déranger, j'avais calqué mon attitude sur celle de mes voisins. Il est si facile d'avoir les dehors de la dévotion que je me suis pris à douter de la sincérité des autres personnes qui étaient là et dont j'avais très exactement copié la posture. Il n'est pas possible de contempler longtemps ces pièces anatomiques sans penser aux manipulations macabres qui les ont amenées dans ces vitrines. On a déployé tout un art (et savant) pour faire rentrer les spectateurs en eux-mêmes et surtout dans des endroits très spéciaux d'eux-mêmes. Tous les lambeaux de chairs momifiées (et en assez mauvais état), tous les ossements sont décorés de rubans, de dentelles, de fanfreluches, à la Du Barry. Des doigts, des dents, des fragments de mâchoires sont posés sur des coussins de satin rose. Les bocaux à viscères sont installés dans des décorations de *boudoir*.

Les gens entrent et sortent constamment, n'ont pas l'air de venir dans des intentions formelles mais de faire une petite visite en passant. C'est de plain-pied avec l'esprit de la rue. J'étais en train de me livrer à une sorte de mea-culpa et de reprendre, pour ainsi dire, du poil de la bête, quand j'ai porté mon attention sur les visages qui m'entouraient. Ils étaient tous du plus pur Quattrocento. Le plus drôle est que, si vous allez acheter un tube d'aspirine, le pharmacien est comme partout ailleurs, sauf qu'il parle italien. Si vous prenez le tramway place du Duomo, vous êtes à Marseille ou à Toulouse.

J'avais un clou dans mon soulier ; je suis entré chez un cordonnier via dei Cerchi. L'ouvrier qui avec beaucoup d'obligeance a tapé mon clou sur la bigorne ressemblait trait pour trait au saint Pierre faisant l'aumône des fresques de la chapelle Brancacci. Il est vrai que l'échoppe était éclairée par une lampe à pétrole et qu'il n'y a que des ampoules de vingt watts dans les châsses de San Marco.

J'étais intrigué par un rassemblement sur la petite place, à gauche de la poste. Mon idée est qu'à l'étranger on n'a pas le droit de se mêler de politique ; on serait ironique à trop peu de frais. J'ai donc gardé mes distances jusqu'au moment où j'ai été surpris de ne pas voir de femmes dans l'attroupement. Les groupes étaient cependant assez véhéments et, de toute évidence, il s'agissait là de quelque passion. J'ai poussé la politesse jusqu'à rester plus d'une heure planté sur mes pieds et cherchant à savoir de quoi il s'agissait. Comme je n'avais pas remarqué ces hauts et ces bas, ces pulsations qui agitent toujours les troupes de conjurés, même les plus anodins, j'ai pris finalement la décision de venir fourrer mon nez. C'est une bourse aux timbres. Et là, au grand air et en pleine lumière j'ai vu comme à San Marco des Buondelmonte, des Donati, des Alberti : bref des guelfes et des gibelins.

Ici, il faut donc des passions, même pour aplatir un clou dans un soulier. Nous nous sommes amusés comme des fous, Élise et moi, l'autre soir, à la terrasse d'un café. Il y avait à trois pas de nous un personnage d'une quarantaine d'années, un peu corpulent, certainement corseté, avec un veston cintré, très découpé par-devant, des pantalons presque collants et des souliers vernis *qui craquaient.* (Je me suis souvenu que, dans ma jeunesse, mon père a vendu pendant quelque temps, en plus de son talent de cordonnier, une poudre *pour faire craquer les souliers.* Il en vendait beaucoup à Manosque, et notamment à un aveugle de l'hospice qui économisait exprès les trois sous.) Notre bonhomme du café restait debout pour tendre le jarret, bomber le torse et faire craquer ses souliers. Il avait de belles moustaches noires : tout à fait le violoniste tzigane qu'on représente enlevant la princesse, la comtesse... ou je ne sais quoi de Chimay (je crois) mais en furibond. Il roulait des yeux, fronçait le sourcil, reniflait, soufflait et, sans un petit air niais qui lui échappait parfois, il aurait été très effrayant. Il allait y avoir un concert. Des gens circulaient à travers les rangées de chaises et de tables, beaucoup d'étrangers, peu de Français, mais des Anglais, des Anglaises reconnaissables à leur blancheur, des Allemands et Allemandes et aussi des Italiennes remarquablement habillées, fardées avec une précision mathématique et l'air d'être à un pas du lit. Tout ce courant était obligé de passer au moins une fois devant notre mâle qui s'était placé au beau milieu de la travée centrale. À l'approche des femmes, et quand forcément elles le frôlaient, il atteignait le sommet du pathétique. Il se raidissait comme un dard ; les yeux lui sortaient de la tête ; l'émotion *feinte* était si forte qu'on avait besoin de le considérer comme un symbole pour n'avoir pas à rougir à sa place. La femme passée, il pliait les genoux, comme un cavalier qui décolle ses fesses de la basane après avoir mis pied à terre. Et il s'occupait de la suivante. Ce manège a duré sans interruption de 9 heures à 11 heures du soir. Il continuait quand nous sommes allés nous coucher.

Ces concerts de la piazza della Repubblica font notre régal. C'est un violon, une clarinette, une trompette, un saxophone, une batterie, une chanteuse et un chanteur, mais ils sont tous d'une malice extraordinaire. On peut dire sans ridicule qu'ils dérangent les timbres avec une sorte de génie mozartien. C'est tendre, cocasse, et souvent plus profond qu'on ne croit. Personne ne s'y trompe. Je n'aime pas la musique moderne mais il ne s'agit pas ici de musique qui veut signifier quelque chose *à tout prix.* Ces six musiciens qui n'ont pas de noms célèbres et ne posent pas au compositeur chargé de cours représentant de dieu sur terre inventent chaque soir très allègrement la matière première à bonheur de cinq cents personnes. C'est bien *inventer* qu'il faut dire. Ils arrivent, ils montent sur l'estrade, ils y sont comme chez eux, sans désinvolture désobligeante, avec le plus grand naturel, et ils se mettent à jouer en continuant à vivre très simplement. Tout ce qu'ils ont fait dans la journée et tout ce qu'ils ont envie de faire demain passe dans leur musique. Les rythmes, les timbres se modifient de minute en minute, suivant ce qu'ils sont en train de penser. C'est une conversation de gens d'esprit. Ils se répondent, rient, font des bons mots avec leurs instruments, se racontent des histoires intimes, ont des *a parte,* se contestent, s'esclaffent ou se fâchent, et quelquefois disent brusquement une chose très humaine, très vraie et qui fait réfléchir. La chanteuse (j'ai cru comprendre qu'elle s'appelait Sandonnacci) a juste un filet de voix, *comme tout le monde,* et elle exprime très exactement ce qu'on siffle ou ce qu'on chantonne dans les salles de bains. C'est la vie même. Le chanteur est un ténor de théâtre qui tient dans la bande le rôle du lyrisme dans la vie. Il n'a son tour qu'une fois ou deux par heure. Quand il se met en position, les gens qui se promènent sur la place s'approchent et mettent au-dessus des fusains en caisses une frise de visages extasiés. Il chante du Verdi. Quand il a poussé sa note, les applaudissements éclatent, et même des cris d'admiration qu'on ne peut pas contenir. Comme notre table est du côté des arcades, je remarque un petit soldat très attentif. Rien de commun avec les magnifiques guerriers de Turin. Il est nettement de deuxième classe et en battle-dress assez sale. Il vient là, de toute évidence, pour n'être plus soldat au moins pendant quelques instants.

Par rapport aux gens qui habitent la région qui va de Brescia à Venise, le Florentin est à première vue anglais. Si on l'observe avec un peu d'attention, on voit que son anglomanie est fabriquée, mais elle ne dépend pas de la mode ; elle vient de loin. Les histoires florentines sont pleines de ces joueurs de poker, qu'une émotion, laisse froids mais qu'une passion fait éclater. Ce sont des « politiques ».

Les grandes montagnes, la mer, les déserts, les pays à cyclones et à ouragans soutiennent l'intérêt. Le paysage de Florence n'est que beau et pour distraire un homme de soi-même il faut la variété ; même le laid compte. À bout de ressources, on pense à l'égoïsme, toujours si commode, et aux moyens de tirer la couverture à soi. Sous un climat glacial, Florence aurait trois équipes de rugby et vingt salles de gymnastique où l'on cultiverait la boxe et même le judo. Mais il y a les terribles chaleurs de l'été ; elles font la fortune des partis politiques.

On se place, bien entendu, à droite ou à gauche, comme ailleurs, mais il est moins question d'obéir à un idéal qu'à un tempérament. C'est pourquoi il y a autant de variétés de droites et de gauches que d'habitants mais tout le monde en est. Je n'ai pas vu qu'on y suive beaucoup le journal ni qu'on y soit satisfait des mots d'ordre. On m'a dit que, même en pleine canicule, on prenait la peine de penser sans canevas. C'est qu'on s'occupe de soi-même. Le jour J ou le grand soir rempliront les places publiques et les rues, mais d'agioteurs. On m'a fait remarquer des Danton, des Marat, des Robespierre à la bourse aux timbres. Les mêmes peuvent, et avec plaisir, s'occuper de sang et même parler du bonheur de l'humanité pendant quelques jours, s'il ne pleut pas et si cela leur permet de mettre leur chapeau de travers, mais le plaisir épuisé (et ils sont fins), ils en chercheront un autre ; chacun pour soi. La division sous étiquettes de valeurs universellement connues est ici un simple moyen commode et superficiel de cacher la vérité. Les vertus cardinales et théologales, les péchés véniels et mortels sont les vrais partis politiques.

C'est, bien entendu, une chose qu'on cache et naturellement sous de la froideur. Dès qu'on touche franchement à ce sujet, les gens imitent une gentillesse qui vend la mèche. Ils mettent un empressement de mauvais aloi à montrer qu'ils ont de bons sentiments. Mais on les sent tout de suite essoufflés par l'effort qu'ils sont obligés de faire.

Il faut voir ces Talleyrand quand ils ne sont pas chauffeurs de cars, portiers d'hôtels, cochers de calèches ou garçons de café, c'est-à-dire quand il est hors de doute qu'ils ne chassent pas le pourboire. Ce qui me les rend sympathiques, c'est qu'ils n'ont rien de sucré. Vices ou vertus, tout est net, aiguisé et fait pour le combat (même pour le *combat de rues*). J'en ai vu qui avaient la foi la plus *humble*; ils s'en servaient comme d'une balle mâchée (et remâchée) ; à chaque coup, ils emportaient le morceau. En tête-à-tête, vous êtes perdus. Vous n'avez de chance que s'ils sont plusieurs car ils ne s'unissent jamais. Ils ont des individualités si tranchées et si puissantes qu'avec toute leur finesse, s'ils vous voient manœuvrer ils préféreront vous prêter le flanc plutôt que de rater un coup contre leur allié naturel.

Tout ce que je viens de dire est dans la façade des palais Pitti, ou Strozzi. Les gens passionnés ne sont pas spirituels. C'est parce que je manque moi-même d'esprit qu'ils me prennent au sérieux et me font l'honneur de se méfier de moi au point d'être obligés de se découvrir. Si on leur parle comme on sait très bien parler à Paris, ils s'enferment derrière des murs de trois mètres d'épaisseur et qui n'ont d'ouverture qu'à cinq mètres au-dessus du sol. On ne verra même pas les sourires sous lesquels partout ailleurs on dissimule ouvertement la méfiance. On ne pourra même pas parler de la pluie et du beau temps. Ce sont des mots auxquels on donne des milliers de sens différents, qui sont fort capables de dévoiler le fond de votre cœur et vous faire pendre, ou tout au moins vous faire connaître, ce qu'on craint tout autant et qui revient au même. À toute subtilité gratuite, votre interlocuteur répond fort gravement par ses sincères félicitations. Si vous récidivez, il se demandera à quoi vous voulez en venir, *au juste*, et cela provoquera un silence de trente secondes, très froid. Si vous continuez, vous courrez des risques.

J'ai vu des Français très attrapés. Ils voulaient briller et se dépensaient. On leur a carrément posé la question : toute cette dépense est pour acheter quoi ? Ils en sont tombés des nues. Ils ne voulaient acheter qu'une soirée agréable. On ne les a pas crus. On les a jugés encore bien plus dangereux et, comme personne n'a voulu courir de danger, ces Français proclament partout que les gens d'ici sont secs et manquent de liant.

Pas du tout. Il faut d'abord savoir une chose : il n'y a pas d'auditoire. Vous ne pouvez pas vous adosser à la cheminée et parler à cinq personnes à la fois dans l'espoir de les intéresser toutes les cinq. Ce sont des individus si parfaits qu'en toucher un c'est manquer fatalement les quatre autres. Ils n'ont absolument rien de commun. Pire : vous dérangez les plans. Si ce sont des gens qui ont l'habitude de se réunir, ils ont tous mis au point une politique extraordinairement compliquée qui leur permet de vivre ensemble pendant une heure ou deux et de simuler ce qui doit être simulé. Pour peu que celui que vous avez touché le manifeste, fût-ce même par un clin d'œil ou un grognement, il se découvre ainsi par ce qu'il approuve ou désapprouve. Toute l'organisation de leur paix est à refaire. Ils vous en veulent tous. C'est pour l'éviter et donc par la plus exquise des politesses qu'ils ne vous écoutent pas et que vous n'en touchez point. Mais, en tête-à-tête, si vous ne jouez pas au plus fin (où vous perdriez) et si, comme il se doit en tant qu'étranger, vous ne fourrez pas votre nez dans ce qui ne vous regarde pas, vous pouvez vous faire des amis d'une qualité rare. Il faudra bien tenir la main à ne les fréquenter que l'un après l'autre.

Ces amis font tout ce que font les amis. Vous pouvez tout leur demander, sauf *leur soleil*, c'est-à-dire cette lumière artificielle qu'ils ont créée, qu'ils projettent sur eux-mêmes et dans laquelle ils se déplacent et vivent comme une vedette dans le rond du projecteur. La deuxième chose qu'il faut savoir est donc de ne jamais *tirer la lumière à soi*. Il est permis toutefois de les épater entre quatre z'yeux ; c'est même recommandé. Tout maintien modeste vous sera par la suite marqué au crédit. Vous êtes dans le seul endroit où la modestie se fait craindre parce qu'on n'y croit pas. On préfère croire à de la lumière noire.

Mais ceci étant, l'ami est plus fidèle que dans les pays à méthode et à raison. Il n'a surtout jamais cette fatuité de vous vouloir parfait et vous aime autant pour vos faiblesses que pour vos vertus. Si le sort vous accable, il ne va pas passer son temps à faire la critique de vos gestes et de votre tempérament ; il se lance dans la bagarre avec des sacs de *poudre aux yeux* et il en jette dans tous les regards qui vous jugent. Tout n'est pas pur, évidemment, dans cette façon de faire, et c'est un moyen pour rester dans le rond du projecteur. Avouons, cependant, qu'il y a un certain risque à vouloir briller ainsi et dont se préservent avec trop de pudeur effarouchée les amis nordiques. J'ai eu le fait sous mes yeux. Il n'a même pas fallu de circonstances historiques. C'était simplement un entrepreneur qui avait bouffé la grenouille. Un de ses amis est allé jusqu'à attaquer, sur un prétexte inventé, la Compagnie qui avait fait vérifier ses caisses. Il était sûr de perdre mais il m'a dit à peu près ce que chante le jésuite dans *Le Barbier de Séville* et qu'il en resterait toujours quelque chose. L'amitié l'avait rendu *fou de finesse.* On dit qu'il a eu la chance, moi je dis qu'il a eu le *talent* de tomber sur un point précis où la Compagnie n'était pas inattaquable et elle a, sinon cessé, du moins adouci ses poursuites et consenti à un arrangement. On ne voit pas cet âpre dévouement partout. Ce Florentin qui s'est si bien comporté m'a dit une phrase très touchante et qui peint sa ville : « Ce n'est pas quelqu'un d'ici qui vous a raconté ça. » J'ai convenu qu'en effet c'était un Pisan.

Tout cela est plus Florence que la Loggia dei Lanzi et le Ponte Vecchio. Il n'y a pas ici de tristesse romantique comme à Brescia, Vérone, Vicence et cependant on ne rit pas. On ne peut pas jouer avec cette ville comme on joue avec Venise. Ce Monomotapa est composé d'hommes graves et qui ne confient rien de précieux aux plaisirs physiques. On ne pourrait pas concevoir Louis XV. Plutôt que d'aller m'extasier exclusivement sur les vieilles architectures, j'ai préféré perdre un peu de temps à me demander ceci : « Les Florentins sacrifient-ils la nourriture au costume ? Comme je l'ai vu faire le long d'une route qui va de Milan à Padoue ? Est-ce que je me trompe en considérant la réponse comme importante pour Florence ? »

Nous habitons juste derrière le Palazzo Vecchio, à l'angle Borgo del Greci. Je n'ai qu'à descendre la rue pour me trouver tout de suite piazza Santa Croce. C'est un quartier à ménagères et, quand je suis là, le matin de bonne heure, je vois partir au travail de petites dactylos, des employés de banque et de magasin, des comptables. En Piémont et en Lombardie, ils seraient au surplus chevaliers de la Table ronde (au moins). Ici, ils sont, évidemment, très différents de ce qu'ils seraient à Paris ou à Marseille, mais ce qu'ils sont réellement (c'est-à-dire ce qu'ils rêvent constamment d'être) ne se comprend pas tout de suite. À première vue, ils ne sacrifient pas au costume et ils ont l'air de dépenser l'argent qu'il faut pour se nourrir. Je ne vois pas un seul *Beau Ténébreux*, pas de *Morgane la fée.* Je viens cinquante fois, je vois cinquante fois les mêmes personnes ; on commence à me considérer comme un familier ; on me dit bonjour-bonsoir, on me sourit ; je ne trouve jamais ce que je cherche, c'est-à-dire la paire de souliers neufs *et à intention* inaugurée un jour de semaine, la cravate d'archiduc, le chapeau à la Lauzun, ces petites choses qui vous font dire : « Toi, tu n'as pas su résister à la tentation et tu te priveras de croissants dans ton café au lait pendant deux mois. » Je parle des hommes parce que je les ai toujours vus plus coquets que les femmes, mais, celles-là, je ne les perds pas de vue, non plus ; et en vain.

Par le costume, ils pourraient être de Paris. Ils sont habillés sobrement, sans une faute de goût. Il y a même chez les femmes un très grand souci de netteté. C'est l'automne ; elles ont presque toutes des tailleurs gris. C'est par le visage que ces hommes et ces femmes sont de Florence. Je ne veux pas dire qu'ils sont beaux (il y en a qui sont très laids) et qu'ils ont leurs portraits dans les vieilles peintures. Comment ils comprennent la vie, comment ils voudraient être autre chose que ce qu'ils sont : voilà qui est florentin et qui se voit.

En Lombardie, au Piémont, c'est simple : la chose est faite dès qu'elle est imaginée. « Ce chapeau à larges bords me va bien, fait ressortir l'ovale de mon visage, me donne l'air d'être ce personnage noble, courageux, désintéressé, etc. Si j'ai les sous *je me l'achète*, et me voilà noble, courageux, généreux, etc. Je n'ai plus qu'à me montrer *tel qu'il me fait.* S'il me faut cette cravate rouge, cette chemise noire, cette flanelle blanche, c'est toujours pour devenir, par leur truchement, ce que je voudrais bien être en place de ce que je suis. Et cela vaut bien qu'on se prive un peu de manger. » Toutes les passions du roman romanesque se promènent étiquetées dans la rue. Et le drôle (enfin, si l'on veut), c'est qu'il en faut peu pour que toutes ces passions *représentées* se mettent à jouer leur rôle au naturel. J'ai connu un brave épicier qui est devenu conspirateur (et dans une conspiration dangereuse où il avait très peur) parce qu'il possédait un manteau couleur de muraille au lieu d'un pardessus.

Ici, il n'est pas question d'apparences. Enfin, pas de même façon et l'apparence sert à se cacher. On ne veut pas être déchiffré. Le Lombard, le Lombardo-Vénitien, veut être pris pour ce qu'il n'est pas, par exotisme ; le Florentin, par patriotisme. Ce qu'on vous cache ailleurs, c'est le commun ; ce qu'on vous cache en Toscane, c'est l'extraordinaire, l'essentiel. (…)

J'ai remarqué que les hommes qui tiennent ici le haut du pavé *qui se voit* ont de magnifiques chevelures. Ils sont généralement jeunes : entre trente et quarante ans et paraissent être des dieux de l'Olympe, avec un petit côté Offenbach. On m'en avait présenté un qui devait me donner différents renseignements politiques. Qu'on ne me soupçonne pas de noirs desseins ; je me fiche de la politique ; elle ne m'intéresse qu'en tant qu'élément dramatique. Et c'est que mon hussard, dans le livre que je suis en train d'écrire, traverse une période qui ressemble par bien des côtés à l'époque moderne. Je voulais être à même de voir fonctionner réellement la machine. Mais je ne suis pas naïf au point de croire que ce personnage allait me dire quoi que ce soit qu'on ne puisse pas lire dans le journal. Si j'avais voulu le rencontrer, c'était pour voir par mes propres yeux comment *la machine* le faisait fonctionner lui-même. J'étais ensuite assez grand garçon pour trouver l'emplacement et l'engrènement des roues dentées tout seul.

Mon interlocuteur (car je tiens ma petite partie dans le duo fort réjouissant qui s'établit tout de suite) est placé et renommé pour connaître toutes les ficelles de la droite et de la gauche. Podestat, ou, si l'on préfère, *Seigneurie* et rois de la rue n'ont aucun secret pour lui. Buondelmonti, Amidei, Uberti et Médicis 1950, guelfes et gibelins de l'ère atomique, il les connaît et il les pratique sur le bout du doigt. C'est une puissance, ou, plus exactement, c'est une « terreur ». Mes ancêtres italiens me soufflent de lui dire qu'il est une « terreur ». Il prend tout de suite un *coup de noblesse* (un peu inquiète) comme après de brusques désillusions certaines personnes prennent un coup de vieux. Pendant trois minutes, il ne sait plus très exactement sur quel mot danser. Il a même la naïveté de me dire : « Parlons *franchement.* » Mais il se reprend vite. Il m'indique les vingt ou trente façades d'immeubles modernes de Florence derrière lesquelles on organise en même temps que des *thés anglais* le gouvernement véritable de l'Hôtel de Ville.

Je le regarde pendant qu'il parle. Il est vêtu d'une étoffe somptueuse. Son costume vaut trente journées de travail à la chaîne dans une usine. Il a les bijoux à la fois féminins et exagérément virils d'un détrousseur de diligences. C'est par quoi il est banal, mais il est extraordinaire par sa coiffure. Dans ses cheveux roulés en petites coques et collés d'un cosmétique épais comme de l'argile, le peigne a dessiné des quadrillages et des losanges qui sentent l'Afrique noire.

Toute affaire cessante, je suis allé chez le coiffeur chic. Mes cheveux hirsutes qui, généralement, me poussent jusque dans le cou et témoignent d'une longue indifférence capillaire m'auraient fait rejeter du lieu sacro-saint, mais j'avais une recommandation et même une recommandation téléphonique. Je croyais épater l'homme de l'art en lui demandant une simple « brosse » mais pas du tout, et j'ai appris beaucoup de choses, notamment ceci : la « brosse » est portée par les capables et les *téméraires*, c'est-à-dire les « outlaw ». Comme il y a toujours un peu d'Arioste en Italie, même à Florence, mon figaro s'intéresse immédiatement à ma tête (j'entends : à ce qu'il y a dedans). C'est une très jolie comédie. Il tâtonne avant de savoir dans quelle voie il doit engager la conversation. Il fait des aiguillages prudents. Ma désinvolture l'inquiète. Il a beaucoup de respect pour moi parce que je lui en dis trop et du trop vrai. Il en déduit que la vérité me sert de masque et que je suis très fort.

La coiffures « en brosse » est toutefois considérée comme une imprudence et sans ma façon naïve de dire la vérité, de poser ouvertement des questions sur ce que tout le monde est censé ignorer, on m'aurait pris pour un naïf. Si vous adoptez cette coiffure, vous vous obligez à l'habileté. On vous en suppose capable, d'entrée de jeu. Comme je ne vais pas plus loin, c'était bien suffisant. Les fauteuils, qui sont à trois mètres les uns des autres pour qu'on puisse chuchoter sans inconvénient, sont occupés par des messieurs à qui on fait de la coiffure africaine. Ils sont enveloppés jusqu'aux pieds dans des peignoirs. Je ne vois que leur tête. C'est une belle galerie de portraits pour l'Histoire de M. Sismondi.

J'ai voulu voir des coiffeurs plus ordinaires, mais je m'y suis mal pris. C'était un jour où toutes les boutiques étaient fermées. Or, pour la circonstance, j'avais gardé une barbe de quatre jours et mon rasoir électrique ne marchait pas. Le portier de l'hôtel m'a conseillé d'aller à l'« Albergo diurno ». C'est une organisation de service général. Elle est installée dans un sous-sol de la via Tornabuoni ou Vecchietti. Elle fait aussi water-closet ; on dirait même que tout est là, mais pas du tout. Vous pouvez vous y doucher, y prendre un bain, vous y faire masser, dormir dans un lit ou un fauteuil, à n'importe quelle heure du jour et de la nuit, et n'importe quel jour, y louer un bureau commercial pour quelques heures, ou pour vingt-quatre heures, ou quarante-huit heures, avec tout son personnel : garçon de course, dactylo, sténo, etc. Vous n'avez qu'à bien connaître tout ce dont vous avez besoin (y compris le besoin de pisser) et vous prenez des tickets pour tous vos besoins. Les dactylos ou sténos sont, par exemple, dans une petite pièce en attendant le client. Vous apparaissez avec votre ticket et le numéro à suivre vous suit. Il s'installe devant une machine à écrire (dont vous avez également présenté le ticket) et vous dictez votre courrier, des circulaires, des lettres anonymes, des dénonciations, des prix courants. Il y a même des comptables. Vous pouvez acheter du tabac, des journaux, des livres, de la pâtisserie et, à en juger par certains regards des tenanciers et tenancières de comptoir, pas mal de ces choses qui se vendent sous le manteau. Le fait d'être en sous-sol confère à cette organisation un aspect sournois. On s'attend à des messes noires.

On attend toujours à Florence : ne serait-ce que d'attendre trop de cette ville. J'ai pris mon ticket de coiffeur et je me suis dirigé vers l'endroit de la caverne où s'exerce ce sacerdoce. Les peintures murales sont d'un artiste qui exalte les mérites d'un apéritif sous la forme d'un zèbre. Des dormeurs emplissent des fauteuils. À mon passage, cependant discret, ils ouvrent un œil puis le referment. Je ne suis pas celui qu'ils attendent.

Ici, on fabrique simplement les têtes coiffées du peuple. Pas de subtilités. Comme partout ailleurs, on me propose : « Bien dégagé derrière et rafraîchi sur les côtés ? » J'opine. C'est la coupe de cheveux de M. Molotov, mais je prends bien soin de n'en rien dire.

À côté de moi, vient s'installer un chauffeur de car. Il a encore sa blouse d'uniforme fort élégante et il a accroché à la patère une casquette de général d'aviation. Il engage la conversation avec son figaro. Il vient de Rome par Assise, Pérouse, Arezzo. Il fait le

Parisien : c'est-à-dire qu'il considère Florence comme un village où l'on est très en retard. Ce qui l'inquiète, c'est le football. Il se demande si les équipes joueront dimanche car le temps est à la pluie. Il se fait faire ce qu'on appelle des *crans* ; ce sont des ondulations. Mais il les fait reprendre ne les jugeant pas organisés comme il le désire. Il explique que le serpentement de ses cheveux (qui sont longs et très noirs) doit partir très exactement du sommet d'une ligne imaginaire qui prolonge l'arête de son nez et filer de là vers sa nuque. Enfin, il trouve la formule : « comme faite par un coup de vent ».

L'artiste qui s'occupe de moi n'est pas content du tout. Il voit très bien que je ne vais pas me faire faire des crans ; que d'ailleurs, même si je le voulais je ne peux pas. Il regrette amèrement que nous ne soyons pas, lui et moi, en train de chercher également une formule. Il fait cliqueter ses ciseaux de façon parlante. Je n'ai jamais entendu ciseaux plus éloquents : ils m'interrogent, ils me provoquent, ils sollicitent ma réponse. Je reste impavide. Leur petite voix acide est pleine d'un désespoir enfantin et rageur.

De ce temps, on a réussi les ondulations du chauffeur. Il se dresse. Il est d'ailleurs beau garçon. Il est maintenant semblable à Atalante ; il a une tête faite pour la vitesse. Son artiste le cajole, le brosse et reçoit très obséquieusement son pourboire. Mes ciseaux se sont tus. Du coin de l'œil, je les vois, près de mon oreille.

« Oh ! non », disent les deux ouvriers coiffeurs quand ils voient le chauffeur prendre sa casquette de général.

« Non, en effet », répond silencieusement le chauffeur d'une moue des lèvres et, casquette à la main, il va dire une gaudriole à la caissière et il sort, cheveux au vent (artificiel).

J'ai été « fini » à la va-vite.

Il y a ici un grand sens du comique dans le peuple. Et je ne vois pas pourquoi il ne faudrait pas lire Machiavel en y pensant. Il est fort amateur de farces et ses principes les plus secs ont toujours un côté cour et un côté jardin.

Je suis rentré à l'hôtel par une Florence à peu près déserte. Au soir tombant, même les arcades de la poste aux lettres donnent l'impression d'un super-italianisme. Sur la place de la Seigneurie soufflait un vent glacé assez brutal et qui se levait avec le crépuscule. J'ai fait une petite promenade dans la ville. Jamais elle ne m'a paru plus belle. Vide et aux lanternes, elle est d'une noblesse sans égale. On comprend ce que Machiavel a voulu dire avec son *Prince* : c'est, à l'occasion, le bistrot du coin, n'importe qui, moi-même... (si j'étais florentin). Voilà en quoi je ne dis pas qu'il est démocratique mais moderne, d'une époque où il n'y a plus d'héréditaire, ni royauté, ni fortune, même pas une raison sociale. Et c'est alors que ses principes, dits cruels par les hypocrites, sont simplement des formules de bon sens. Question de modernisme, c'est également l'homme qui fait gagner du temps quand Jean le Bon en ferait perdre. *Time is money*, c'est presque de lui.

Lung'Arno degli Arbeletrieri, pas un chat, et il n'est que 7 heures du soir. Machiavel a dû longer ce quai. Il y a deux ou trois dates historiques par an, mettons cinq ou six pour les périodes troublées et c'est le bout du monde ; le reste du temps, c'est-à-dire trois cents et quelques jours par an, c'est la vie sans histoire : celle où le grand problème est d'être heureux. À mon avis, c'est le plus important. Prendre Pise rapporte quoi à Nicolas ? Vingt écus et des emmerdements sans nombre. Ce qui m'intéresse ; c'est quand Machiavel va dépenser ses vingt écus de façon à en tirer le plus de plaisir possible. C'est là qu'il devient ce qu'il est.

Prononcez des paroles historiques et désormais on ne vous verra plus qu'en train de prononcer ces paroles historiques. Or vous avez également dit « je t'aime », « j'en ai assez », « la tête me fait mal », « j'ai la colique », « ce type-là est un salaud », « si j'avais mille francs », etc. On voit toujours Bayard mourir au pied d'un arbre en train de faire des reproches au Connétable. Avant d'arriver au pied de cet arbre, il a vécu et, pour M. Bayard, vivre était le plus important de tout. Même pour nous, si Bayard nous intéresse, c'est le plus important puisque c'est la seule façon qu'il avait de devenir Bayard et de finalement l'être.

Ce que Machiavel dit à la fin du *Prince*, sur l'Italie qu'il faut débarrasser des Barbares, et qu'on monte en épingle, moi à partir de ce moment-là je m'en contrefiche. Bien entendu qu'il l'a dit mais il a dit bien d'autres choses et il n'a pas écrit la millième partie de ce qu'il a dit, de ce qu'il a pensé, de ce qui a fait sa pensée et son dire. Le voir se rongeant les poings sans cesse parce qu'il y avait des

Barbares est un peu simpliste, ou trop malin. En réalité, il laissait volontiers une formule en plan pour pister le bonheur. Les Sorbonnes construisent après coup des personnages artificiels pour démonstration de géométrie euclidienne. On oublie qu'à l'époque de Machiavel, Machiavel n'existait pas. On l'a fait depuis. Au surplus, il n'a pas dit autre chose que ce qui était dans l'air de son temps. Qu'il ait fait rapetasser sa botte chez un cordonnier intelligent (comme il y en a) ; qu'il ait fait un brin de causette sur le pas de la porte avec un épicier plein de bon sens, ce sont peut-être ceux-là qui l'ont mis sur la voie. Qu'un professeur découvre maintenant ce cordonnier et cet épicier, et voilà deux grands hommes de plus et des sujets de thèses à n'en plus finir.

Voilà également Florence, et Venise, et l'Italie, et notre époque. Nous sommes menacés de tous les côtés par des ogres. Il aurait fait bon en parler à mon chauffeur de car lorsqu'il désignait la ligne imaginaire qui prolongeait l'arête de son nez. J'ai impression qu'il m'aurait envoyé paître.

Je suis allé une dernière fois revoir le musée des Offices. J'ai trouvé au bout de la galerie un cabinet exigu où l'on faisait la toilette à deux petits Chardin. C'était une tête de garçon et une tête de fille. Je suis resté en contemplation devant eux dans le bonheur le plus parfait jusqu'au retour de l'ouvrier (qui était, sans doute allé boire un coup).

Extrait du *Voyage en Italie.*

NICOLAS MACHIAVEL

Les origines de Florence

1
De l'avantage que trouvaient républiques et royaumes de l'Antiquité à fonder des colonies

Parmi les usages qui font admirer les républiques et les autres gouvernements de l'antiquité, et dont il nous reste aujourd'hui que le souvenir, on distingue celui de fonder en tout temps des villes et des places fortes. En effet, il n'est rien de plus digne d'un bon prince ou d'une république bien ordonnée, ni de plus utile à une nation que de construire de nouvelles villes où les hommes puissent trouver retraite, soit pour se défendre, soit pour se livrer à l'agriculture. Les anciens pouvaient le faire facilement, leur usage étant d'envoyer dans les pays vaincus ou abandonnés de nouveaux habitants auxquels ils donnaient le nom de colonie. Non seulement cette coutume faisait naître beaucoup de villes, mais encore elle assurait aux vainqueurs la soumission des vaincus, peuplait les lieux déserts, et maintenait dans les nations une sage répartition des habitants. Ceux-ci jouissant alors d'une existence plus aisée, la population augmentait, et elle devenait alors plus prompte à l'attaque, plus assurée dans la défense. La disparition de cet usage, causée de nos jours par l'ineptie des princes et des républiques, a engendré la faiblesse et la ruine des nations, car seul il peut donner de la stabilité aux empires, et entretenir partout, comme nous l'avons dit, une abondante population. Une colonie placée par un prince dans un pays dont il vient de s'emparer, lui assure sa conquête ; c'est une forteresse et une garde qui lui répondent de la fidélité de ses nouveaux sujets. Sans cette sage pratique, une nation ne peut être complètement remplie d'habitants, et ceux-ci ne peuvent conserver entre eux une égale répartition, car tous les lieux n'y sont pas également salubres et fertiles : les hommes abondent dans un endroit et manquent dans l'autre. Si l'on ne sait pas remédier à cette inégale distribution, la nation dépérit, parce que le défaut d'habitants en rend une partie déserte, et l'autre est appauvrie par leur excès.

La nature ne pouvant remédier à ce désordre, il faut appeler l'art à son secours. Les pays malsains cessent bientôt de l'être lorsqu'une multitude nombreuse vient tout à coup les habiter. En cultivant la terre, on la rend salubre, et les feux purifient l'air, choses que la nature n'opère pas d'elle-même : Venise nous en offre la preuve ; située dans un lieu bas et marécageux, elle dut la salubrité à la soudaine affluence de ses habitants. Pise non plus, à cause de la malignité de son air, ne fut jamais complètement habitée avant le ravage de Gênes et de ses côtes par les Sarrasins. Il y eut alors dans cette ville un nombreux afflux des malheureux chassés de leur patrie ; ce qui la rendit peuplée et puissante.

Dès que l'on cesse d'y envoyer des colonies, il est plus difficile de conserver ses conquêtes ; les régions désertes ne se peuplent jamais, les régions surpeuplées ne se délestent pas. Voilà pourquoi plusieurs parties du globe et surtout de l'Italie, sont devenues désertes, relativement au temps passé. Cela vient de ce qu'il n'y a chez les princes aucun amour de la véritable gloire, et dans les républiques aucune institution qui soit digne d'éloges. L'antiquité dut à ses colonies la naissance de beaucoup de villes nouvelles et celles qui existaient déjà en reçurent leur agrandissement, telles que Florence fondée par Fiesole, et augmentée par les colonies.

2

Origines de Florence. Premières vicissitudes

Il est très vrai, comme le rapportent Dante et Giovanni Villani, que la ville de Fiesole, située sur la cime d'une montagne, désirant rendre ses marchés plus fréquentés et donner plus de facilités à ceux qui voudraient apporter leurs marchandises, les avait placés dans la plaine entre le pied de la montagne et le fleuve de l'Arno. Je pense que ces marchés furent la cause des premières constructions faites dans cet endroit par les commerçants, afin de s'y procurer des abris commodes pour leurs marchandises : ces abris devinrent avec le temps des maisons habitées qui se multiplièrent beaucoup lorsque les victoires des Romains sur les Carthaginois eurent rassuré l'Italie contre le péril des invasions étrangères. Les hommes ne renoncent aux commodités de la vie que contraints par la nécessité. La peur des guerres leur fait bien habiter des sites inaccessibles donc sûrs, mais dès que la peur a cessé, à l'appel de la vie facile, ils reviennent habiter des lieux plus hospitaliers et plus abordables. La sûreté que la puissance de la république romaine procura à l'Italie dut sans doute multiplier les habitations dont nous venons de parler, au point d'en former un bourg appelé dans le commencement Villa Arnina. Ensuite s'allumèrent les guerres civiles, d'abord entre Marius et Sylla, puis entre César et Pompée, enfin entre les exécuteurs de César et ses prétendus vengeurs. Sylla et ensuite ces trois autres citoyens de Rome qui se partagèrent l'empire après avoir vengé la mort de César, envoyèrent à Fiesole des colonies qui s'établirent toutes ou en partie dans la plaine, auprès de ce bourg qui s'était si bien accru, tant en édifices qu'en habitants et en institutions civiles, qu'il comptait déjà en Italie. Mais les opinions varient sur les origines du nom de Florence. Selon quelques-uns, il vient de Florinus, l'un des chefs de la colonie ; d'autres prétendent que dans le commencement on ne l'appelait point Florence, mais Fluence à cause du voisinage de l'Arno ; et ils s'appuient sur le témoignage de Pline, dans lequel on lit : « Les Fluentins habitent près du fleuve de l'Arno. » Cette preuve pourrait être fausse, parce que Pline indique dans ses textes la situation des Florentins, et point du tout le nom qu'ils portaient. Ce mot Fluentini doit être un mot corrompu, car Frontin et Tacite, qui écrivirent à peu près dans le même temps que Pline, se servent des noms de Florence et de Florentins. Dès avant Tibère, elle était soumise aux mêmes formes de gouvernement que les autres cités d'Italie. Au rapport de Tacite, des députés de Florence vinrent demander à cet empereur de n'être point obligés à laisser noyer leur pays par les eaux de la Chiana. Il n'est pas probable que cette ville eût en même temps deux noms. Je crois donc qu'elle s'est toujours appelée Florence.

Quelle que soit la raison du nom de cette ville, et la cause de son origine, elle prit naissance sous l'empire des Romains ; et dès le temps des premiers empereurs, elle commença à être citée par les écrivains. Lorsque Rome était en proie aux incursions des Barbares, Florence fut ravagée par Totila, roi des Ostrogoths. Charlemagne la releva de ses ruines deux cent cinquante ans après. Depuis cette époque jusqu'à l'année 1215 de Jésus-Christ, elle partagea le sort de ceux qui dominèrent en Italie. Soumise d'abord aux descendants de Charlemagne, elle le fut ensuite aux Bérenger, et enfin aux empereurs allemands, comme il a été dit dans le tableau général du premier livre. Dans cet intervalle, retenus par la puissance de leurs dominateurs, les Florentins ne purent ni s'agrandir, ni faire aucune action mémorable. Cependant en l'année 1010, le jour de Saint-Romulus fête solennelle de Fiesole, ils prirent et détruisirent cette ville ; ce qu'ils firent ou du consentement des empereurs, ou en profitant de ces pauses entre la mort d'un empereur et l'élection d'un autre où chacun respirait plus librement. Lorsque l'autorité des papes se fut accrue en Italie, aux dépens de celle des rois d'Allemagne, toutes les cités de cette province furent moins soumises à leur souverain. Au temps d'Henri III, en 1080, l'Italie se partagea ouvertement entre cet empereur et le Saint-Siège ; mais les Florentins malgré cette division restèrent unis jusqu'en 1215. Ils obéissaient au vainqueur, et ne montraient d'autre ambition que celle de se conserver. Mais les maladies qui attaquent le corps humain sont d'autant plus dangereuses qu'elles sont plus tardives ; il en est de même de celles du corps politique. Florence fut d'autant plus tourmentée par les factions de l'Italie, qu'elle leur avait fermé plus longtemps toute entrée dans son sein. La cause de ces premières divisions, publiée par Dante et par plusieurs autres écrivains, est très connue : je crois donc devoir la rapporter en peu de mots.

3

Premières inimitiés entre les Buondelmonti, Amidei et Uberti

Les familles les plus puissantes de Florence étaient celles des Buondelmonti et des Uberti, puis celles des Amidei et des Donati. Dans celle des Donati, une dame veuve et riche avait une fille d'une grande beauté. Son dessein était de lui faire épouser Buondelmonte, jeune cavalier, chef de la famille dont il portait le nom. Soit négligence, soit qu'elle crût qu'il serait toujours temps, elle n'avait encore découvert ce dessein à personne lorsque le sort voulut que Buondelmonte se fiançât à une fille des Amidei. Très mécontente de cet engagement, la veuve Donati espéra que la beauté de sa fille pourrait l'aider à le rompre avant la célébration des noces. Voyant un jour Buondelmonte qui s'avançait seul vers sa maison, elle descend suivie de sa fille, se présente à lui au moment où il passait, et lui dit : « Je suis vraiment fort aise du choix que vous avez fait d'une femme, quoique je vous eusse réservé ma fille. » Entrouvrant la porte, elle la lui fit voir. Le jeune homme, frappé de sa rare beauté, et considérant que du côté de la naissance et de la fortune elle ne le cédait en rien à celle qu'il avait choisie, s'enflamma d'une telle passion pour elle qu'il répondit aussitôt, sans penser à la foi qu'il avait jurée, à l'affront qu'il ferait en la rompant, et aux fâcheuses suites que cette rupture pourrait entraîner : « Puisque vous me l'avez réservée, je serais un ingrat en ne l'acceptant pas, lorsqu'il en est temps encore » ; et il l'épousa effectivement sans délai.

Cette nouvelle remplit d'indignation la famille des Amidei et celle des Uberti, unies par des alliances. Assemblées avec plusieurs de leurs autres parents, elles décidèrent qu'on ne pouvait sans se déshonorer ne pas venger une telle injure, et que la mort seulement de Buondelmonte était capable de l'expier. Quelques-uns firent des représentations sur les malheurs qui pourraient en résulter ; mais Mosca Lamberti répliqua que celui qui pensait à trop de choses n'en concluait aucune, et ajouta ce proverbe qui n'est que trop connu : *chose faite, chose nette.* On chargea donc de cet assassinat, Lamberti, Stiatta Uberti, Lambertuccio Amidei, et Oderigo Fifanti. Ceux-ci s'enfermèrent le jour de Pâques dès le matin dans la maison des Amidei, située entre le Vieux-Pont et l'église de Saint-Étienne. Buondelmonte, croyant sans doute qu'il était aussi facile d'oublier une injure que de rompre un mariage, ce jour-là même, au moment où il passait le pont sur un cheval blanc, fut assailli à l'une des extrémités, près d'une statue de Mars, et tué. Cet assassinat divisa toute la ville. Les uns s'unirent aux Buondelmonti, les autres aux Uberti. Comme ces familles avaient beaucoup de maisons, de lieux fortifiés et d'hommes à leur service, elles combattirent pendant plusieurs années, sans que l'une parvînt à chasser l'autre. Sans mettre fin à leurs dissensions par la paix, elles avaient recours à des trêves, et reprenaient ou suspendaient le cours de leurs hostilités, selon les circonstances.

4

Origine des partis guelfe et gibelin

Florence fut en proie à ces calamités jusqu'au temps de Frédéric II. Ce prince, étant roi de Naples, crut pouvoir accroître ses forces aux dépens de l'Église et pour affermir sa puissance dans la Toscane, il favorisa les Uberti et leurs partisans et les aida à chasser les Buondelmonti. Notre ville fut alors divisée en guelfes et en gibelins, comme l'était depuis longtemps toute l'Italie. Il ne me paraît point inutile de faire mention des familles qui suivaient l'un ou l'autre parti. Les guelfes avaient pour eux les Buondelmonti, les Nerli, les Rossi, les Frescobaldi, les Mozzi, les Bardi, les Pulci, les Gherardini, les Foraboschi, les Bagnesi, les Guidalotti, les Sacchetti, les Manieri, les Lucardesi, les Chiaramontesi, les Compiobbesi, les Cavalcanti, les Giandonati, les Gianfigliazzi, les Scali, les Gualterotti, les Importuni, les Bostichi, les Tornaquinci, les Vecchietti, les

Tosinghi, les Arrigucci, les Agli, les Sizi, les Adimari, les Visdomini, les Donati, les Pazzi, ceux de la Bella, les Ardinghi, les Tedaddi et les Cerchi. Du côté des gibelins, on comptait : les Uberti, les Manelli, les Ubriachi, les Fifanti, les Amidei, les Infangati, les Malespini, les Scolari, les Guidi, les Galli, les Cappiardi, les Lamberti, les Soldanieri, les Cipriani, les Toschi, les Amieri, les Palermini, les Migliorelli, les Pigli, les Barucci, les Cattani, les Agolanti, les Brunellescchi, les Caponsacchi, les Elisei, les Abati, les Tedaldini, les Giuochi et les Galigai. En outre plusieurs familles du peuple s'unirent à l'un ou à l'autre parti suivi par ces familles nobles. Ainsi presque toute la cité fut agitée de cet esprit de faction. Les guelfes, après leur expulsion, se réfugièrent dans les terres du Val d'Arno, où ils avaient une grande partie de leurs châteaux forts, et s'y défendirent le mieux qu'ils purent contre leurs ennemis. Mais lorsque Frédéric fut mort, des hommes d'un rang moyen dans Florence et qui avaient du crédit parmi le peuple, pensèrent qu'il valait mieux rétablir l'union entre les citoyens de cette ville que de consommer sa ruine en y entretenant la discorde ; ils firent si bien que les guelfes revinrent, promettant d'oublier le passé, et que les gibelins les accueillirent en déposant leurs soupçons contre eux. Étant enfin unis, ils jugèrent ce moment favorable pour se donner une forme de gouvernement qui leur assurât la liberté et les moyens de se défendre avant que le nouvel empereur eût pris des forces.

5

Constitution de Florence

La ville fut divisée en six quartiers ; ils choisirent douze citoyens, deux dans chaque, et leur en confièrent le gouvernement. Ils les nommèrent *Anciens*, et statuèrent qu'ils seraient changés tous les ans. Pour ôter tout prétexte aux inimitiés qui naissent de l'exercice des fonctions judiciaires, ils établirent deux juges étrangers ; l'un s'appela *Capitaine* du peuple, l'autre *Podestat*, et ils furent chargés de prononcer sur tous les différends en matière civile et en matière criminelle. Il n'existe de stabilité dans aucune institution politique si l'on ne pourvoit à la défense de l'État. Ils formèrent donc vingt compagnies dans la ville, et soixante-dix dans les campagnes ; ils y enrôlèrent toute la jeunesse avec ordre à chacun de se rendre en armes sous son drapeau, dès qu'il y serait appelé par le Capitaine ou par les Anciens. Ils varièrent les enseignes le ces compagnies, selon la diversité des armes. Les arbalétriers en portaient une différente de celle des *palvesari*. Le jour de la Pentecôte, chaque année, on distribuait en grande pompe des enseignes aux nouveaux soldats et on donnait de nouveaux chefs à toutes les compagnies. Pour rendre leur armée plus imposante et assigner à chacun un lieu où, en cas d'échec, l'on pût se rallier pour faire encore tête à l'ennemi, ils imaginèrent de construire un grand char, traîné par deux bœufs couverts de rouge, et sur lequel on plaçait un étendard rouge et blanc. Lorsqu'ils voulaient mettre leur armée en campagne, ils conduisaient ce char dans le Mercato nuovo, et le consignaient avec beaucoup de solennité entre les mains des chefs du peuple. Pour conférer plus de magnificence à leurs entreprises guerrières, ils avaient en outre une cloche dite la Martinella, laquelle sonnait tout un mois durant avant l'entrée des troupes en campagne : il fallait que l'adversaire eût le temps de se mettre en garde. Telles étaient alors la *virtù*, la magnanimité, qu'on estimait ignominieuse fourberie de surprendre son ennemi sans défense, geste qu'on estime aujourd'hui généreux et habile ! Et ladite cloche, ils la menaient aussi en guerre, et c'est par elle qu'ils donnaient tous les ordres de service, garde et le reste.

6

Défaite du parti guelfe sur l'Arbia

Ce fut par ces institutions civiles et militaires que les Florentins fondèrent leur liberté. Il serait difficile d'imaginer à quel degré de force et d'autorité Florence parvint en peu de temps. Non seulement elle domina dans la Toscane, mais elle fut placée au rang des premières villes de l'Italie. On ne sait à quelle gloire elle serait parvenue si elle n'eût été déchirée par des factions toujours renaissantes. Les Florentins vécurent sous ce gouvernement pendant dix ans, et forcèrent dans ce laps de temps les villes de

Pistoia, d'Arezzo et de Sienne à se liguer avec eux. En revenant de Sienne avec leur armée, ils prirent Volterra, détruisirent quelques forteresses et en ramenèrent les habitants à Florence. Ces entreprises se firent toutes par le conseil des guelfes dont le crédit l'emportait de beaucoup sur celui des gibelins, soit parce que les insolences de ces derniers pendant leur gouvernement sous Frédéric les avaient rendus odieux au peuple, soit parce que le parti du Saint-Siège était plus aimé que celui de l'Empire. Les Florentins espéraient du secours de l'Église la conservation de leur liberté, qu'ils craignaient de perdre sous la domination de l'empereur.

Les gibelins se voyant sans autorité, ne pouvaient se résigner et n'attendaient que l'occasion de ressaisir le pouvoir. Ils crurent l'avoir trouvée lorsqu'ils virent Manfred, fils de Frédéric, devenu maître du royaume de Naples après avoir beaucoup abaissé la puissance de l'Église. Afin d'arriver à leur but, ils nouèrent avec ce prince des intrigues secrètes, mais qu'ils ne purent cependant dérober à la sagacité des Anciens. Ce conseil cita les Uberti qui, au lieu d'obéir, prirent les armes et se fortifièrent dans leurs maisons. Le peuple indigné s'arma, et secondé par les guelfes, il força ces rebelles à quitter Florence et à se réfugier à Sienne avec tous les gibelins ; là, cette faction implora le secours de Manfred, roi de Naples. Les troupes de ce prince, dirigées par Farinata, de la famille des Uberti, livrèrent bataille aux guelfes sur la rivière d'Arbia, et en firent un tel carnage que ceux qui purent s'en sauver cherchèrent un refuge, non pas à Florence qu'ils croyaient perdue, mais à Lucques.

7

Manfred et la victoire des gibelins. Farinata Degli Uberti

Manfred avaut envoyé aux gibelins le comte Giordano pour commander leurs troupes. Ce dernier qui jouissait en ce temps d'une assez grande réputation dans le métier des armes, se rendit à Florence avec les gibelins après cette victoire. Il soumit cette ville à Manfred, cassa les magistrats et détruisit toutes les institutions qui avaient quelque odeur de liberté. Ces mesures outrageantes, appliquées sans discernement, provoquèrent une haine universelle, fit des gibelins, déjà haïs, les bêtes noires du peuple, et le temps aidant, causèrent la ruine de leur parti. Le comte Giordano, obligé de retourner à Naples, laissa dans Florence, comme vicaire au nom du roi, le comte Guido Novello, seigneur de Casentino. Novello réunit les gibelins à Empoli : chacun fut d'avis dans cette assemblée que pour maintenir la puissance des gibelins en Toscane, il fallait détruire Florence qui n'était propre, à cause de l'attachement du peuple au parti des guelfes, qu'à relever l'autorité de l'Église. Il ne se trouvait ni citoyen ni ami qui s'opposât à cette cruelle résolution prise contre une si noble cité, à l'exception du seul Farinata de la famille des Uberti, qui osa prendre ouvertement sa défense, et qui, sans peur aucune, déclara qu'il n'avait bravé tant de fatigues et tant de dangers qu'afin de pouvoir habiter dans sa patrie ; qu'il n'entendait point en ce moment renoncer à l'objet de ses désirs, ni rejeter les présents de ka fortune ; que, bien loin de là, il ne serait pas un moindre ennemi, pour quiconque penserait autrement, qu'il ne l'avait été des guelfes eux-mêmes ; que si quelqu'un d'entre eux redoutait Florence, celui-là pouvait travailler à sa ruine ; mais que quant à lui, il espérait la défendre avec autant de *virtù* qu'il en avait montré pour en chasser les guelfes. Farinata était un homme de grand cœur, excellent guerrier, chef des gibelins, et fort estimé de Manfred. Son autorité coupa court à ce projet, et cette faction chercha d'autres moyens pour accaparer le pouvoir.

8

Les guelfes et la création des « Arti »

La ville de Lucques, intimidée par les menaces du comte Novello, renvoya les guelfes qui s'étaient réfugiés dans son sein. Ils se retirèrent à Bologne, d'où ils furent appelés par les guelfes de Parme contre les gibelins qu'ils vainquirent par leur bravoure, et dont ils reçurent les biens en récompense. Devenus puissants par les richesses et la gloire qu'ils s'étaient acquises, ils envoyèrent par des ambassadeurs offrir leurs services au pape Clément qu'ils savaient avoir invité Charles d'Anjou à venir enlever à Manfred son royaume. Ce pontife les reçut comme amis, leur donna même son enseigne que les guelfes portèrent toujours depuis à la guerre, et dont les Florentins se servent encore aujourd'hui.

Sur quoi Charles ôta à Manfred le royaume et la vie. Les guelfes de Florence ayant contribué à ses succès, leur parti devint plus fort et celui des gibelins plus faible. Ces derniers qui gouvernaient Florence, de concert avec le comte Guido Novello, pensèrent qu'il était à propos de s'attacher par quelque bienfait ce peuple qu'ils avaient accablé d'abord de toutes sortes d'outrages. Mais ce remède qui leur eût été salutaire s'ils l'eussent employé avant que la nécessité les y forçât, offert trop tard et à contrecœur, non seulement ne leur fut d'aucun avantage, mais encore accéléra leur ruine. Ces gibelins crurent néanmoins regagner l'amitié du peuple et l'associer aux intérêts de leur faction en lui rendant une partie des honneurs et du pouvoir qu'ils lui avaient enlevé, et en choisissant dans son sein trente-six citoyens qui devaient, avec deux nobles appelés de Bologne, réformer le gouvernement de Florence. Aussitôt que ceux-ci furent réunis, ils distribuèrent toute la ville par corps de métiers, placèrent à la tête de chaque corps un magistrat chargé de lui rendre la justice ; ils lui donnèrent en outre une bannière sous laquelle tout homme devait venir se ranger en armes quand le besoin de la cité l'exigerait. Ces corps de métiers commencèrent par être au nombre de douze, sept majeurs et cinq mineurs ; ces derniers s'élevèrent jusqu'à quatorze, ce qui en forma en totalité vingt et un, tels qu'ils existent aujourd'hui. Ces trente-six réformateurs firent encore d'autres règlements pour le bien public.

9

La « cacciata » des gibelins

Le comte Guido ordonna de lever un impôt sur les citoyens pour nourrir les soldats ; mais il trouva tant d'opposition qu'il n'osa employer la force pour le faire payer. S'apercevant qu'il avait perdu son autorité, il rassembla les chefs des gibelins et ils résolurent de retirer au peuple par la violence ce que leur imprévoyance lui avait accordé. Et lorsqu'ils se jugèrent suffisamment armés, ils attendirent que les trente-six fussent réunis pour provoquer une émeute. Ces derniers épouvantés se retirèrent dans leurs maisons, et les bannières des corps de métiers parurent à l'instant, suivies de beaucoup de gens armés ; ceux-ci, apprenant que le comte Guido était avec son armée au Baptistère de San Giovanni, se rassemblèrent à Santa Trinità, et mirent à leur tête Giovanni Soldanieri ; de son côté le comte lorsqu'il sut où était le peuple, marcha à sa rencontre. Celui-ci ne songea point à éviter le combat mais, s'avançant vers son ennemi, il le rencontra dans l'endroit où est aujourd'hui la *loggia* des Tornaquinci. Le comte fut repoussé et perdit beaucoup de monde. Son esprit égaré par la peur lui fit craindre que l'ennemi ne vînt l'assaillir pendant la nuit et ne le tuât au milieu de ses soldats, battus et découragés. Cette idée lui fit tant d'impression que, sans chercher un autre moyen, il préféra devoir son salut à la fuite qu'à un combat, et se retira à Prato avec ses troupes, contre l'avis des chefs de son parti. Aussitôt qu'il fut en sûreté, la peur se dissipa ; il reconnut son erreur, et voulant la réparer dans la matinée, il reprit dès la pointe du jour la route de Florence avec ses troupes, afin de rentrer de vive force dans cette ville qu'il avait lâchement abandonnée. Son projet échoua parce que le peuple, qui aurait eu beaucoup de peine à l'en faire sortir, n'en eut guère à le laisser dehors. Triste et couvert de honte, il regagna le Casentino, et les gibelins se réfugièrent dans leurs maisons de la campagne. Le peuple victorieux résolut, suivant les conseils de ceux qui désiraient le bien de la république, de rétablir l'union dans Florence, et d'y rappeler tous les citoyens absents, guelfes ou gibelins.

Les guelfes rentrèrent donc dans leur patrie après six ans d'expulsion. On y reçut aussi les gibelins après leur avoir pardonné ce qui venait encore de se passer. Il resta néanmoins un vif ressentiment contre eux dans l'esprit du peuple qui se souvenait de leur domination tyrannique, et dans celui des guelfes qui ne pouvaient oublier leur bannissement ; ce qui fit que ni l'un ni l'autre parti ne déposait sa rancœur. Telle était la situation de Florence lorsque le bruit se répandit que Conradin, neveu de Manfred, arrivait d'Allemagne avec une armée pour conquérir le royaume de Naples. Cette nouvelle rendit aux gibelins l'espoir de ressaisir leur autorité ; et les guelfes, pensant à se garantir de leurs ennemis, demandèrent du secours à Charles, pour résister à Conradin s'il les attaquait au passage. L'envoi des troupes de Charles rendit les guelfes insolents, et les gibelins en furent tellement effrayés qu'ils prirent d'eux-mêmes la fuite deux jours avant leur arrivée.

10

Domination des guelfes. Nouvelles institutions politiques. Tentatives pontificales de réconciliation

Après le départ des gibelins, Florence réorganisa son gouvernement ; on choisit douze chefs qui devaient rester douze mois en fonctions. Ils ne furent plus appelés *Anciens*, mais *Bons-Hommes.* On plaça auprès d'eux un conseil de quatre-vingts citoyens, nommé *Crédence.* On y joignit un autre de cent quatre-vingts membres pris dans le peuple, trente pour chacun des six quartiers. Ces deux conseils unis à celui des Bons-Hommes se nommèrent le *conseil général.* On en forma encore un de cent vingt membres, tirés du peuple et de la noblesse. Celui-ci fut chargé de mettre à exécution tout ce qui avait été délibéré par les autres conseils et de se concerter avec eux pour distribuer les charges de la république. Cet ordre de chose étant établi, les Florentins fortifièrent encore le parti guelfe par des magistratures et d'autres institutions, afin qu'ils eussent plus de moyens pour se défendre contre les gibelins. Les biens de ceux-ci furent divisés en trois parts. L'une fut confisquée au profit du public, l'autre fut assignée aux magistrats de quartier appelés les *Capitaines*, la troisième fut donnée aux guelfes en dédommagement des pertes qu'ils avaient essuyées. Pour maintenir le règne de cette faction en Toscane, le pape créa le roi Charles vicaire impérial en cette contrée. Ce nouveau gouvernement soutenait la réputation des Florentins au dedans par leurs lois, et au dehors par leurs armes, lorsque le pape mourut. Après deux années de contestations, Grégoire X fut élu. Ce pontife qui avait séjourné longtemps en Syrie et y était encore lors de son élection, étranger aux intrigues des factions, n'en faisait point autant de cas que ses prédécesseurs. Passant à Florence pour se rendre en France, il pensa qu'il convenait à un véritable pasteur d'y rétablir la bonne intelligence. Il fit donc si bien que les Florentins consentirent à recevoir les *syndics* des gibelins pour travailler à leur retour ; mais la peur empêcha ceux-ci de revenir, malgré le succès de la négociation. Grégoire X, irrité contre cette ville qu'il accusait d'être la cause de leur refus d'y rentrer, lança sur elle un décret d'excommunication, qui ne fut levé que par son successeur Innocent V.

Nicolas III, de la famille des Orsini, parvint à la dignité pontificale. Or les pontifes redoutaient tous de voir grandir en Italie l'autorité d'un potentat, même quand ils l'avaient eux-mêmes favorisée, et ils visaient toujours à la rabattre – d'où maint désordre et maint bouleversement en nos provinces ; la crainte d'un prince puissant leur en faisait favoriser un plus faible, pour le redouter à son tour, à peine grandi, et tenter de le rabaisser comme redoutable ; ce fut cette politique qui enleva le royaume de Naples à Manfred pour le donner à Charles, pour en méditer la ruine dès qu'elle commença à le craindre. Nicolas III vint à bout d'ôter à Charles, par le moyen de l'empereur, le gouvernement de la Toscane, où il envoya au nom de ce prince, messire Latino, son légat.

11

La paix du cardinal Latino

Le sort de Florence était alors assez déplorable. La noblesse guelfe devenue insolente, ne craignait plus les magistrats. Chaque jour il se commettait des meurtres et d'autres violences dont les auteurs restaient impunis, protégés par quelques nobles. Les chefs du peuple s'imaginèrent que le rappel des bannis serait propre à réprimer ces excès ; ce qui donna occasion au légat de refaire l'union dans cette ville. Les gibelins y rentrèrent ; et au lieu de douze personnes chargées du gouvernement, on statua qu'il y en aurait quatorze, sept de chaque parti au choix du pape, et dont les fonctions seraient d'une année. Florence fut régie de cette manière pendant deux ans, jusqu'au pontificat de Martin IV, Français d'origine. Ce pape rendit au roi Charles toute l'autorité dont Nicolas III l'avait dépouillé. Aussitôt les factions se réveillèrent en

Toscane. Les Florentins s'armèrent contre le gouverneur impérial, changèrent le gouvernement pour en exclure les gibelins et mettre un frein à la licence des grands. On était en l'année 1282. Depuis que l'on avait donné aux corps de métiers les places civiles et militaires, ils avaient acquis beaucoup de considération. Usant de leur autorité, ils remplacèrent le conseil des quatorze par un autre de trois membres, et décidèrent que ceux-ci, nommés *Prieurs*, gouverneraient pendant deux mois et seraient choisis dans l'ordre de la noblesse ou du peuple, pourvu qu'ils fussent marchands ou artisans. Cette première magistrature fut ensuite de six membres, afin qu'il y eût un délégué de chaque quartier. Ce nombre fut conservé jusqu'en 1342, époque à laquelle le nombre des quartiers fut réduit à quatre et celui des prieurs porté à huit. Les circonstances l'avaient quelquefois fait porter à douze dans cet intervalle. Cette magistrature amena, comme on le voit dans la suite, la ruine des nobles, parce que le peuple les en exclut, d'abord pour différentes raisons, puis sans aucun prétexte. Ils y contribuèrent eux-mêmes par leurs rivalités : à force de s'entre-mordre les un les autres, ils se perdirent tous. On donna à ces magistrats un palais pour y fixer leur résidence. L'usage avait été jusque-là de tenir dans les églises les assemblée des magistrats et des conseils. On releva encore leur dignité en y ajoutant des huissiers et d'autres officiers. Quoiqu'ils n'eussent dans le commencement que le nom de prieurs, pour surcroît de magnificence on les décora dans la suite du titre de *Seigneurs*. Les Florentins furent tranquilles chez eux pendant quelque temps. Ils en profitèrent pour faire la guerre à ceux d'Arezzo qui avaient chassé de leur ville les guelfes, et remportèrent sur eux une victoire complète à Campaldino. Florence croissant en population et en richesses, il parut nécessaire d'agrandir l'enceinte de ses murs. On lui donna l'étendue qu'elle conserve encore aujourd'hui. Son ancien diamètre ne mesurait que l'espace qui va du Ponte Vecchio à San Lorenzo.

Extrait des *Histoires florentines*.
Traduit de l'italien par Toussaint Guiradet.

DANTE

Le parler toscan

Et maintenant, venons-en aux Toscans qui, affolés en leur pauvre cervelle, prétendent à la gloire du vulgaire illustre, et le font trop voir. Mais en ces visées la plèbe n'est pas seule à divaguer : ainsi, j'ai noté que bien des hommes fameux s'y sont accrochés : par exemple Guitton l'Arétin[1], qui jamais ne s'achemina au vulgaire

1. GUITTON... : Guittone d'Arezzo (1230 environ-1293 ou 1294) ; voir *Purg.* XXIV 56 et XXVI 124-126. Consulter le grand ouvrage de Cl. Margueron, *Recherches sur la vie et l'œuvre de G. d'A.*

– NE S'ACHEMINA AU VULGAIRE COURTOIS, *ad curiale vulgare* : celui qui serait digne de l'idéale « cour d'Utalie » (*dVE* I xviii 3-4). Plus loin *(non curialia... invenientur)*, j'ai gardé l'adjectif de Dante, quitte à le dédoubler afin de marquer par la rime l'opposition voulue entre *curialia* et *municipalia* : en ancien français l'adjectif « communal », outre le sens de « propre à une commune ou communauté », avait la valeur de « banal », « populaire », qui convient également ici. Nous avons laissé perdre, en France, l'usage ancien du mot *curial* : Eustache Deschamps appliquait le nom de « curiaux » aux gens de cour.

– BONAGIUNTA DA LUCCA (1230-1296 ou 1300) : voir *Purg.* XXIV 19 ss.

– GALLO PISANO (ou Galletto) : mort entre 1297 et 1300 ?

– MINO MOCATO, de Sienne : Bartolomeo Mocati ? (Peut-être le Mico visé par Boccace, *Decam.* X vii 18).

– BRUNETTO LATINI : voir *Inf.* XV ; pour ses « rimes » italiennes, voir *Dante sous la pluie de feu*, pp. 62-63 et *passim.*

– ROGNER... LA CHAMARRE, *depompare* : mot expressif forgé par Dante, ou repris à saint Jérôme.

courtois, Bonnejointe de Lucques, Gal de Pise, Myet Moué de Sienne, Brunet de Florence ; car la poésie de tous ceux-là, si l'on prend soin d'y regarder de près, apparaîtra non pas courtoise et curiale, mais communale tout au plus. Et pour ce que les Toscans plus que les autres sont possédés de cette furieuse ivresse, il semble utile et digne de prendre un par un les vulgaires communaux de Toscane, et leur rogner quelque peu la chamarre.

Les Florentins parlent et riment ainsi[1] :

Manichiamo introque, *che noi non facciamo altro.*

Les Pisans :

Bene andonno li fanti *de Fiorensa per Pisa.*

Les Lucquois :

Fo voto a Dio, ke in grassarra
eie lo comuno de Lucca.

Les Siennois :

Onche renegata avesse io Siena.
Ch' ee chesto ?

1. MANICHIAMO... : « Mangeons en attendant, nous n'avons rien à faire ». Cette phrase et les suivantes ont un son vulgaire qu'il est difficile de rendre. Voir *dVE* I xix 3.

– BENE ANDONNO... : « Bien marcha la piétaille / des Florentins sur Pise ». Le *bene* initial est concessif ; il devait y avoir un deuxième vers de revanche : – Mais ensuite nous les avons rossés !

– FO VOTO A DIO... : « Tudieu, la cité de Lucques / sait bien faire ses choux gras ! »

– ONCHE RENEGATA... : « Que n'ai-je encor fait reniement de Sienne ! / – Hé qu'est-ce à dire ? »

– VUO' TU... : « Veux-tu que nous allions où bon te semble ? » Ces deux derniers textes pourraient n'être pas en vers.

– D'OURVIÈRE, *de Urbe Veteri* : en italien, Orvieto. Je me suis rappelé l'étymologie de Fourvière, *Foro Veteri*, à Lyon.

– CIVITA CASTELLANA : au pied du Socrate, versant nord.

Les Arétins :

Vuo' tu venire ovelle ?

De Pérouse, d'Ourvière, de Viterbe et de Cité Chastelaine, en raison du voisinage qu'elles ont avec les Romains et les Spolétains, j'entends ne point traiter.

Mais[1] bien que presque tous les Toscans aient les oreilles cassées de leur propre patois, quelques-uns à mon sens ont connu l'excellence du vulgaire, à savoir Guy, Jacquet, et un autre, Florentins, et Cyne de Pestoire, que je semble ici mettre à une place injuste, mais par une juste nécessité. Ainsi donc, si nous examinons les parlures toscanes, et pesons les motifs pour quoi certains hommes entre tous honorés ont voulu fuir celle de leur propre cité, il n'est plus douteux que le vulgaire dont nous sommes en quête est tout autre chose que celui où peut atteindre le peuple toscan.

Ce que nous affirmons des Toscans, le lecteur pensera peut-être qu'on n'en saurait dire autant des Génois ; mais qu'il se mette bien en tête une simple chose : si par oubliance les Génois perdaient la lettre z il leur faudrait ou bien rester parfaitement muets, ou bien apprendre une langue neuve. Car la pièce capitale de leur parlure est justement le z, lettre qui ne se prononce pas sans grande âpreté.

Extrait de *De l'éloquence en langue vulgaire.*
Traduit du latin par André Pézard.

1. À MON SENS, *sentimus* : c'est moins une opinion qu'un fait d'observation ; ce que chacun peut voir et entendre.

Albert Camus

Le désert

à Jean Grenier

Vivre, bien sûr, c'est un peu le contraire d'exprimer. Si j'en crois les grands maîtres toscans, c'est témoigner trois fois, dans le silence, la flamme et l'immobilité.

Il faut beaucoup de temps pour reconnaître que les personnages de leurs tableaux, on les rencontre tous les jours dans les rues de Florence ou de Pise. Mais, aussi bien, nous ne savons plus voir les vrais visages de ceux qui nous entourent. Nous ne regardons plus nos contemporains, avides seulement de ce qui, en eux, sert notre orientation et règle notre conduite. Nous préférons au visage sa poésie la plus vulgaire. Mais pour Giotto ou Piero della Francesca, ils savent bien que la sensibilité d'un homme n'est rien. Et du cœur, à vrai dire, tout le monde en a. Mais les grands sentiments simples et éternels autour desquels gravite l'amour de vivre, haine, amour, larmes et joies croissent à la profondeur de l'homme et modèlent le visage de son destin – comme dans la mise au tombeau du Giottino, la douleur aux dents serrées de Marie. Dans les immenses maestas des églises toscanes, je vois bien une foule d'anges aux visages indéfiniment décalqués, mais à chacune de ces faces muettes et passionnées, je reconnais une solitude.

Il s'agit bien vraiment de pittoresque, d'épisode, de nuances ou d'être ému. Il s'agit bien de poésie. Ce qui compte, c'est la vérité. Et j'appelle vérité tout ce qui continue. Il y a un enseignement subtil à penser qu'à cet égard, seuls les peintres peuvent apaiser notre faim. C'est qu'ils ont le privilège de se faire les romanciers du corps. C'est qu'ils travaillent dans cette manière magnifique et futile qui s'appelle le présent. Et le présent se figure toujours dans un geste. Ils ne peignent pas un sourire ou une fugitive pudeur, regret ou attente, mais un visage dans son relief d'os et sa chaleur de sang. De ces faces figées dans des lignes éternelles, ils ont à jamais chassé la malédiction de l'esprit : au prix de l'espoir. Car le corps ignore l'espoir. Il ne connaît que les coups de son sang. L'éternité qui lui est propre est faite d'indifférence. Comme cette *Flagellation* de Piero della Francesca, où, dans une cour fraîchement lavée, le Christ supplicié et le bourreau aux membres épais laissent surprendre dans leurs attitudes le même détachement. C'est qu'aussi bien ce supplice n'a pas de suite. Et sa leçon s'arrête au cadre de la toile. Quelle raison d'être ému pour qui n'attend pas de lendemain ? Cette impassibilité et cette grandeur de l'homme sans espoir, cet éternel présent, c'est cela précisément que des théologiens avisés ont appelé l'enfer. Et l'enfer, comme personne ne l'ignore, c'est aussi la chair qui souffre. C'est à cette chair que les Toscans s'arrêtent et non pas à son destin. Il n'y a pas de peintures prophétiques. Et ce n'est pas dans les musées qu'il faut chercher des raisons d'espérer.

L'immortalité de l'âme, il est vrai, préoccupe, beaucoup de bons esprits. Mais c'est qu'ils refusent, avant d'en avoir épuisé la sève, la seule vérité qui leur soit donnée et qui est le corps. Car le corps ne leur pose pas de problèmes ou, du moins, ils connaissent l'unique solution qu'il propose : c'est une vérité qui doit pourrir et qui revêt par là une amertume et une noblesse qu'ils n'osent pas regarder en face. Les bons esprits lui préfèrent la poésie, car elle est affaire d'âme. On sent bien que je joue sur les mots. Mais on comprend aussi que par vérité je veux seulement consacrer une poésie plus haute : la flamme noire que de Cimabué à Francesca les peintres italiens ont élevée parmi les paysages toscans comme la protestation lucide de l'homme jeté sur une terre dont la splendeur et la lumière lui parlent sans relâche d'un Dieu qui n'existe pas.

À force d'indifférence et d'insensibilité, il arrive qu'un visage rejoigne la grandeur minérale d'un paysage. Comme certains paysans d'Espagne arrivent à ressembler aux oliviers de leurs terres, ainsi les visages de Giotto, dépouillés des ombres dérisoires où l'âme se manifeste, finissent par rejoindre la Toscane elle-même dans la seule leçon dont elle est prodigue : un exercice de la passion au détriment de l'émotion, un mélange d'ascèse et de jouissances, une résonance commune à la terre et à l'homme, par quoi l'homme comme la terre, se définit à mi-chemin entre la misère et l'amour. Il n'y a pas tellement de vérités dont le cœur soit assuré. Et je savais bien l'évidence de celle-ci, certain soir où l'ombre commençait à noyer les vignes et les oliviers de la campagne de Florence d'une grande tristesse muette. Mais la tristesse dans ce pays n'est jamais qu'un commentaire de la beauté. Et dans le train qui filait à travers le soir, je sentais quelque chose se dénouer en moi. Puis-je douter aujourd'hui qu'avec le visage de la tristesse, cela s'appelait cependant du bonheur ?

Oui, la leçon illustrée par ses hommes, l'Italie la prodigue aussi par ses paysages. Mais il est facile de manquer le bonheur puisque toujours il est immérité. De même pour l'Italie. Et sa grâce, si elle est soudaine, n'est pas toujours immédiate. Mieux qu'aucun autre pays, elle invite à l'approfondissement d'une expérience qu'elle paraît cependant livrer tout entière à la première fois. C'est qu'elle est d'abord prodigue de poésie pour mieux cacher sa vérité. Ses premiers sortilèges sont des rites d'oubli : les lauriers-roses de Monaco, Gênes pleine de fleurs et d'odeurs de poisson et les soirs bleus sur la côte ligurienne. Puis Pise enfin et avec elle une Italie qui a perdu le charme un peu canaille de la Riviera. Mais elle est encore facile et pourquoi ne pas se prêter quelque temps à sa grâce sensuelle. Pour moi que rien ne force lorsque je suis ici (et qui suis privé des joies du voyageur traqué puisqu'un billet à prix réduit me force à rester un certain temps dans la ville « de mon choix »), ma patience à aimer et à comprendre me semble sans limite ce premier soir où fatigué et affamé, j'entre dans Pise, accueilli sur l'avenue de la gare par dix haut-parleurs tonitruants qui déversent un flot de romances sur une foule où presque tout le monde est jeune. Je sais déjà ce que j'attends. Après ce bondissement de vie, ce sera ce singulier instant, les cafés fermés et le silence soudain revenu, où j'irai par des rues courtes et obscures vers le centre de la ville. L'Arno noir et doré, les monuments jaunes et verts, la ville déserte, comment décrire ce subterfuge si soudain et si adroit par lequel Pise à dix heures du soir se change en un décor étrange de silence, d'eau et de pierres. « C'est par une nuit pareille, Jessica ! » Sur ce plateau unique, voici que les dieux paraissent avec la voix des amants de Shakespeare... Il faut savoir se prêter au rêve lorsque le rêve se prête à nous. Le chant plus intérieur qu'on vient chercher ici, j'en sens déjà les premiers accords au fond de cette nuit italienne. Demain, demain seulement, la campagne s'arrondira dans le matin. Mais ce soir, me voici dieu parmi les dieux et, devant Jessica qui s'enfuit « des pas emportés de l'amour », je mêle ma voix à celle de Lorenzo. Mais Jessica n'est qu'un prétexte, et cet élan d'amour la dépasse. Oui, je le crois, Lorenzo l'aime moins qu'il ne lui est reconnaissant de lui permettre d'aimer. Mais pourquoi songer ce soir aux Amants de Venise et oublier Vérone ? C'est qu'aussi bien rien n'invite ici à chérir des amants malheureux. Rien n'est plus vain que de mourir pour un amour. C'est vivre qu'il faudrait. Et Lorenzo vivant vaut mieux que Roméo dans la terre et malgré son rosier. Comment alors ne pas danser dans ces fêtes de l'amour vivant – dormir l'après-midi sur l'herbe courte de la Piazza del Duomo, au milieu des monuments qu'on a toujours le temps de visiter, boire aux fontaines de la ville où l'eau était un peu tiède mais si fluide, revoir encore ce visage de femme qui riait, le nez long et la bouche fière. Il faut comprendre seulement que cette intuition prépare à des illuminations plus hautes. Ce sont les cortèges étincelants qui mènent les mystes dionysiens à Éleusis. C'est dans la joie que l'homme prépare ses leçons et parvenue à son plus haut degré d'ivresse, la chair devient consciente et consacre sa communion avec un mystère sacré dont le symbole est le sang noir. L'oubli de soi-même puisé dans l'ardeur de cette première Italie, voici qu'il prépare à cette leçon qui nous délie de l'espérance, et nous enlève à notre histoire. Double vérité du corps et de l'instant, au spectacle de la beauté, comment ne pas s'y accrocher comme on s'agrippe au seul bonheur attendu, qui doit nous enchanter, mais périr à la fois.

Le matérialisme le plus répugnant n'est pas celui qu'on croit, mais bien celui qui veut nous faire passer des idées mortes pour des réalités vivantes et détourner sur des mythes stériles l'attention obstinée et lucide que nous portons à ce qui en nous doit mourir pour toujours. Je me souviens qu'à Florence, dans le cloître des morts, à la Santissima Annunziata, je fus transporté par quelque chose que j'ai pu prendre pour de la détresse et qui n'était que de la colère. Il pleuvait. Je lisais des inscriptions sur les dalles funéraires et sur les ex-voto. Celui-ci avait été père tendre et mari fidèle ; cet autre, en même temps que le meilleur des époux, commerçant avisé. Une jeune femme, modèle de toutes les vertus, parlait le français, « si come il nativo ». Là, une jeune fille était toute l'espérance des siens, « ma la gioia è pellegrina sulla terra ». Mais rien de tout cela ne m'atteignait. Presque tous, selon les inscriptions, s'étaient résignés à mourir, et sans doute, puisqu'ils acceptaient leurs autres devoirs. Aujourd'hui, les enfants avaient envahi le cloître et jouaient à saute-mouton sur les dalles qui voulaient perpétuer leurs vertus. La nuit tombait alors, je m'étais assis par terre, adossé à une colonne. Un prêtre, en passant, m'avait souri. Dans l'église, l'orgue jouait sourdement et la couleur chaude de son dessin reparaissait parfois derrière le cri des enfants. Seul contre la colonne, j'étais comme quelqu'un qu'on prend à la gorge et qui crie sa foi comme une dernière parole. Tout en moi protestait contre une semblable résignation. « Il faut », disaient les inscriptions. Mais non, et ma révolte avait raison. Cette joie qui allait, indifférente et absorbée comme un pèlerin sur la terre, il me fallait la suivre pas à pas. Et, pour le reste, je disais non. Je disais non de toutes mes forces. Les dalles m'apprenaient que c'était inutile et que la vie est « col sol levante col sol cadente ». Mais aujourd'hui encore, je ne vois pas ce que l'inutilité ôte à ma révolte et je sens bien ce qu'elle lui ajoute.

Au demeurant, ce n'est pas cela que je voulais dire. Je voudrais cerner d'un peu plus près une vérité que j'éprouvais alors dans le cœur même de ma révolte et dont celle-ci n'était que le prolongement, une vérité qui allait des petites roses tardives du cloître de Santa Maria Novella aux femmes de ce dimanche matin à Florence, les seins libres dans des robes légères et les lèvres humides. Au coin de chaque église, ce dimanche-là, se dressaient des étalages de fleurs, grasses et brillantes, perlées d'eau. J'y trouvais alors une sorte de « naïveté » en même temps qu'une récompense. Dans ces fleurs comme dans ces femmes, il y avait une opulence généreuse et je ne voyais pas que désirer les unes différât beaucoup de convoiter les autres. Le même cœur pur y suffisait. Ce n'est pas souvent qu'un homme se sent le cœur pur. Mais du moins à ce moment, son devoir est d'appeler vérité ce qui l'a si singulièrement purifié, même si cette vérité peut à d'autres sembler un blasphème, comme c'est le cas pour ce que je pensais ce jour-là : j'avais passé ma matinée dans un couvent de franciscains, à Fiesole, plein de l'odeur des lauriers. J'étais resté de longs moments dans une petite cour gonflée de fleurs rouges, de soleil, d'abeilles jaunes et noires. Dans un coin, il y avait un arrosoir vert. Avant de venir, j'avais visité les cellules des moines, et vu les petites tables garnies d'une tête de mort. Maintenant, ce jardin témoignait de leurs inspirations. J'étais revenu vers Florence, le long de la colline qui dévalait vers la ville offerte avec tous ses cyprès. Cette splendeur du monde, ces femmes et ces fleurs, il me semblait qu'elle était comme la justification de ces hommes. Je n'étais pas sûr qu'elle ne fût aussi celle de tous les hommes qui savent qu'un point extrême de pauvreté rejoint toujours le luxe et la richesse du monde. Dans la vie de ces franciscains, enfermés entre des colonnes et des fleurs et celle des jeunes gens de la plage Padovani à Alger qui passent toute l'année au soleil, je sentais une résonance commune. S'ils se dépouillent, c'est pour une plus grande vie (et non pour une autre vie). C'est du moins le seul emploi valable du mot « dénuement ». Être nu garde toujours un sens de liberté physique et cet accord de la main et des fleurs – cette entente amoureuse de la terre et de l'homme délivré de l'humain – ah ! je m'y convertirais bien si elle n'était déjà ma religion. Non, ce ne peut être là un blasphème – et non plus si je dis que le sourire intérieur des saints François de Giotto justifie ceux qui ont le goût du bonheur. Car les mythes sont à la religion ce que la poésie est à la vérité, des masques ridicules posés sur la passion de vivre.

Irai-je plus loin ? Les mêmes hommes qui, à Fiesole, vivent devant les fleurs rouges ont dans leur cellule le crâne qui nourrit leurs méditations. Florence à leurs fenêtres et la mort sur leur table. Une certaine continuité dans le désespoir peut engendrer la joie. Et à une certaine température de vie, l'âme et le sang mêlés, vivent à l'aise sur des contradictions, aussi indifférents au devoir qu'à la foi. Je ne m'étonne plus alors que sur un mur de Pise une main allègre ait résumé ainsi sa singulière notion de l'honneur : « Alberto fa l'amore con la mia sorella. » Je ne m'étonne plus que l'Italie soit la terre des incestes, ou du moins, ce qui est plus significatif, des incestes avoués. Car le chemin qui va de la beauté à l'immoralité est tortueux, mais certain. Plongée dans la beauté, l'intelligence fait son repas de néant. Devant ces paysages dont la grandeur serre la gorge, chacune de ses pensées est une rature sur l'homme. Et bientôt, nié, couvert, recouvert et obscurci par tant de convictions accablantes, il n'est plus rien devant le monde que cette tache informe qui ne connaît de vérité que passive, ou sa couleur ou son soleil. Des paysages si purs sont desséchants pour l'âme et leur beauté insupportable. Dans ces évangiles de pierre, de ciel et d'eau, il est dit que rien ne ressuscite. Désormais au fond de ce désert magnifique au cœur, la tentation commence pour les hommes de ces pays. Quoi d'étonnant si des esprits élevés devant le spectacle de la noblesse, dans l'air raréfié de la beauté, restent mal persuadés que la grandeur puisse s'unir à la bonté ? Une intelligence sans dieu qui l'achève cherche un dieu dans ce qui la nie. Borgia arrivant au Vatican s'écrie : « Maintenant que Dieu nous a donné la papauté, il faut se hâter d'en jouir. » Et il fait comme il dit. Se hâter, cela est bien dit. Et l'on y sent déjà le désespoir si particulier aux êtres comblés.

Je me trompe peut-être. Car enfin je fus heureux à Florence et tant d'autres avant moi. Mais qu'est-ce que le bonheur sinon le simple accord entre un être et l'existence qu'il mène ? Et quel accord plus légitime peut unir l'homme à la vie sinon la double conscience de son désir de durée et son destin de mort ? On y apprend du moins à ne compter sur rien et à considérer le présent comme la seule vérité qui nous soit donnée par « surcroît ». J'entends bien qu'on me dit : l'Italie, la Méditerranée, terres antiques où tout est à la mesure de l'homme. Mais où donc et qu'on me montre la voie ? Laissez-moi ouvrir les yeux pour chercher ma mesure et mon contentement ! Ou plutôt si, je vois : Fiesole, Djémila et les ports dans le soleil. La mesure de l'homme ? Le silence et les pierres mortes. Tout le reste appartient à l'histoire.

Mais pourtant, ce n'est pas là qu'il faudrait s'arrêter. Car il n'a pas été dit que le bonheur soit à toute force inséparable de l'optimisme. Il est lié à l'amour – ce qui n'est pas la même chose. Et je sais des heures et des lieux où le bonheur peut paraître si amer qu'on lui préfère sa promesse. Mais c'est qu'en ces heures ou en ces lieux, je n'avais pas assez de cœur à aimer, c'est-à-dire à ne pas renoncer. Ce qu'il faut dire ici, c'est cette entrée de l'homme dans les fêtes de la terre et de la beauté. Car à cette minute, comme le néophyte ses derniers voiles, il abandonne devant son dieu la petite monnaie de sa personnalité. Oui, il y a un bonheur plus haut où le bonheur paraît futile. À Florence, je montais tout en haut du jardin Boboli, jusqu'à une terrasse d'où l'on découvrait le Monte Oliveto et les hauteurs de la ville jusqu'à l'horizon. Sur chacune de ces collines, les oliviers étaient pâles comme de petites fumées et dans le brouillard léger qu'ils faisaient se détachaient les jets plus durs des cyprès, les plus proches verts et ceux du lointain noirs. Dans le ciel dont on voyait le bleu profond, de gros nuages mettaient des taches. Avec la fin de l'après-midi, tombait une lumière argentée où tout devenait silence. Le sommet des collines était d'abord dans les nuages. Mais une brise s'était levée dont je sentais le souffle sur mon visage. Avec elle, et derrière les collines, les nuages se séparèrent comme un rideau qui s'ouvre. Du même coup, les cyprès du sommet semblèrent grandir d'un seul jet dans le bleu soudain découvert. Avec eux, toute la colline et le paysage d'oliviers et de pierres remontèrent avec lenteur. D'autres nuages vinrent. Le rideau se ferma. Et la colline redescendit avec ses cyprès et ses maisons. Puis à nouveau – et dans le lointain sur d'autres collines de plus en plus effacées – la même brise qui ouvrait ici les plis épais des nuages les refermait là-bas. Dans cette grande respiration du monde, le même souffle s'accomplissait à quelques secondes de distance et reprenait de loin en loin le thème de pierre et d'air d'une fugue à l'échelle du monde. Chaque fois, le thème diminuait d'un ton : à le suivre un peu plus loin, je me calmais un peu plus. Et parvenu au terme de cette perspective sensible au cœur, j'embrassais d'un coup d'œil cette fuite de collines toutes ensemble respirant et avec elle comme le chant de la terre entière.

Des millions d'yeux, je le savais, ont contemplé ce paysage et, pour moi, il était comme le premier sourire du ciel. Il me mettait hors de moi au sens profond du terme. Il m'assurait que sans mon amour et ce beau cri de pierre, tout était inutile. Le monde est beau, et hors de lui, point de salut. La grande vérité que patiemment il m'enseignait, c'est que l'esprit n'est rien, ni le cœur même. Et que la pierre chauffée par le soleil, ou le cyprès que le ciel découvert agrandit, limitent le seul univers où « avoir raison » prend un sens : la nature sans hommes. Et ce monde m'annihile. Il me porte jusqu'au bout. Il me nie sans colère. Dans ce soir qui tombait sur la campagne florentine, je m'acheminais vers une sagesse où tout était déjà conquis, si des larmes ne m'étaient venues aux yeux et si le gros sanglot de poésie qui m'emplissait ne m'avait fait oublier la vérité du monde.

C'est sur ce balancement qu'il faudrait s'arrêter : singulier instant où la spiritualité répudie la morale, où le bonheur naît de l'absence d'espoir, où l'esprit trouve sa raison dans le corps. S'il est vrai que toute vérité porte en elle son amertume, il est aussi vrai que toute négation contient une floraison de « oui ». Et ce chant d'amour sans espoir qui naît de la contemplation peut aussi figurer la plus efficace des règles d'action. Au sortir du tombeau, le Christ ressuscitant de Piero della Francesca n'a pas un regard d'homme. Rien d'heureux n'est peint sur son visage – mais seulement une grandeur farouche et sans âme que je ne puis m'empêcher de prendre pour une résolution à vivre. Car le sage comme l'idiot exprime peu. Ce retour me ravit.

Mais cette leçon, la dois-je à l'Italie ou l'ai-je tirée de mon cœur ? C'est là-bas sans doute qu'elle m'est apparue. Mais c'est que l'Italie, comme d'autres lieux privilégiés, m'offre le spectacle d'une beauté où meurent quand même les hommes. Ici encore la vérité doit pourrir et quoi de plus exaltant ? Même si je la souhaite, qu'ai-je à faire d'une vérité qui ne doive pas pourrir ? Elle n'est pas à ma mesure. Et l'aimer serait un faux-semblant. On comprend rarement que ce n'est jamais par désespoir qu'un homme abandonne ce qui faisait sa vie. Les coups de tête et les désespoirs mènent vers d'autres vies et marquent seulement un attachement frémissant aux leçons de la terre. Mais il peut arriver qu'à un certain degré de lucidité, un homme se sente le cœur fermé et, sans révolte ni revendication, tourne le dos à ce qu'il prenait jusqu'ici pour sa vie, je veux dire son agitation. Si Rimbaud finit en Abyssinie sans avoir écrit une seule ligne, ce n'est pas par goût de l'aventure, ni renoncement d'écrivain. C'est « parce que c'est comme ça » et qu'à une certaine pointe de la conscience, on finit par admettre ce que nous nous efforçons tous de ne pas comprendre, selon notre vocation. On sent bien qu'il s'agit ici d'entreprendre la géographie d'un certain désert. Mais ce désert singulier n'est sensible qu'à ceux capables d'y vivre sans jamais tromper leur soif. C'est alors, et alors seulement, qu'il se peuple des eaux vives du bonheur.

À portée de ma main, au jardin Boboli, pendaient d'énormes kakis dorés dont la chair éclatée laissait passer un sirop épais. De cette colline légère à ces fruits juteux, de la fraternité secrète qui m'accordait au monde à la faim qui me poussait vers la chair orangée au-dessus de ma main, je saisissais le balancement qui mène certains hommes de l'ascèse à la jouissance et du dépouillement à la profusion dans la volupté. J'admirais, j'admire ce lien qui, au monde, unit l'homme, ce double reflet dans lequel mon cœur peut intervenir et dicter son bonheur jusqu'à une limite précise où le monde peut alors l'achever ou le détruire. Florence ! Un des seuls lieux d'Europe où j'ai compris qu'au cœur de ma révolte dormait un consentement. Dans son ciel mêlé de larmes et de soleil, j'apprenais à consentir à la terre et à brûler dans la flamme sombre de ses fêtes. J'éprouvais... mais quel mot ? quelle démesure ? comment consacrer l'accord de l'amour et de la révolte ? La terre ! Dans ce grand temple déserté par les dieux, toutes mes idoles ont des pieds d'argile.

Extrait de *Noces.*

Paul Claude Racamier

Florence et Sienne

Or c'est précisément d'histoire que j'aimerais vous parler un instant. Que nos amis italiens m'en excusent, à qui l'histoire est familière, dont je vais m'inspirer, mais j'aimerais un instant parler de Florence et de Sienne. Deux villes entièrement différentes : Florence est au pied des collines, et Sienne dessus, accroupie sur son territoire, qu'elle a toujours jalousement défendu. Un modèle d'organisation sociale, c'était Florence. C'est par leurs métiers, c'est par leurs fonctions que s'y distinguaient les gens de la cité. Chacun dans sa fonction et dans sa corporation, les échanges étaient constants et féconds entre les charpentiers, les tanneurs, les drapiers, les cuisiniers, les banquiers – qui ne réussissaient pas mal – les orfèvres et les peintres – qui recevaient leur part des investissements des banquiers – et les prêtres, à qui le mysticisme ne profitait pas. L'art est ici marqué par la mesure proprement florentine d'équilibre et de lucidité.

Vous voyez sans doute où je veux en venir : la vie de Florence était à l'image du *moi,* tel qu'il est en général conçu par Freud : une instance fonctionnelle aux vertus économiques. Et Florence était un moi qui réussissait bien.

Au contraire, toute la vie de Sienne était et reste fondée sur l'importance du *territoire* : territoire encerclé de la cité, et territoires au sein de cette cité, elle-même divisée en quartiers ou contrades, dont le particularisme jaloux s'est perpétué jusqu'à nos jours. Gardons-nous ici de concevoir hâtivement cette division interne sur le mode du clivage, dont on parle de nos jours à tout propos. Le fait est que pour un Siennois son territoire lui tenait et lui tient plus à cœur que sa fonction : il était de Sienne et de sa contrade, avant que d'être d'un métier et d'un grade. On sait que l'inégalable génie social de Sienne a été de ritualiser l'agressivité territoriale des citoyens : le Palio est le creuset de ce rituel, dont les touristes n'aperçoivent que le pittoresque. En même temps, les Siennois se regroupaient sous le culte commun de la Vierge-Mère : voyez la peinture siennoise ; nous savons bien que c'est à Sienne que la Vierge-Mère a vraiment été inventée. Rappelez-vous aussi que lorsque Duccio eut terminé le retable de la Majesté (la Mère), tout le peuple réuni conduisit l'Œuvre depuis l'Atelier jusqu'au Dôme.

Vous voyez encore où je veux en venir : tandis que Florence est à l'image du moi fonctionnel, Sienne est à l'image d'un autre aspect du moi, qui est son aspect territorial, et à l'image d'autres fonctions, qui sont celles d'appartenance, de délimitation et d'appropriation ; ces fonctions sont en rapport étroit avec l'origine maternelle. Or, si l'image florentine du moi est plus à la mesure des névroses, l'image siennoise est plus à la mesure des psychoses. Bien entendu, ces deux modèles sont complémentaires, comme l'ont été jadis les deux villes, mais, comme elles aussi, peuvent être antagonistes.

Toutefois, Florence a toujours été plus ouverte, plus accessible et plus parcourue que Sienne, ville secrète, mystérieuse, enroulée sur elle-même et labyrinthique, si bien que vous y pouvez circuler des heures sans vous y retrouver. De même, le moi comme instance est plus familier, il est mieux connu dans notre théorie, que le moi comme appartenance : aussi bien, nous nous orientons plus à l'aise à Florence, où tout est clair, qu'à Sienne, où il faut avoir assez de patience et d'amour pour se perdre.

Il nous faut également la patience de nous perdre dans leurs labyrinthes avec les schizophrènes, pour commencer à comprendre comment ils sont construits et comment ils vivent. Or, l'essentiel est pour eux question d'appartenance, et d'une appartenance toujours douteuse. L'objet, leur objet est-il au dedans d'eux ? Sans doute, mais ils sont aussi à l'intérieur de l'objet – et dans tous les cas mal dans leur peau. La réalité leur appartient-elle ? Sans doute, mais toujours à la force du poignet, dans un sentiment d'omnipotence écrasante et de foncière non-familiarité ; en fait, ils appartiennent de corps et de pensée à l'objet, qui les contamine, les possède et les persécute par son existence même.

Florence, c'est donc l'image d'un fonctionnement névrotique réussi, où l'équilibre économique favorise les sublimations. Quant au fonctionnement schizophrénique, essayons de l'apercevoir à l'image d'une Sienne chambardée, d'une Sienne qui aurait un Dôme immense et pas de Piazza, des quartiers désunis et pas de Palio, un palais communal, mais souterrain, dont le gouvernement occulte s'évertuerait avec succès à égarer les habitants et les voyageurs...

Extrait des *Schizophrènes.*

Giorgio Vasari

Sandro Botticelli

Dans le temps où vivait Laurent le Vieux de Médicis, et qui fut vraiment un siècle d'or pour les hommes de génie, florissait Alessandro, appelé Sandro, suivant notre usage, et surnommé Botticello, pour la raison que nous verrons plus loin. Il était fils de Mariano Filipepi, citoyen florentin, qui l'éleva avec soin et lui fit apprendre tout ce que l'on enseigne ordinairement aux enfants, avant de les mettre en apprentissage. Bien qu'il apprît facilement tout ce qu'il voulait, il était néanmoins toujours inquiet, et ne se contentait pas des leçons de lecture, d'écriture et d'arithmétique que lui donnait son maître d'école. En sorte que son père, fatigué de son imagination sans cesse en mouvement, le plaça, en désespoir de cause, chez un de ses compères, appelé Botticello, maître alors très compétent dans l'art de l'orfèvrerie. Il y avait à cette époque une très grande familiarité et une fréquentation presque continuelle entre les orfèvres et les peintres, de sorte que Sandro, qui était très adroit de sa personne, et qui s'était consacré tout entier au dessin, se prit de passion pour la peinture et se disposa à s'y adonner. Il s'en ouvrit franchement à son père ; celui-ci, voyant l'inclination de son esprit, l'amena à Fra Filippo del Carmine, peintre très excellent de cette époque, et le mit auprès de lui à apprendre, comme Sandro lui-même le désirait. S'étant donc donné tout entier à cet art, il suivit et imita si exactement son maître, que Fra Filippo le prit en affection, et l'instruisit de manière qu'il parvint rapidement à un degré de perfection auquel personne ne se serait jamais attendu.

Étant très jeune encore, il peignit, dans la Mercatanzia de Florence, une Force, entre les tableaux des Vertus qu'exécutaient Antonio et Piero del Pollaiolo.

À Santo Spirito, il fit pour la chapelle des Bardi un tableau qui est travaillé avec soin et parfaitement fini ; on y remarque des olives et des palmes traitées avec un amour extrême. Dans le couvent des Sœurs converties, il fit un tableau, et un autre pour les religieuses de San Barnaba. Dans l'église d'Ognissanti, il peignit à fresque, pour la famille Vespucci, un saint Augustin, sur la cloison transverse, et à la porte qui donne dans le chœur. Dans cette peinture, il fit tous ses efforts pour surpasser tous ceux qui peignirent de son temps, en particulier Domenico Ghirlandajo, qui avait fait un saint Jérôme de l'autre côté. Cette œuvre fut réussie, et lui attira de grands éloges, parce qu'il mit dans la tête du saint cette profonde réflexion et cette subtile finesse que l'on rencontre d'ordinaire chez les gens d'étude, et qui sont continuellement absorbés dans l'investigation de choses hautes et difficiles. Comme on l'a dit dans la vie de Ghirlandajo, cette peinture a été changée de place, l'an 1564, sans avoir éprouvé le moindre dommage.

Étant venu en crédit et en réputation, il fut chargé par l'Arte di Porta Santa Maria de faire, à San Marco, sur un tableau un Couronnement de la Vierge entourée d'un chœur d'anges, qui fut très bien dessiné et exécuté par lui. Dans le palais Médicis, il exécuta pour Laurent l'Ancien différents travaux, et, entre autres, une Pallas, grande comme nature, sur un fond de buissons en flammes, et aussi un saint Sébastien. À Santa Maria Maggiore, près de la chapelle des Panciatichi, on voit de lui une Pietà, très belle, avec quelques petites figures. Dans plusieurs maisons de la ville, il fit des tableaux ronds et des femmes nues, desquelles on voit aujourd'hui, à Castello, villa du duc Cosme, deux tableaux représentant : l'un, Vénus sortant de l'onde, et poussée par les vents vers la terre avec les Amours, et le deuxième, une autre Vénus que les Grâces couronnent de fleurs, allégorie du Printemps. Via de' Servi, dans la maison de Giovanni Vespucci, qui appartient aujourd'hui à Piero Salviati, il fit tout autour d'une chambre plusieurs cadres entourés d'ornements en noyer, et qui renferment quantité de figures aussi belles que vivantes. Dans la maison Pucci, il représenta en petites figures la nouvelle de Boccace roulant sur Nastagio degli Onesti, en quatre tableaux de peinture vive et gracieuse, et dans un cadre rond l'Épiphanie. Dans une chapelle des moines de Cestello, il fit un tableau de l'Annonciation, et, près de la porte latérale de San Pietro Maggiore, un tableau pour Matteo Palmieri, avec un nombre infini de figures ; il représente l'Assomption de la Vierge, avec le ciel divisé en zones, où l'on voit les Patriarches, les Prophètes, les Apôtres, les Évangélistes, les Martyrs, les Confesseurs, les Docteurs, les Vierges et les Hiérarchies, le tout sur le dessin qui fut donné à Sandro par Matteo, qui était lettré et homme de talent ; il peignit ce tableau avec une maîtrise et un soin infinis. Dans le bas, Matteo est représenté à genoux, ainsi que sa femme. Bien que cette œuvre soit admirable, et qu'elle eût dû vaincre l'envie, il se trouva pourtant des gens de mauvaise foi et des détracteurs qui, ne pouvant lui nuire autrement, dirent que Matteo et Sandro s'étaient rendus gravement coupables d'hérésie. Que cela fût vrai ou faux, je n'ai pas à juger, mais j'estime que les figures que Sandro exécuta sont vraiment dignes d'éloges, qu'il dut éprouver une peine extrême à tracer les cercles des cieux, à peindre séparément tous ces anges, ces figures en raccourci, ou dans diverses positions, enfin que le tout fut exécuté avec un dessin excellent.

À la même époque, il lui fut alloué un petit tableau dont les figures ont trois quarts de brasse, représentant l'Adoration des Mages, et qui fut placé à Santa Maria Novella, entre les deux portes, sur la façade principale, à gauche quand on entre par la porte du milieu. Le vieux roi qui baise le pied de Notre Seigneur, et montre par sa tendresse avoir atteint le but de son long voyage, est le meilleur portrait que l'on puisse trouver de Cosme l'Ancien de Médicis. Le second est Giuliano, père du pape Clément VII ; c'est celui qui se prosterne dévotement devant L'Enfant, et lui offre son présent. Le troisième, également agenouillé, qui l'adore et le reconnaît pour le Messie véritable, est Giovanni, fils de Cosme, On ne peut décrire la beauté que Sandro mit dans ces têtes ; dans des attitudes diverses, elles sont tournées, les unes de face, les autres de profil, certaines de trois quarts, ou inclinées, outre une diversité de physionomies, chez les jeunes et les vieux, et une originalité de détails qui peuvent faire reconnaître la perfection de son talent professionnel. De plus, il distingua les cours des trois rois, de manière que l'on reconnaît facilement les serviteurs de l'un et de l'autre. Cette œuvre est si admirable pour le coloris, le dessin et la composition, que tout artiste de nos jours en reste stupéfait. Elle lui valut, à Florence et au dehors, tant de renommée que le pape Sixte IV, ayant fait construire une chapelle dans son palais à Rome, et voulant la faire peindre, ordonna qu'il devînt chef de ce travail. Il y peignit de sa main la Tentation du Christ, Moïse tuant l'Égyptien et défendant contre les pasteurs madianites les filles de Jéthro, et le feu tombant du ciel pendant le sacrifice des fils d'Aaron. Sandro représenta ensuite quelques saints papes dans les niches placées au-dessus de ces fresques. Ayant par suite acquis une grande gloire parmi les peintres florentins et autres qui travaillaient dans cette chapelle en même temps que lui, il eut du pape une forte somme d'argent qu'il dépensa en un moment, à Rome, vivant au jour le jour, suivant son habitude. Ayant terminé le travail qui lui était alloué et l'ayant découvert, il revint brusquement à Florence où, en cerveau alambiqué qu'il était, il commenta une partie de Dante et fit une illustration de l'Enfer qu'il mit à l'impression. Travaillant à cet ouvrage, il y perdit beaucoup de temps, et, comme il ne faisait pas autre chose, cela fut cause d'une infinité de désordres dans sa vie. Il fit encore quelques estampes d'après ses dessins, mais dans une mauvaise manière, parce que l'intaille en fut mal faite. Sa meilleure est le Triomphe de la Foi, de Fra Girolamo Savonarola de Ferrare, de la secte duquel il fut partisan, au point qu'il abandonna la peinture, et comme il ne possédait aucune ressource, il tomba dans le plus grand embarras. Sectateur obstiné de ce parti, et faisant, comme on disait alors, *il Piagnone*, il cessa de travailler, et à la fin il se trouva vieux et pauvre, de telle sorte que, si Laurent de Médicis, pour lequel il avait beaucoup travaillé, surtout dans le petit hôpital de Volterra, ne l'avait soutenu pendant le reste de sa vie, ainsi que ses amis et nombre de gens de bien affectionnés à son mérite, il serait presque mort de faim. On voit de sa main, à San Francesco, hors de la Porta a San Miniato, un tableau rond représentant la Vierge et quelques anges de grandeur naturelle, qui fut estimé une œuvre admirable.

Sandro avait un caractère agréable et se plaisait à jouer des tours à ses élèves et à ses amis. On dit aussi qu'il portait une vive amitié à tous ceux qu'il reconnut être studieux dans l'art, et qu'il gagna beaucoup d'argent, mais qu'il perdit tout, soit par insouciance, soit par une mauvaise gestion de ses affaires. Finalement, étant devenu vieux et ne produisant plus, ne pouvant plus marcher qu'à l'aide de deux béquilles, parce qu'il ne se tenait plus droit, il mourut, infirme et décrépit, à l'âge de soixante-dix-huit ans, et fut enterré, l'an 1515, à Ognissanti de Florence.

Dans la garde-robe du duc Cosme, on voit de sa main deux têtes de femme, de profil, très belles, dont l'une est, dit-on, la maîtresse de Giuliano de Médicis, frère de Laurent, et l'autre, Madonna Lucrezia de Tornabuoni, femme de Laurent. Dans le même endroit il y a également de la main de Sandro un Bacchus qui, levant avec les deux mains un petit baril, le porte à sa bouche ; c'est une figure très gracieuse. À Pise, dans la chapelle dell' Impagliata du Dôme, il commença une Assomption avec un chœur d'anges ; mais comme elle ne lui plaisait pas, il la laissa inachevée. Il fit le tableau du maître-autel, à San Francesco de' Montevarchi, et, dans l'église paroissiale d'Empoli, deux anges, du côté où est le saint Sébastien de Rossellino. Il fut un des premiers qui trouvèrent la manière de décorer les drapeaux et autres draperies qu'on appelle le joint, parce que les couleurs ne s'effacent pas et qu'on voit des deux côtés la couleur de l'étoffe. On voit ainsi, fait de sa main, le baldaquin d'Or San Michele, plein de Vierges toutes variées et fort belles, ce qui montre combien ce procédé conserve mieux l'étoffe que ne le font les mordants, qui la coupent et lui enlèvent de la durée ; et pourtant le mordant est actuellement bien plus usité qu'autre chose, parce qu'il coûte moins cher.

Sandro dessinait bien et tellement au-dessus de l'ordinaire que, longtemps après sa mort, les artistes s'ingénièrent pour se procurer de ses dessins. Il remplissait ses peintures de nombreuses figures, comme on peut le voir dans les broderies de la garniture de la croix que les Frères de Santa Maria Novella portent en procession, et qui ont été faites sur son dessin. Il mérita donc de grands éloges pour toutes les peintures qu'il fit, et dans lesquelles il voulut mettre autant de soin que d'amour. C'est ainsi qu'il exécuta le tableau précité des Mages, de Santa Maria Novella, qui est merveilleux. Aussi beau est un petit tableau rond de sa main, qu'on voit dans la chambre du prieur degli Angeli, à Florence, tableau empli de figures petites, mais gracieuses, et faites avec de belles considérations. De la même grandeur que le tableau des Mages et de sa main est un tableau que possède Messer Fabio Segni, gentilhomme florentin, et qui représente la Calomnie d'Apelles ; il est aussi beau qu'il soit possible, et il le donna lui-même à Antonio Segni, son intime ami.

Extrait des *Vies des peintres.*
Traduit de l'italien par Léopold Lechanché
et Ch. Weiss.

Alexandre Dumas

De Livourne à Florence

Nous avions pris un voiturin pour nous conduire de Livourne à Florence : c'est à peu près le seul mode de communication qui existe entre les deux villes. Il y a bien une voiture publique qui dit qu'elle marche ; mais, moins heureuse que le philosophe grec, elle ne peut pas en donner la preuve.

Cette inaction de la diligence tient à un reste de cet esprit populaire si répandu en Toscane, que les différents gouvernements qui s'y sont succédé n'ont jamais pu effacer cette vieille teinte guelfe répandue partout. Encore aujourd'hui, non seulement les individus, mais encore les palais et les murailles ont une opinion, les créneaux pleins sont guelfes, les créneaux évidés sont gibelins.

Or, les voiturins étant l'expression du commerce populaire, et les diligences le résultat de l'industrie aristocratique, les voiturins l'ont emporté tout naturellement sur les diligences auxquelles le gouvernement, toujours guidé par cet esprit démocratique qui veut le bien-être du plus grand nombre, impose des conditions telles qu'au bout d'un certain temps l'entreprise s'aperçoit qu'elle ne peut plus tenir.

D'ailleurs les diligences partent à heure fixe et attendent les voyageurs ; les voiturins partent à toute heure et courent après les pratiques. Ce sont nos cochers de Sceaux et de Saint-Denis. À peine a-t-on mis le pied hors de la barque qui vous conduit du bateau à vapeur au port, que l'on est assailli, enveloppé, tiré, assourdi par vingt cochers qui vous regardent comme leur marchandise, vous traitent en conséquence, et finiraient par vous emporter sur leurs épaules si on les laissait faire ; des familles ont été séparées ainsi sur le port de Livourne, et n'ont pu se réunir qu'à Florence.

On a beau monter dans un fiacre, ils sautent devant, dessus, derrière, et à la porte de l'hôtel on se retrouve, comme sur le port, au milieu de huit ou dix drôles qui n'en crient que plus fort pour avoir attendu.

Il est bon de dire alors qu'on vient à Livourne pour affaire de commerce, que l'on compte y passer huit jours. Il faut en conséquence demander au gardien de l'hôtel, devant les honorables industriels dont vous voulez vous débarrasser, s'il y a un appartement libre pour une semaine ; alors quelquefois ils vous croient, abandonnent la proie qu'ils comptent rattraper plus tard, et retournent à toutes jambes au port pour happer d'autres voyageurs, et vous êtes libre.

Cela n'empêche point qu'en sortant une heure après, on trouve une ou deux sentinelles à la porte. Ceux-là sont les familiers de l'hôtel ; ils ont été prévenus par le garçon, auquel ils ont fait une remise à cet effet, que ce n'est point dans huit jours que vous partez, mais le jour même ou le lendemain.

Il faut se hâter de rentrer avec ceux-là. Si on avait l'imprudence de sortir, cinquante de leurs confrères accourraient à leurs cris, et la scène du port recommencerait.

Ils demanderont dix piastres par voiture ; soixante francs pour faire seize lieues ! Il faut leur en offrir cinq, et encore à la condition qu'on changera trois fois de chevaux et qu'on ne changera pas de voiture. Ils jetteront les hauts cris ; on les mettra à la porte. Au bout de dix minutes, il en rentrera un par la fenêtre, et on fera prix avec lui pour trente francs.

Ce prix fait, vous êtes sacré pour tout le monde ; en cinq minutes, le bruit se répand que vous êtes *accordé.* Vous pouvez dès lors aller partout où bon vous semblera, chacun vous salue et vous souhaite un bon voyage ; vous vous croiriez au milieu du peuple le plus désintéressé de la terre.

À l'heure dite, le *legno* est à la porte. En Italie, le mot *legno* s'applique à tout ce qui transporte ; c'est aussi bien une barque qu'un carrosse à six chevaux, un cabriolet qu'un bateau à vapeur : *legno* est le mâle de *robba*, *legno* et *robba* sont le fond de la langue. Le *legno* est une infâme brouette : il ne faut point y faire attention : il n'y en a pas d'autres dans les écuries du *padrone*. D'ailleurs on n'y sera pas plus mal que dans une diligence. La seule question dont il reste à s'occuper, est celle de la *buona mano*, c'est-à-dire du pourboire.

C'est là une grande affaire, et elle demande à être conduite sagement. Du *pourboire* dépend le temps qu'on restera en voyage ; ce temps varie au gré du cocher, de six à douze heures. Un prince russe de nos amis, qui avait oublié de se faire donner des renseignements à ce sujet, est même resté vingt-quatre heures en route, et a passé une fort mauvaise nuit.

Voici l'histoire ; nous reviendrons ensuite à la *buona mano*.

Le prince C... était arrivé avec sa mère et un domestique allemand à Livourne. Comme tout voyageur qui arrive à Livourne, il avait cherché aussitôt les moyens de partir le plus vite possible. Or, ainsi que nous l'avons dit, les moyens viennent au-devant de vous, il ne s'agit que de savoir en faire usage.

Les *vetturini* avaient su des *facchini* qui avaient porté les malles qu'ils avaient affaire à un prince. En conséquence, ils lui avaient demandé douze piastres au lieu de dix, et de son côté, au lieu de leur en offrir cinq, le prince leur avait répondu : – C'est bon, je vous donnerai douze piastres ; mais je ne veux pas être ennuyé à chaque relais par les cochers, et vous vous chargerez de la *buona mano*. – *Va bene*, avait répondu le vetturino. En conséquence, le prince C... avait donné ses douze piastres, et le legno était parti au galop, l'emportant, lui et toute sa robba. Il était neuf heures du matin ; selon son calcul, le prince devait être à Florence vers trois ou quatre heures de l'après-midi.

À un quart de lieue de Livourne, les chevaux s'étaient ralentis tout naturellement et avaient pris le pas. Quant au cocher, il s'était mis à chanter sur son siège, ne s'interrompant que pour causer avec ses connaissances ; mais bientôt, comme on cause mal en marchant, il s'arrêta toutes les fois qu'il trouva l'occasion de causer.

Le prince supporta ce manège pendant une demi-heure ou trois quarts d'heure ; mais, au bout de ce temps, calculant qu'il avait fait à peu près un mille, il mit la tête à la portière, en criant dans le plus pur toscan : *Avanti ! avanti ! tirate via.*

– Combien donnerez-vous de bonne main ? demanda le cocher dans le même idiome.

– Que venez-vous me parler de bonne main ? dit le prince. J'ai donné douze piastres à votre maître, à condition qu'il se chargerait de tout.

– La bonne main ne regarde pas les maîtres, répondit le cocher. Combien donnerez-vous de bonne main ?

– Pas un sou, j'ai payé.

– Alors, s'il plaît à Votre Excellence, nous irons au pas.

– Comment, nous irons au pas ; mais votre maître s'est engagé à me conduire en six heures à Florence.

– Où est le papier ? demanda le cocher.

– Le papier ? Est-ce qu'il y avait besoin de faire un papier pour cela ?

– Vous voyez bien que, si vous n'avez pas de papier, vous ne pouvez pas me forcer.

– Ah ! Je ne puis pas te forcer, dit le prince.

– Non, Votre Excellence.

– Eh bien ! c'est ce que nous allons voir.

– C'est ce que nous allons voir, répéta tranquillement le cocher ; et il remit son attelage au pas.

– Frantz, dit en saxon le prince a son domestique, descendez et donnez une volée à ce drôle.

Frantz descendit de la voiture sans faire la moindre observation, enleva le cocher de son siège, le rossa avec une gravité toute allemande, le remit sur son siège ; puis, lui montrant le chemin : *Vor waerts*, lui dit-il, et il se rassit près de lui.

Le cocher se remit en route ; seulement il marcha un peu plus doucement qu'auparavant.

On se lasse de tout, même de battre un cocher. Le prince, convaincu que d'une façon ou de l'autre il finirait toujours par arriver, invita sa mère à s'endormir, et s'enfonçant dans son coin, il lui donna l'exemple.

Le cocher mit six heures pour aller de Livourne à Pontedera ; c'était quatre heures de plus qu'il ne fallait ; puis, arrivé à Pontedera, il invita le prince à descendre, en lui annonçant qu'il fallait changer de voiture.

– Mais, dit le prince, j'ai donné douze piastres à votre maître, à la condition expresse qu'on ne changerait pas de voiture.

– Où est le papier ? demanda le cocher.

– Mais vous savez bien, drôle, que je n'en ai pas.

– Eh bien ! si vous n'avez pas de papier, on changera de voiture.

Le prince avait grande envie de rosser cette fois le cocher lui-même ; mais il vit aux mines de ceux qui entouraient la voiture que ce ne serait pas prudent. En conséquence, il descendit du legno ; on jeta sa robba sur le pavé, et au bout d'une heure d'attente à peu près, on lui amena une mauvaise charrette disloquée, et deux chevaux qui n'avaient que le souffle.

En toute autre circonstance, le prince, qui est généreux à la fois comme un grand seigneur russe et comme un artiste français, aurait donné un louis de guides, mais il était tellement dans son droit que céder lui parut d'un mauvais exemple, et qu'il résolut de s'entêter. Il monta donc dans sa charrette, et comme le nouveau cocher était prévenu qu'il n'y avait pas de bonne main, il repartit au pas, au milieu des rires et presque des huées de tous les assistants.

Cette fois, les chevaux, étaient si misérables que c'eût été conscience d'exiger qu'ils allassent autrement qu'au pas. Le prince mit donc six autres heures à aller de Pontedera à Empoli.

En entrant à Empoli, le cocher arrêta sa voiture et s'en vint à la portière.

– Son Excellence couche ici, dit-il au prince.

– Comment, je couche ici, est-ce que nous sommes à Florence ?

– Non, Excellence ; nous sommes à Empoli, une charmante petite ville.

– J'ai payé douze piastres à ton maître pour aller coucher à Florence et non à Empoli. J'irai coucher à Florence.

– Où est le papier, Excellence ?

– Va-t'en au diable avec ton papier.

– Votre Excellence n'a pas de papier ?

– Non.

– Bien, dit le cocher en remontant sur son siège.

– Que dis-tu ? cria le prince.

– Je dis très bien, répondit le cocher en fouettant ses haridelles.

Et pour la première fois depuis Livourne, le prince se sentit emporté au petit trot.

L'allure lui parut de bon présage : il mit la tête à la portière. Les rues étaient pleines de monde et les fenêtres illuminées ; c'était la fête de la madone d'Empoli, qui passe pour fort miraculeuse. En passant sur la grande place, il vit qu'on dansait.

Le prince était occupé à regarder ce monde, ces illuminations et ces danses, quand tout à coup il s'aperçut qu'il entrait sous une espèce de voûte ; aussitôt la voiture s'arrêta.

– Où sommes-nous ? demanda le prince.

– Sous la remise de l'auberge, Excellence.

– Pourquoi sous la remise ?

– Parce que ce sera plus commode pour changer de chevaux.

– Allons ! allons ! dépêchons, dit le prince.

– *Subito*, répondit le cocher.

Le prince savait déjà qu'il y a certains mots dont il faut se défier en Italie, attendu qu'ils veulent toujours dire le contraire de ce qu'ils promettent. Cependant, voyant qu'on détachait les chevaux, il referma la glace de la voiture et attendit.

Au bout d'une demi-heure d'attente, il baissa la glace, et, se penchant hors de la voiture :

– Eh bien ? dit-il. Personne ne lui répondit.

– Frantz ! cria le prince, Frantz !

– Monseigneur, répondit Frantz en se réveillant en sursaut.

– Mais où diable sommes-nous donc ?

– Je n'en sais rien, monseigneur,

– Comment, tu n'en sais rien ?

– Non ; je me suis endormi, et je me réveille.

– Oh ! mon Dieu ! s'écria la princesse, nous sommes dans quelque caverne de voleurs.

– Non, dit Frantz, nous sommes sous une remise.

– Eh bien ! ouvre la porte et appelle quelqu'un, dit le prince.

– La porte est fermée, répondit Frantz.

– Comment, fermée ? s'écria à son tour le prince en sautant en bas de la voiture.

– Voyez plutôt, monseigneur.

Le prince secoua la porte de toutes ses forces, elle était parfaitement fermée. Le prince appela à tue-tête ; personne ne répondit. Le prince chercha un pavé pour enfoncer la porte, il n'y avait pas de pavé.

Or, comme le prince était avant tout un homme d'un sens exquis, après s'être assuré qu'on ne pouvait pas ou qu'on ne voulait pas l'entendre, il résolut de tirer le meilleur parti possible de sa position, remonta dans la voiture, ferma les glaces, s'assura à tout hasard que ses pistolets étaient a sa portée, souhaita le bonsoir à sa mère, étendit ses jambes sur la banquette de devant et s'endormit. Frantz en fit autant sur son siège ; il n'y eut que la princesse qui resta les yeux tout grands ouverts, ne doutant pas qu'elle ne fût tombée dans quelque guet-apens.

La nuit se passa sans alarmes. À sept heures du matin, on ouvrit la porte de la remise, et un voiturin parut à la porte avec deux chevaux :

– Eh ! n'y a-t-il pas ici des voyageurs pour Florence ? demanda le voiturin avec un ton de bonhomie parfaite, et comme s'il faisait là une question toute naturelle.

Le prince ouvrit la portière et sauta hors de la voiture dans l'intention d'étrangler celui qui lui faisait cette question ; mais, voyant que ce n'était point son conducteur de la veille, il pensa qu'il pourrait bien châtier, sinon le bon pour le mauvais, du moins l'innocent pour le coupable ; il se contint donc.

– Où est le cocher qui nous a amenés ici ? demanda-t-il tout pâle de colère, mais avec le plus grand sang-froid apparent, et répondant à une question par une autre question.

– Peppino, que Votre Excellence veut dire ?

– Le cocher de Pontedera.

– Eh bien ! c'est Peppino.

– Alors où est Peppino ?

– Il est en route pour retourner chez lui.

– Comment ? en route pour retourner chez lui ?

– Oui, oui. Comme c'était fête à Empoli, nous avons bu et dansé ensemble toute la nuit, et ce matin, il y a une heure, il m'a dit :

Gaëtano, tu vas prendre les chevaux, et tu iras chercher deux voyageurs et un domestique qui sont sous la remise de la Croix-d'Or ; tout est payé excepté la bonne main. Alors je lui ai demandé, moi, comment il se faisait qu'il y avait des voyageurs sous une remise, au lieu d'être dans une chambre. Ah bien ! ce sont des Anglais qu'il m'a dit, ils ont eu peur qu'on ne leur donne pas de draps blancs, et ils ont mieux aimé coucher dans leur voiture. Comme je sais que les Anglais sont tous des originaux, j'ai dit : C'est bon. Alors j'ai vidé encore un *fiasco,* j'ai été chercher mes chevaux, et me voilà. Est-il de trop bonne heure ? je reviendrai.

– Non, sacredieu ! dit le prince, attelez et ne perdons pas une minute ; il y a une piastre de bonne main si nous sommes dans trois heures à Florence.

– Dans trois heures, mon prince, dit le voiturin ; oh, il ne faut pas tant que cela. Du moment qu'il y a une piastre de bonne main, j'espère bien que dans deux heures nous y serons.

– Dieu vous entende, mon brave homme ! dit la princesse.

Le cocher tint parole : le prince sortit à sept heures sonnant d'Empoli, à neuf heures il descendait place de la Trinité.

Il avait mis juste vingt-quatre heures pour aller de Livourne à Florence.

Le premier soin du prince, après avoir déjeuné, car ni lui ni la princesse n'avaient mangé depuis la veille au matin, fut d'aller déposer sa plainte.

– Avez-vous un papier ? demanda le chef du *buon governo.*

– Non, dit le prince.

– Eh bien ! je vous conseille de laisser la chose tomber à l'eau ; seulement, la prochaine fois, ne donnez que cinq piastres au maître, et donnez une piastre et demie aux conducteurs ; vous aurez cinq piastres et demie d'économie, et vous arriverez dix-huit heures plus tôt.

Depuis ce temps, le prince n'a pas manqué, chaque fois que l'occasion s'en est présentée, de suivre le conseil du président du *buon governo,* et il s'en est toujours bien trouvé.

La morale de ceci est, qu'en sortant de Livourne, il faut tirer sa montre, la mettre devant les yeux du cocher, et lui dire :

– Il y a cinq paoli de bonne main si nous sommes dans deux heures à Pontedera.

On y sera en deux heures.

On usera du même procédé en sortant de Pontedera et d'Empoli ; et, en six heures et demie au plus tard, on sera à Florence ; on mettrait deux heures de plus en prenant la poste.

À moitié chemin de Livourne à Florence, s'élève comme une borne gigantesque la tour de San-Miniato-al-Tedesco.

San-Miniato-al-Tedesco est le berceau de la famille Bonaparte. C'est de cette aire qu'est partie cette volée d'aigles qui s'est abattue sur le monde ; et, chose étrange ! c'est à Florence, c'est-à-dire au pied de San-Miniato, que les Napoléon, grâce à l'hospitalité fraternelle du grand-duc Léopold II, reviennent tous mourir.

Le dernier membre de la famille Bonaparte qui habita San-Miniato fut un vieux chanoine qui y mourut, je crois, en 1828 ; c'était un cousin de Napoléon. Napoléon fit tout ce qu'il put pour le décider à quitter son canonicat et accepter un évêché, mais il refusa constamment. En échange, il tourmenta toute sa vie l'empereur pour le décider à canoniser un de ses ancêtres ; mais Bonaparte répondit à chaque fois que cette demande se renouvela, qu'il y avait déjà un saint Bonaparte, et que c'était assez d'un saint dans une famille.

Il ne se doutait pas à cette époque, et en faisant cette réponse, qu'il y aurait un jour un saint et un martyr du même nom.

Nous arrivâmes dans la capitale de la Toscane vers les dix heures du soir. Nous descendîmes dans le bel hôtel crénelé de madame Hombert ; et, comme nous comptions nous arrêter quelque temps à Florence, le lendemain nous nous mîmes en quête d'un logement en ville.

Le même jour nous en trouvâmes un dans une maison particulière, située *Porta alla Croce.*

Moyennant deux cents francs par mois, nous eûmes un palais, un jardin, avec des madones de Luca della Robbia, des grottes en coquillages, des berceaux de lauriers-roses, une allée de citronniers, et un jardinier qui s'appelait Démétrius.

Sans compter que de notre balcon nous découvrions, sous son côté le plus pittoresque, cette charmante petite basilique de San-Miniato-al Monte, les amours de Michel-Ange.

Comme on le voit, ce n'était pas cher.

*

Pendant l'été Florence est vide. Encaissée entre ses hautes montagnes, bâtie sur un fleuve qui pendant neuf mois ne roule que de la poussière, exposée sans que rien l'en garantisse à un soleil ardent que reflètent les dalles grisâtres de ses rues et les murailles blanchies de ses palais, Florence, moins l'*aria cattiva*, devient comme Rome une vaste étuve du mois d'avril au mois d'octobre ; aussi y a-t-il deux prix pour tout : prix d'été et prix d'hiver. Il va sans dire que le prix d'hiver est double du prix d'été ; cela tient à ce qu'à la fin de l'automne une nuée d'Anglais de tout rang, de tout sexe, de tout âge, et surtout de toutes couleurs, s'abat sur la capitale de la Toscane.

Nous étions arrivés dans le commencement du mois de juin, et l'on préparait tout pour les fêtes de la Saint-Jean.

À part cette circonstance, où il est simple que la ville tienne à faire honneur à son patron, les fêtes sont la grande affaire de Florence. C'est toujours fête, demi-fête ou quart de fête ; dans le mois de juin, par exemple, grâce à l'heureux accouchement de la grande-duchesse, qui eut lieu le 10 ou le 12, et qui par conséquent se trouva placé entre les fêtes de la Pentecôte et de la Saint-Jean, il n'y eut que cinq jours ouvrables. Nous étions donc arrivés au bon moment pour voir les habitants, mais au mauvais pour visiter les édifices, attendu que, les jours de fête, tout se ferme à midi.

Le premier besoin du Florentin, c'est le repos. Le plaisir même, je crois, ne vient qu'après, et il faut que le Florentin se fasse une certaine violence pour s'amuser. Il semble que, lassée de ses longues convulsions politiques, la ville des Médicis n'aspire plus qu'au sommeil fabuleux de la Belle au bois dormant. Il n'y a que les sonneurs de cloches qui n'ont de repos ni jour ni nuit. Je ne comprends point comment les pauvres diables ne meurent pas à la peine ; c'est un véritable métier de pendu.

Il y a à Florence non seulement un homme politique très fort, mais encore un homme du monde de beaucoup d'esprit, et que Napoléon appelait un géant dans un entresol : c'est M. le comte de Fossombroni, ministre des Affaires étrangères et secrétaire d'État. Chaque fois qu'on le presse d'adopter quelque innovation industrielle, ou de faire quelque changement politique, il se contente de sourire et répond tranquillement : *Il mondo va da se* ; c'est-à-dire : Le monde va de lui-même.

Et il a bien raison pour son monde à lui, car son monde à lui, c'est la Toscane, la Toscane où le seul homme de progrès est le grand-duc. Aussi l'opposition que fait le peuple est-elle une opposition étrange par le temps qui court. Il trouve son souverain trop libéral pour lui, et il réagit toujours contre les innovations que dans sa philanthropie héréditaire il songe sans cesse à établir.

À Florence, en effet, toutes les améliorations sociales viennent du trône. Le dessèchement des maremmes, l'opération du cadastre, le nouveau système hypothécaire, les congrès scientifiques, et la réforme judiciaire, sont des idées qui émanent de lui, et que l'apathie populaire, et la routine démocratique, lui ont donné grand-peine à exécuter. Dernièrement encore, il avait voulu régler les études universitaires sur le mode français, qu'il avait reconnu comme fort supérieur au mode usité en Toscane.

Les écoliers refusèrent de suivre les cours des nouveaux maîtres, et ils tirèrent si bien à eux, que l'enseignement retomba dans son ornière.

Florence est l'Eldorado de la liberté individuelle. Dans tous les pays du monde, même dans la république des États-Unis, même dans la république helvétique, même dans la république de Saint-Marin, les horloges sont soumises à une espèce de tyrannie qui les force de battre à peu près en même temps. À Florence, il n'en est pas ainsi ; elles sonnent la même heure pendant vingt minutes. Un étranger s'en plaignit à un Florentin : Eh ! lui répondit l'impassible Toscan, que diable avez-vous besoin de savoir l'heure qu'il est ?

Il résulte de cette apathie, ou plutôt de cette facilité de vivre, toute particulière à Florence, qu'excepté la fabrication des chapeaux de paille, que les jeunes filles tissent tout en marchant par les rues ou tout en voyageant par les grandes routes, l'industrie et le commerce sont à peu près nuls. Et ici ce n'est point encore la faute du grand-duc ; tout essai est encouragé par lui, soit de son argent, soit de sa faveur. À défaut de Toscans aventureux, il appelle des étrangers, et les récompense de leurs efforts industriels sans exception aucune de nationalité. M. Larderel a été nommé comte de Monte-Cerboli pour avoir établi une exploitation de produits borassiques ; M. Demidoff a été fait prince de San-Donato pour avoir fondé une manufacture de soieries. Et que l'on ne s'y trompe point, cela ne s'appelle pas vendre un titre, cela s'appelle le donner, et le donner noblement, pour le bien d'un pays tout entier.

On comprend qu'avec cette absence de fabriques indigènes, on ne trouve à peu près rien de ce dont on a besoin chez les marchands toscans ; les quelques magasins un peu confortablement organisés de Florence sont des magasins français qui tirent tout de Paris ; encore les élégants Florentins s'habillent-ils chez Blin, Humann ou Vaudeau, et les lionnes Florentines se coiffent-elles chez mademoiselle Baudran.

Aussi à Florence faut-il tout aller chercher, rien ne vient au-devant de vous ; chacun reste chez soi, toute chose demeure à sa place. Un étranger qui ne resterait qu'un mois dans la capitale de la Toscane en emporterait une très fausse idée. Au premier abord, il semble impossible de se rien procurer des choses les plus indispensables, ou celles qu'on se procure sont mauvaises ; ce n'est qu'à la longue qu'on apprend, non pas des habitants du pays, mais d'autres étrangers qui sont depuis plus longtemps que vous dans la ville, où toute chose se trouve. Au bout de six mois, on fait encore chaque jour de ces sortes de découvertes ; si bien que l'on quitte ordinairement la Toscane au moment où l'on allait s'y trouver à peu près bien. Il en résulte que chaque fois qu'on y revient on s'y trouve mieux, et qu'au bout de trois ou quatre voyages, on finit par aimer Florence comme une seconde patrie et souvent par y demeurer tout à fait.

La première chose qui frappe, quand on visite cette ancienne reine du commerce, est l'absence de cet esprit commercial qui a fait d'elle une des républiques les plus riches et les plus puissantes de la terre. On cherche, sans la pouvoir trouver, cette classe intermédiaire et industrielle qui peuple les rez-de-chaussée et les trottoirs des rues de Paris et de Londres. À Florence, il n'y a que trois classes visibles : l'aristocratie, les étrangers et le peuple. Or, au premier coup d'œil, il est presque impossible de deviner comment et de quoi vit ce peuple. En effet, à part deux ou trois maisons princières, l'aristocratie dépense peu et le peuple ne travaille pas : c'est qu'à Florence l'hiver défraie l'été. À l'automne, vers l'époque où apparaissent les oiseaux de passage, des volées d'étrangers,

Anglais, Russes et Français s'abattent sur Florence. Florence connaît cette époque ; elle ouvre les portes de ses hôtels et de ses maisons garnies, elle y fait entrer pêle-mêle, Français, Russes et Anglais, et jusqu'au printemps elle les plume.

Ce que je dis est à la lettre, et le calcul est facile à faire. Du mois de novembre au mois de mars, Florence compte un surcroît de population de dix mille personnes ; or, que chacune de ces dix mille personnes dépense, toutes les 24 heures, trois piastres seulement, je cote au plus bas, trente mille piastres s'écoulent quotidiennement par la ville. Cela fait quelque chose comme cent quatre-vingt mille francs par jour ; soixante mille personnes vivent là dessus.

Aussi, c'est encore en ceci qu'éclate l'extrême sollicitude du grand-duc pour son peuple. Il a compris que l'étranger était une source de fortune pour Florence, et tout étranger est le bienvenu à Florence : l'Anglais avec sa morgue, le Français avec son indiscrétion, le Russe avec sa réserve. Le premier janvier arrivé, le palais Pitti, ouvert tous les jours aux étrangers, à la curiosité desquels il offre sa magnifique galerie, s'ouvre encore une fois par semaine, le soir pour leur donner des bals splendides. Là, tout homme que son ambassadeur juge digne de l'hospitalité souveraine est présenté, et noble ou commerçant, industriel ou artiste, est reçu avec ce bienveillant sourire qui forme le caractère particulier de la physionomie pensive du grand-duc. Une fois présenté, l'étranger est invité pour toujours, et dès lors il vient seul à ces soirées princières, et cela avec plus de liberté qu'il n'irait à un bal de la Chausée-d'Antin ; car, comme il est d'étiquette de point adresser la parole au grand-duc qu'il ne prenne l'initiative, et que, malgré son attentive affabilité, le grand-duc ne peut causer avec tout le monde, l'invité vient, boit, mange, et s'en va, sans être forcé de parler à personne ; c'est-à-dire, moins la carte, comme il ferait dans une magnifique hôtellerie.

Florence a donc deux aspects : son aspect d'été, son aspect d'hiver. Il faut en conséquence être resté un an à Florence, ou y être passé à deux époques opposées, pour connaître la ville des fleurs sous sa double face.

L'été, Florence est triste et à peu près solitaire : de huit heures du matin à quatre heures du soir, le vingtième de sa population à peine circule sous un soleil de plomb, dans ses rues aux portes et aux fenêtres fermées ; on dirait une ville morte, et visitée par des curieux seulement, comme Herculanum et Pompeïa. À quatre heures, le soleil tourne un peu, l'ombre descend sur les dalles ardentes et le long des murailles rougies, quelques fenêtres s'entrebâillent timidement pour recueillir quelques souffles de brise. Les grandes portes s'ouvrent, les calèches découvertes en sortent toutes peuplées de femmes et d'enfants, et s'acheminent vers les *Cachines.* Les hommes, en général, s'y rendent à part, en tilbury, à cheval ou à pied.

Les *Cachines* (j'écris le mot comme il se prononce), c'est le bois de Boulogne de Florence, moins la poussière, et plus la fraîcheur. On s'y rend par la porte del Prato, en suivant une grande allée d'une demi-lieue à peu près, toute plantée de beaux arbres. Au bout de cette allée, se trouve un casino appartenant au grand-duc. Devant ce casino, une place qu'on appelle le Piazzonne ; quatre allées aboutissent à cette place, et offrent aux voitures des dégagements parfaitement ménagés.

Les Cachines forment deux promenades : la promenade d'été, la promenade d'hiver. L'été, on se promène à l'ombre ; l'hiver au soleil ; l'été au Pré, l'hiver à *Longo-l'Arno.*

L'une et l'autre de ces promenades sont essentiellement aristocratiques ; le peuple n'y paraît même pas. Une des choses particulières encore aux Toscans, est cette distinction des rangs que les classes inférieures maintiennent avec soin, loin de chercher, comme en France, à les effacer éternellement.

La promenade d'été est un grand pré, d'un tiers de lieue de long à peu près et de cent pas de large, tout bordé, sur un côté, d'un rideau de grands arbres qui intercepte entièrement les rayons du soleil. Ces arbres, qui se composent de chênes verts, de pins, de hêtres garnis d'énormes lierres, sont des plus beaux que j'aie jamais vus, même dans les forêts de France et d'Allemagne ; c'est la remise d'une multitude de lièvres et de faisans qui se promènent pêle-mêle avec les promeneurs ; parmi ceux-ci on reconnaît les chasseurs : ils mettent le gibier en joue avec leurs cannes.

Au milieu de tout ce monde, et coudoyé par ceux qui ne le connaissent pas, vêtu avec une simplicité extrême, se promène le grand-duc accompagné de sa femme, de ses deux filles, de sa sœur, et de la grande-duchesse douairière. Deux ou trois autres beaux enfants qui composent le reste de sa famille bondissent joyeusement à part sous la surveillance de leurs gouvernantes.

Le grand-duc est un homme de quarante à quarante-deux ans, aux cheveux déjà blanchis par le travail ; car le grand-duc, Toscan par le cœur, mais Allemand par l'esprit, travaille huit à dix heures par jour. Il porte habituellement, un peu inclinée, sur sa poitrine, sa tête que de dix pas en dix pas il relève pour saluer ceux qui passent. À chaque salut, sa figure calme et pensive s'éclaire d'un sourire plein d'intelligente bienveillance : ce sourire lui est particulier, et je ne l'ai vu qu'à lui.

La grande-duchesse lui donne ordinairement le bras : sa mise est simple, mais toujours parfaitement élégante. C'est une princesse de Naples, gracieuse comme sont en général les princesses de la maison de Bourbon, et qui serait belle partout, car sa beauté n'a point de type particulier ; c'est quelque chose à la fois de bon et de distingué : ses épaules et ses bras surtout pourraient servir de modèle à un statuaire.

Les deux jeunes princesses viennent derrière, causant presque toujours avec la grande-duchesse douairière qui a fait leur éducation, ou avec leur tante. Elles sont filles d'un premier mariage, ce qui se voit facilement, la grande-duchesse ayant l'air de leur sœur aînée. Elles sont belles toutes deux de cette beauté allemande dont le caractère principal est la douceur. Seulement, la taille frêle de l'aînée donne quelques craintes, dit-on, à la sollicitude paternelle. Mais Florence est une bonne et douce mère, Florence la bercera si bien à son beau soleil qu'elle la guérira.

Il y a quelque chose de touchant et de patriarcal à voir une famille souveraine mêlée ainsi à son peuple, s'arrêtant de vingt pas en vingt pas pour causer avec les pères et pour embrasser les enfants. Cette vue me reportait en souvenir à notre pauvre famille royale, enfermée dans son château des Tuileries comme dans une prison, et tremblante, chaque fois que le roi sort, à l'idée que ses six chevaux, si rapide que soit leur galop, pourraient ne ramener qu'un cadavre.

Pendant qu'on se promène, les voitures attendent dans les allées adjacentes. Vers les six heures, chacun remonte dans la sienne, et les cochers reprennent d'eux-mêmes, et sans qu'on le leur dise, le chemin du Piazzonne ; là ils s'arrêtent sans qu'on ait même besoin de leur faire signe.

C'est que le Piazzonne de Florence offre ce que n'offre peut-être aucune autre ville : une espèce de cercle en plein air, où chacun reçoit et rend ses visites ; il va sans dire que les visiteurs sont les hommes. Les femmes restent dans les voitures, les hommes vont de l'une à l'autre, causent à la portière, ceux-ci à pied, ceux-là à cheval, quelques-uns plus familiers montés sur le marchepied.

C'est là que la vie se règle, que les coups d'œil s'échangent, que les rendez-vous se donnent.

Au milieu de toutes ces voitures passent des fleuristes vous jetant des bouquets de roses et de violettes, dont elles iront le lendemain matin, au café, demander le prix aux hommes en leur présentant un œillet. Au reste, ce lendemain venu, paie qui veut, les fleurs ne sont pas chères à Florence. Florence est le pays des fleurs ; demandez plutôt à Benvenuto Cellini.

On reste là jusqu'à huit heures. À huit heures, un léger brouillard s'élève au fond du pré. Ce brouillard, c'est la source de tout mal ; il renferme la goutte, les rhumatismes, la cécité ; sans ce brouillard, les Florentins seraient immortels. C'est ainsi qu'ils ont été punis, eux, du péché de notre premier père : aussi à la vue de ce brouillard, chaque groupe se disperse, chaque colloque s'interrompt, chaque voiture détale, il ne reste que les trois ou quatre calèches d'étrangers, qui, n'étant pas du pays, ne connaissent pas ce formidable brouillard, ou qui le connaissant n'en ont pas peur.

À neuf heures, les retardataires quittent le Piazzonne et reviennent à leur tour vers la ville. À la porte del Prato, ils trouvent un second cercle : le brouillard ne vient pas jusque-là. De la porte del Prato on le brave, on le nargue ; la chaleur que le soleil a communiquée aux pierres des remparts, et qu'elle conserve une partie de la nuit, le repousse. On reste là jusqu'à dix heures et demie ; seulement à dix heures les gens économes quittent la partie : à dix heures, la herse se baisse, et il faut donner dix sous pour la faire lever.

À onze heures, presque toujours les Florentins sont rentrés chez eux, à moins qu'il n'y ait fête chez la comtesse Nencini. Les étrangers seuls restent à courir la ville au clair de lune, jusqu'à deux heures du matin.

Mais s'il y a fête chez la comtesse Nencini, tout le monde s'y porte.

La comtesse Nencini a été une des plus belles femmes de Florence, et en est restée une des plus spirituelles : c'est une Pandolfini, c'est-à-dire une des plus grandes dames de la Toscane. Le pape Jules II a fait don à un de ses aïeux d'un charmant palais bâti par Raphaël. C'est dans ce palais qu'elle habite, et dans le jardin attenant qu'elle donne ses fêtes ; elles ont lieu les quatre dimanches de juillet. Chacun sait cela, chacun les attend, chacun s'y prépare ; si bien que, bon gré mal gré, elle est forcée de les donner ; il y aurait émeute si elle ne les donnait pas.

C'est qu'aussi ces quatre fêtes de nuit sont bien les plus charmantes fêtes qui se puissent voir. Qu'on se figure un délicieux palais, ni trop grand ni trop petit, comme chacun voudrait en avoir un, qu'on soit prince ou artiste, meublé avec un goût parfait, des plus beaux meubles de caprice qu'il y ait dans tout Florence, illuminé *a giorno*, comme on dit en Italie, et s'ouvrant par toutes ses portes et par toutes ses fenêtres sur un jardin anglais, dont chaque arbre porte, au lieu de fruits, des centaines de lanternes de couleur. Sous tous les berceaux de ce jardin, des groupes de chanteurs ou d'instrumentistes, et dans les allées cinq cents personnes qui se promènent, et qui vont tour à tous alimenter un bal, qu'on voit bondir joyeusement de loin dans une serre pleine d'orangers et de camélias.

À part quelques concerts à la Philarmonique, quelques soirées improvisées par un anniversaire de naissance ou une fête patronale, quelques représentations extraordinaires d'opéra à la Pergola, ou de prose au Cocomero, voilà Florence l'été quant à l'aristocratie. Quant au peuple, il a les églises, les processions, les promenades au Parterre, et ses causeries dans les rues et à la porte des cafés qui ne se ferment ni jour ni nuit ; s'accrochant au reste à tout ce qui a l'apparence d'une fête, avec un laisser-aller plein de paresse et de bonhomie ; saisissant chaque plaisir qui passe sans s'inquiéter de le fixer, et le quittant comme il l'a pris pour en attendre un autre. Un soir, nous entendîmes un grand bruit ; deux ou trois musiciens de la Pergola, en sortant du théâtre, avaient eu l'idée de s'en aller chez eux en jouant une valse ; la population éparse par les rues s'était mise à les suivre en valsant. Les hommes qui n'avaient point trouvé de danseuses valsaient entre eux. Cinq ou six cents personnes prirent ainsi le plaisir du bal depuis la place du Dôme jusqu'à la porte du Prato où demeurait le dernier musicien ; le dernier musicien rentré chez lui, les valseurs revinrent bras dessus, bras dessous, en chantant l'air sur lequel ils avaient valsé.

*

L'hiver, Florence prend un aspect tout particulier ; c'est une ville de bains, moins les eaux. La température se divise en deux phases bien distinctes et presque toujours parfaitement tranchées : ou il fait un soleil magnifique, ou il pleut à torrents. Ce temps couvert, brumeux et humide, qui fait le fond de notre atmosphère trois ou quatre mois de l'année, y est à peu près inconnu.

S'il fait beau, à une heure, toutes les voitures sortent, moins les voitures florentines dont les maîtres craignent fort les variations hivernales, et se dirigent vers les Cachines. On ne s'aperçoit pas de l'absence des Florentins, car les voitures étrangères suffisent pour défrayer le Longchamp quotidien ; seulement, au lieu de descendre au Pré et à l'ombre, on laisse aux lièvres et aux faisans cette promenade trop froide et trop humide, et l'on descend *Longo-l'Arno.*

Longo-l'Arno est, comme l'indique son nom, une promenade le long de l'Arno. À gauche, on a le fleuve ; à droite, le rideau de chênes verts, de pins et de lierre, qui sépare cette promenade.

C'est là qu'on vient boire, au lieu d'une eau thermale infecte, ce doux soleil d'Italie, toujours tiède et souriant. Comme le chemin est très étroit, on se coudoie comme dans le passage de l'Opéra ou de la rue de Choiseul ; seulement, la population y est étrangement variée : chaque groupe qui vous croise ou que l'on dépasse parle une langue différente. Là cependant, contre leur habitude, les Anglais ne sont pas en majorité, les Russes l'emportent ; ce qui est une grande consolation pour les Français, qui peuvent se croire encore, en oubliant ce beau soleil et ce magnifique horizon de montagnes tout parsemé de villas, au milieu de la meilleure et de la plus élégante société des Tuileries.

Parmi ces nombreux promeneurs, mais seulement plus pressé, plus coudoyé, plus *saluant* que les autres, passe le grand-duc et sa famille ; toute sa garde consiste en deux ou trois valets qui le suivent d'assez loin pour ne pas entendre la conversation.

De Longo-l'Arno, on revient faire la station obligée au Piazzonne. Là seulement on retrouve bravant ce qu'ils appellent les rigueurs de la saison, quelques Florentins francisés, trop amoureux pour craindre le froid, ou trop jeunes pour craindre les rhumatismes. Quant aux Florentines, il est rare d'en apercevoir plus de deux ou trois dans les plus beaux jours, encore ne font-elles qu'une station d'un instant, et juste ce qu'il faut pour prendre quelques petits arrangements indispensables pour le soir, pour la nuit ou pour le lendemain.

C'est à la Pergola qu'on se retrouve. La Pergola, ce sont les Bouffes de Florence. Tout ce qu'il y a de Florentins ou d'étrangers dans la capitale de la Toscane, du mois d'octobre au mois de mars, loge à la Pergola ; c'est une chose dont on ne peut pas se dispenser. Dînez à table d'hôte, ou au restaurant de la Lune, mangez chez vous du macaroni et du *baccala*, personne ne s'en occupe, c'est votre affaire ; mais ayez une loge à l'un des trois rangs nobles, c'est l'affaire de tout le monde. Une loge et une voiture sont les *indispensabilités* de Florence. Qui a loge et voiture est un grand seigneur, qui n'a ni loge ni voiture, s'appelât-il Rohan ou Corsini, Poniatowski ou Noailles, n'est qu'un croquant. Réglez-vous là-dessus ; et, si vous venez à Florence, faites la bourse de la loge et de la voiture, comme en allant de Rome à Naples on fait la bourse des voleurs.

Au reste, voitures et loges ne sont pas chères, à Florence ; on a une voiture au mois pour deux cent cinquante francs, et une loge à la saison pour cent piastres. Ajoutez à cela que la loge à la Pergola vaut quatre fois son prix, non point pour le spectacle, personne ne s'occupe du spectacle à Florence ; mais pour la salle, j'entends par salle les spectateurs.

En effet, c'est à la Pergola que se croisent tous les feux de la coquetterie féminine. Là, comme à la promenade, les Florentines sont en minorité. La majorité se compose d'étrangères qui arrivent de Paris, de Londres et de Saint-Pétersbourg, espérant écraser leurs rivales sous le poids de tout ce qu'il y a de plus nouveau dans les trois capitales. Les Françaises, avec leur élégance simple ; les Anglaises, avec leurs plumes sans fin et leurs robes aux couleurs voyantes et criardes ; les Russes, avec leurs rivières de diamants et leurs fleuves de turquoises. Mais les Florentines ont de quoi faire face à tout ; elles tirent des vieilles armoires sculptées de leurs ancêtres, des flots de guipures, de point et d'Angleterre, des poignées de diamants princiers ou pontificaux transmis de pères en fils, de ces riches étoffes de brocard comme Véronèse en met à ses rois mages ; elles écrivent à mademoiselle Baudran de leur envoyer tout ce qu'elle chiffonnera pendant l'hiver, et elles attendent tranquillement le résultat de la campagne. Il en résulte qu'il y a peu de grandes capitales où l'on rencontre un luxe de toilette pareil à celui de Florence.

On comprend ce que devient le pauvre Opéra, au milieu de si graves intérêts : les lorgnettes vont d'une loge à l'autre ; vers la scène jamais. À moins qu'on ne joue quelque opéra nouveau et inconnu, on cause à peu près pendant tout le temps qu'il dure. Je ne connais que *Robert le Diable* qui soit venu mettre, pendant trente ou quarante représentations de suite, une trêve de Dieu entre les combattants.

En échange, on écoute religieusement le ballet ; il se compose de sixièmes ou septièmes danseuses parisiennes, mais ces demoiselles remédient à la faiblesse de leur talent par le peu de longueur de leurs robes. Elles dansent comme cela se trouve, tantôt sur la plante du pied, tantôt sur le talon, rarement sur la pointe, estropiant les pas, manquant les équilibres, mais raccommodant tout avec une pirouette. Une pirouette, c'est le fond de la danse, comme *legno* et *roba* sont le fond de la langue : plus elle dure, plus elle est applaudie. Aussi y a-t-il peu de toupies et de totons qui puissent rivaliser avec les danseuses florentines. Elles lasseraient un fakir.

Malheureusement le danseur est encore fort à la mode dans les ballets de la Pergola, et il ne le cède aux femmes, ni en mines gracieuses ni en pirouettes prolongées ; c'est peut-être très beau comme art, mais c'est certainement fort laid comme réalité.

Une autre singularité de la Pergola, c'est le privilège qu'ont les tanneurs, les corroyeurs, et en général tous les manipuleurs de cuir, de venir se casser le cou pour le plus grand plaisir des spectateurs. À quelle époque remonte ce privilège ? quelle circonstance y a donné lieu ? quelle belle action est-il chargé de récompenser ? C'est ce que j'ignore, mais le privilège existe, voilà le fait. En conséquence, pourvu qu'ils s'habillent à leur compte, ces étranges comparses peuvent venir figurer gratis, chose à laquelle ils ne manquent pas, tandis qu'on a toutes les peines du monde à avoir d'autres figurants payés. En vertu du même privilège, ils ne se mêlent point avec le vulgaire, ils entrent à part, restent entre eux, s'emparent d'un intermède tout entier et exécutent des groupes, des combats et des cabrioles pareils à ceux des alcides, moins la force, et à ceux des bédouins moins la légèreté. Ces groupes, ces combats et ces cabrioles, au reste, sont toujours fort applaudis, et l'honorable corporation des tanneurs et corroyeurs emporte sa bonne part des applaudissements de la soirée.

Parfois, au milieu d'une cavatine ou d'un pas de deux, une cloche au son aigu et déchirant se fait entendre : c'est la cloche de la Miséricorde. Écoutez bien : si elle sonne un coup, c'est pour un accident ordinaire ; si elle sonne deux coups, c'est pour un accident grave ; si elle sonne trois coups, c'est pour un cas de mort. Alors vous voyez les loges s'éclaircir, et il arrive souvent que celui avec qui vous causez, s'il est florentin, s'excuse de vous laisser au milieu de la conversation, prend son chapeau et sort. Vous vous informez de ce que veut dire cette cloche et d'où vient l'effet qu'elle produit. Alors on vous répond que c'est la cloche de la Miséricorde, et que celui avec qui vous causiez étant frère de cet ordre, il se rend à son pieux devoir.

La confrérie de la Miséricorde est une des plus belles institutions qui existent au monde. Fondée en 1744, à propos des fréquentes pestes qui désolèrent le dix-huitième siècle, elle s'est perpétuée jusqu'à nos jours sans altération aucune, sinon dans ses détails, du moins dans son esprit. Elle se compose de soixante-douze frères, dits chefs de garde, lesquels sont de service tous les quatre mois. Ces soixante-douze frères sont divisés ainsi : dix prélats ou prêtres gradués, vingt prélats ou prêtres non gradués, quatorze gentilshommes et vingt-huit artistes. À ce noyau primitif, représentant les classes aristocratiques et les arts libéraux, sont adjoints cent cinq journaliers pour représenter le peuple.

Le siège de la confrérie de la Miséricorde est place du Dôme. Chaque frère y a, marquée à son nom, une cassette renfermant une robe noire pareille à celle des pénitents, avec des ouvertures seulement aux yeux et à la bouche, afin que sa bonne action ait encore le mérite de l'incognito. Aussitôt que la nouvelle d'un accident quelconque parvient au frère qui est de garde, la cloche d'alarme sonne selon la gravité du cas, un, deux ou trois coups, et, au son de cette cloche, tout frère, quelque part qu'il se trouve, doit se retirer à l'instant même et courir au rendez-vous. Là il apprend quel est le malheur qui l'appelle ou la souffrance qui le réclame, revêt sa robe, se coiffe d'un grand chapeau, prend un cierge à la main et va partout où une voix gémit. Si c'est un blessé, on le porte à l'hôpital ; si c'est un mort, on le porte à la chapelle ; grand sei-gneur et homme du peuple alors, vêtus de la même robe, s'attèlent à la même litière, et le chaînon qui réunit ces deux extrémités sociales est un pauvre malade qui, ne les connaissant ni l'un ni l'autre, prie également pour tous deux.

Puis quand les frères de la Miséricorde ont quitté la maison, les enfants dont ils viennent d'emporter le père, la femme dont ils viennent d'emporter le mari, n'ont qu'à regarder autour d'eux, et toujours sur quelque meuble vermoulu, ils trouveront une pieuse aumône déposée par une main inconnue.

Le grand-duc fait partie de l'association des frères de la Miséricorde, et l'on assure que plus d'une fois, à l'appel de la cloche fatale, il lui est arrivé de revêtir cet uniforme de l'humanité, et pénétrer inconnu, côte à côte d'un ouvrier, jusqu'au chevet de quelque pauvre mourant, chez lequel, après son départ, sa présence n'était trahie que par le secours qu'il avait laissé.

Les frères de la Miséricorde doivent encore accompagner les condamnés à l'échafaud ; mais comme depuis l'avènement au trône du grand-duc Ferdinand, père du souverain actuellement sur le trône, la peine de mort est à peu près abolie, ils sont délivrés de cette pénible partie de leurs fonctions.

Son devoir rempli, chaque frère revient place du Dôme, dépose dans la maison miséricordieuse robe, cierge, chapeau, et retourne à ses affaires ou à ses plaisirs, presque toujours allégé de quelques *francesconi.*

Revenons à la Pergola, dont nous a, pour un instant, écarté la cloche de la Miséricorde.

Le ballet fini, on chante le second acte, car en Italie, pour donner aux chanteurs le temps de se reposer, le ballet s'exécute entre les deux actes. Comme en général on s'occupe très peu de l'opéra, personne ne se plaint de cette solution de continuité, les étrangers seuls s'en étonnent d'abord, mais bientôt ils s'y accoutument ; d'ailleurs on n'habite pas trois mois Florence qu'on est déjà aux trois quarts toscanisé.

Florence est en tout temps ce qu'était Venise du temps de Candide, le rendez-vous des rois détrônés. À la première représentation des *Vêpres Siciliennes,* j'ai vu à la fois dans la salle : le comte de Saint-Leu, ex-roi de Hollande, le prince de Montfort, ex-roi de Westphalie, le duc de Lucques, ex-roi d'Étrurie, madame Christophe, ex-reine de Haïti, le prince de Syracuse, ex-vice-roi de Sicile, et peu s'en était fallu encore que cette illustre société de têtes découronnées ne fût complétée par Christine, l'ex-régente d'Espagne.

Il est vrai que l'opéra qu'on représentait était du prince Poniatowski, dont l'ancêtre était roi de Pologne.

Comme on le voit, la Toscane a enlevé à la France le privilège d'être l'asile des rois malheureux.

Après la Pergola, il y a toujours quelque soirée russe, anglaise ou florentine, où l'on va continuer sa nuit et achever une conversation commencée aux Cachines ou à la Pergola.

Voilà ce qu'est à Florence l'hiver pour l'aristocratie.

Quant au peuple toscan, plus heureux que le peuple parisien, l'hiver n'est pas pour lui une saison où il a froid et où il a faim ; c'est, comme pour la noblesse au contraire, une époque de plaisir. Comme les grands seigneurs, il a deux théâtres d'opéra, auxquels il va moyennant cinq sous, et où il entend du Mozart, du Rossini et du Meyerbeer, et de plus que les grands seigneurs, il a son Stentarello qu'il va applaudir pour deux *crazi.*

Stentarello est à Florence ce que Jocrisse est à Paris, ce que Cassandre est à Rome, ce que Polichinelle est à Naples et ce que

Girolamo est à Milan, c'est-à-dire le comique national, éternel et inamovible, qui depuis trois cents ans a le privilège de faire rire les ancêtres, et qui trois cents ans encore, selon toute probabilité, aura l'honneur de faire rire les descendants. Stentarello enfin est de cette illustre famille des queues rouges, qui, à mon grand regret, a disparu en France au milieu de nos commotions politiques et de nos révolutions littéraires. Aussi va-t-on quelquefois en débauche à Stentarello comme on va à Paris aux Funambules.

Ce qui frappe encore à Florence, comme une coutume toute particulière à la ville, c'est l'absence du mari. Ne cherchez pas le mari dans la voiture ou dans la loge de sa femme, c'est inutile, il n'y est pas. Où est-il ? Je n'en sais rien ; dans quelque autre loge ou dans quelque autre voiture. À Florence, le mari possède l'anneau de Gygès, il est invisible. Il y a telle femme de la société que je rencontrais trois fois par jour pendant six mois, et qu'au bout de ce temps je croyais veuve, lorsque par hasard, dans la conversation, j'appris qu'elle avait un mari, que ce mari existait bien réellement et demeurait dans la même maison qu'elle. Alors je cherchai le mari, je le demandai à tout le monde, je m'entêtai à le voir. Peine perdue, il fallut partir de Florence sans avoir eu l'honneur de faire sa connaissance, espérant être plus heureux à un autre voyage.

Il n'en est point ainsi, au reste, pour les jeunes ménages : toute une génération s'avance qui s'écarte, sous ce point de vue, des traditions paternelles, et l'on cite, comme remontant à vingt-cinq ans, le dernier contrat de mariage où fut inscrite par les parents de la mariée cette étrange réserve qu'ils faisaient à leur fille du droit de choisir un *cavalier servant*.

Puisque voilà le mot lâché, il faut bien parler un peu du cavalier servant ; d'ailleurs, si je n'en disais rien, on croirait peut-être qu'il y a trop à en dire.

Dans les grandes familles où les alliances, au lieu d'être des mariages d'amour, sont presque toujours des unions de convenances, il arrive, après un temps plus ou moins long, un moment de lassitude et d'ennui où le besoin d'un tiers se fait sentir : le mari est maussade et brutal, la femme est revêche et boudeuse ; les deux époux ne se parlent plus que pour échanger des récriminations mutuelles ; ils sont sur le point de se détester.

C'est alors qu'un ami se présente. La femme lui narre ses douleurs ; le mari lui conte ses ennuis ; chacun rejette sur lui une part de ses chagrins, et se sent soulagé de cette part dont il vient de charger un tiers ; il y a déjà amélioration dans l'état des parties.

Bientôt le mari s'aperçoit que son grand grief contre sa femme était l'obligation contractée tacitement par lui de la mener partout avec lui ; la femme, de son côté, commence à s'apercevoir que la société où la conduit son mari ne lui est insupportable que parce qu'elle est forcée d'y aller avec lui. Quand on en est là de chaque côté, on est bien près de se comprendre.

C'est alors que le rôle de l'ami se dessine : il se sacrifie pour tous deux ; le dévouement est sa vertu. Grâce à son dévouement, le mari peut aller où il veut sans sa femme. Grâce à son dévouement, la femme reste chez elle sans trop d'ennui ; le mari revient en souriant et trouve sa femme souriante. À qui l'un et l'autre doivent-ils ce changement d'humeur ? à l'ami ; mais l'ami réduit à ce rôle pourrait bien s'en lasser, et on retomberait dans la position première, position reconnue parfaitement intolérable. Le mari a de vieux droits dont il ne se soucie plus et dont il ne sait que faire ; il ne veut pas les donner, mais un à un il se les laisse prendre. À mesure que l'ami se substitue à lui, il se sent plus à son aise dans sa maison ; l'ami devient cavalier servant en titre, et le triangle équilatéral s'établit ainsi tout doucement à la satisfaction de chacun.

Ceci n'est point l'histoire de l'Italie particulièrement, c'est l'histoire de tous les pays du monde ; seulement dans tous les pays du monde on le cache par hypocrisie ou par orgueil ; en Italie, on le laisse voir par habitude et par insouciance.

Mais ce qui n'arrive qu'en Italie, par exemple, c'est que cette liaison devient le véritable mariage, et que presque toujours la fidélité trahie envers le premier est gardée au second. En effet, une fois la dame et son cavalier liés ainsi l'un à l'autre, plus cet arrangement a été public, plus il devient nécessairement durable. Maintenant, ne vaut-il pas mieux prendre publiquement un amant et le garder toute sa vie, que d'en changer clandestinement tous les huit jours, tous les mois, ou même tous les ans, comme c'est l'habitude dans un autre pays que je connais et que je ne nomme pas.

Mais les maris italiens, quelles figures font-ils ?

À ceci je répondrai par un petit dialogue :

– M. de ***, disait l'empereur à l'un de ses courtisans, on m'assure que vous êtes cocu ; pourquoi ne me l'avez-vous pas dit ?

– Sire, répondit M. de ***, parce que j'ai cru que cela n'intéressait ni mon honneur ni celui de Votre Majesté.

Les maris italiens sont de l'avis de M. de ***.

Malheureusement, ce petit arrangement intérieur, que je trouve pour mon compte, du moment que cela convient aux trois intéressés, tout simple, tout naturel, et je dirai presque tout moral, ne s'exécute qu'aux dépens de l'hospitalité. En effet, on comprend combien doit être gênant, plongeant du salon à l'alcôve, le coup d'œil investigateur d'un étranger, et surtout d'un Français, qui, avec sa légèreté et son indiscrétion habituelles, s'en ira, Florence à peine quittée, remercier par la publicité de leur vie privée les familles qui, sur la recommandation d'un ami, l'auront accueilli comme un ami. Lui, inconnu, n'aura cependant passé chez ceux qui l'ont reçu ainsi, que pour laisser le trouble en remerciement des gracieuses et attentives politesses qu'il en a réclamées. Il en résulte, oui, cela est vrai, que l'étranger, admirablement accueilli d'abord, ou sur la foi de son nom seul, ou sur la lettre qui lui sert d'introduction, après les invitations ordinaires aux dîners et aux bals, sent l'intimité se fermer devant lui, et demeurât-il un an à Florence, reste presque toujours un étranger pour les Florentins. De là, absence complète de ces bonnes et longues causeries auprès du feu, où, après toute une soirée passée à bavarder, on s'en va ignorant parfaitement ce qu'on a pu dire, mais sachant, par l'envie même qu'on a de les renouveler le lendemain, qu'on ne s'y est point ennuyé un instant.

Mais, encore une fois, si cela est ainsi, la faute n'en est certes pas aux Florentins, mais à l'indiscrétion, et je dirai presque à l'ingratitude française.

Extrait d'*Une année à Florence.*

HIPPOLYTE TAINE

À Florence

8 avril. La ville.

Une ville complète par elle-même, ayant ses arts et ses bâtiments, animée et point trop peuplée, capitale et point trop grande, belle et gaie, – voilà la première idée sur Florence.

Les pieds avancent sans qu'on y songe sur les grandes dalles dont toutes les rues sont pavées. Du palais Strozzi à la place Santa Trinità, la foule bourdonne, incessamment renouvelée. En cent endroits on voit reparaître les signes de la vie intelligente et agréable : des cafés presque brillants, des boutiques d'estampes, des magasins d'albâtre, de pierre dure, de mosaïques, des librairies, un riche cabinet littéraire, une dizaine de théâtres. Sans doute l'ancienne cité du quinzième siècle subsiste toujours et fait le corps de la ville ; mais elle n'est pas moisie comme à Sienne, reléguée dans un coin comme à Pise, salie comme à Rome, enveloppée dans les toiles d'araignée du Moyen Âge ou recouverte par la vie moderne comme par une incrustation parasite. Le passé s'y raccorde avec le présent ; la vanité élégante de la monarchie y a continué l'invention élégante de la république ; le gouvernement paternel des grands-ducs allemands y a continué le pompeux gouvernement des grands-ducs italiens. À la fin du dernier siècle et au commencement de celui-ci, Florence était une petite oasis en Italie ; on l'appelait *gli felicissimi stati.* On y bâtissait comme autrefois, on y donnait des fêtes, on y causait ; l'esprit de société n'avait point péri comme ailleurs sous une rude main de despote ou dans l'inertie décente du rigorisme ecclésiastique. Le Florentin, comme jadis l'Athénien sous les Césars, était resté critique et bel esprit, fier de son bon goût, de ses sonnets, de ses académies, de sa langue, qui faisait loi en Italie, de ses jugements incontestés en matière de littérature et de beaux-arts. Il y a des races si fines qu'elles ne peuvent déchoir tout à fait ; l'esprit leur est inné, on peut les gâter, mais non les détruire ; on en fera des dilettantes ou des sophistes, mais non des muets ou des sots. Même c'est alors qu'apparaît leur fond intime : on découvre que chez elles, comme chez les Grecs du Bas-Empire, l'intelligence primait le caractère, puisqu'elle a duré après qu'il s'est dissous. Déjà sous les premiers Médicis les plus vifs plaisirs sont ceux de l'esprit, et la tournure de l'esprit est toute gaie et fine. Le sérieux diminue ; comme les Athéniens au temps de Démosthène, les Florentins songent à s'amuser, et comme Démosthène, leurs chefs les gourmandent. « Votre vie, dit Savonarole, se passe toute au lit, dans les commérages, sur les promenades, dans les orgies et la débauche. » Et Bruto l'historien ajoute qu'ils mettent « la politesse dans la médisance et le bavardage, la sociabilité dans les complaisances coupables » ; il leur reproche de faire « tout languissamment, avec mollesse et sans ordre, de prendre la paresse et la lâcheté pour règle de leur vie. » Voilà de gros mots : les moralistes parlent toujours ainsi, haussant la voix pour qu'on les entende ; mais il est clair que vers le milieu du quinzième siècle les gens intelligents, cultivés, experts en matière d'agrément, d'arrangement et d'émotions sont souverains à Florence. On s'en aperçoit dans leurs arts. Leur renaissance n'a rien d'austère ni de tragique. Seuls les vieux palais bâtis de blocs énormes hérissent leurs bossages rugueux, leurs fenêtres grillées, leurs encoignures noirâtres comme un signe de la dangereuse vie féodale et des assauts qu'ils ont soutenus. Partout ailleurs perce le goût de la beauté élégante et heureuse. De la base au sommet, les grands édifices sont revêtus de marbre. Des *loggie*, ouvertes au soleil et à l'air, se posent sur des colonnes corinthiennes. On voit que l'architecture s'est tout de suite dégagée du gothique, qu'elle y a pris seulement une pointe d'originalité et de fantaisie, que sa pente naturelle l'a portée dès les premiers pas vers les formes sveltes et simples de l'antiquité païenne. On marche et on aperçoit un chevet d'église peuplé de statues expressives et intelligentes, un solide mur où la jolie arcade italienne s'incruste et se développe en bordure, une file de colonnes minces dont les têtes s'épanouissent pour porter le toit d'un promenoir, tout au bout d'une rue un pan de colline verte ou quelque cime bleuâtre. Je viens de passer une heure dans la place de l'*Annunziata*, assis sur un escalier. En face est une église et de chaque côté de l'église un couvent, tous les trois avec un péristyle de fines colonnes, demi-ioniennes, demi-corinthiennes, qui s'achèvent en arcades. Au-dessus d'elles les toits bruns en vieilles tuiles tranchent le bleu pur du ciel, et au bout d'une rue allongée dans l'ombre chaude les yeux s'arrêtent sur un dos rond de montagne. Dans cet encadrement si naturel et si noble est un marché : des échoppes abritées d'un linge blanc recouvrent des rouleaux de toiles ; quantité de femmes en châles violets, en chapeaux de paille, vont, viennent, achètent et parlent ; presque point de mendiants ni de déguenillés ; les yeux ne sont point attristés par le spectacle de la sauvagerie brute ou de la misère ; les gens ont l'air à leur aise et sont actifs sans être affairés. Du milieu de cette foule bariolée et de ces boutiques en plein vent s'élève une statue équestre, et près d'elle une fontaine verse son eau dans une vasque de bronze. Ce sont là des contrastes pareils à ceux de Rome ; mais au lieu de se heurter, ils s'accordent. La beauté est aussi originale, mais elle tourne vers l'agrément et l'harmonie, non vers la disproportion et l'énormité.

On redescend ; un beau fleuve aux eaux claires, taché çà et là par des bancs de gravier blanc, coule le long d'un quai superbe. Des maisons qui semblent des palais, modernes et pourtant monumentales, lui font une bordure. Dans le lointain on aperçoit des arbres qui verdissent, un doux et joli paysage, pareil à ceux des climats tempérés ; plus loin, des sommets arrondis, des coteaux ; plus loin encore, un amphithéâtre de rocs sévères. Florence est dans une vasque de montagnes comme une figurine d'art au centre d'une grande aiguière, et sa dentelure de pierre s'argente avec des teintes d'acier sous les reflets du soir. On suit la rivière et on arrive aux Cascines. Le vert naissant, la teinte délicate des peupliers lointains ondule avec une douceur charmante sur le bleu des montagnes. Une haute futaie, des haies épaisses et toujours vertes défendent le promeneur contre le vent du nord. Il est si doux, aux approches du printemps, de se sentir pénétré par les premières tiédeurs du soleil ! L'azur du ciel luit magnifiquement entre les branches bourgeonnantes des hêtres, sur la verdure pâle des chênes verts, sur les aiguilles bleuâtres des pins. Partout, entre les troncs gris où la sève s'éveille, sont des bouquets d'arbustes qui n'ont point subi le sommeil de l'hiver, et la jeunesse des pousses nouvelles va s'unir à leur jeunesse vivace pour remplir les allées de couleurs et de senteurs. Des lauriers fins comme dans un tableau profilent sur la rive leurs têtes sérieuses, et l'Arno, tranquillement épandu, développe dans la rougeur du couchant ses nappes pourprées, reluisantes.

On sort de la ville et l'on monte sur quelque éminence pour embrasser d'un regard la ville et sa vallée, toute la coupe arrondie autour d'elle : rien de plus riant ; le bien-être et le bonheur s'y marquent de toutes parts. Des milliers de maisons de campagne la parsèment de leurs points blancs ; on les voit monter de coteau en coteau jusqu'au bord des cimes. Sur toutes les pentes les têtes des oliviers moutonnent comme un troupeau sobre et utile ; la terre est soutenue par des murs et forme des terrasses ; la main intelligente de l'homme a tourné tout vers le profit et en même temps vers la beauté. Le sol ainsi disposé prend une forme architecturale, les jardins se groupent en étages parmi des balustres, des statues et des bassins. Point de grands bois, aucun luxe de végétation abondante ; ce sont les yeux du Nord qui, pour se repaître, ont besoin de la mollesse et de la fraîcheur universelle de la vie végétale ; l'ordonnance des pierres suffit aux Italiens, et la montagne qui est voisine leur fournit à souhait les plus belles dalles, blanches ou bleuâtres, d'un ton fin et sobre. Ils les disposent noblement en lignes symétriques ; la maison, sous sa devanture de marbre, luit dans l'air libre, accompagnée de quelques grands arbres toujours verts. On y est bien pour se reposer l'hiver au soleil, l'été à l'ombre, oisif et laissant ses yeux errer sur la campagne.

On aperçoit de loin une porte, un campanile, quelque église. San Miniato, sur une colline, développe sa façade de marbres bigarrés. C'est une des plus vieilles églises de Florence, elle est du onzième siècle. On entre et l'on trouve une basilique presque latine, des chapiteaux presque grecs, des fûts polis et sveltes qui portent des arcades rondes ; la crypte est pareille ; rien de lugubre ni d'écrasé ; toujours des colonnes élancées d'où s'élancent des courbes harmonieuses ; l'architecture florentine dès son premier jour retrouve ou reprend l'antique tradition des formes solides et légères. Les vieux historiens appellent Florence « la noble cité, la fille de Rome ». Il semble que la tristesse du Moyen Âge n'ait fait que glisser sur elle ; c'est une païenne élégante qui, sitôt qu'elle a pensé, s'est déclarée, d'abord timidement, puis ouvertement, élégante et païenne.

Visites, soirées aux théâtres.

Il y a huit ou dix théâtres, ce qui indique un goût vif pour le plaisir. Ils sont commodes, aérées ; une grande allée tourne autour du parterre et de l'orchestre ; les spectateurs ne s'étouffent point comme à Paris ; plusieurs salles sont jolies, bien décorées, simples : le goût semble naturel en ce pays. Quant au reste, c'est autre chose ; les places sont à si bas prix que les directeurs ont peine à se tirer d'affaire, et pour les décors, les figurants, toute la partie mécanique, ils s'arrangent comme ils peuvent ; par exemple, à l'Opéra, les figurantes ont 250 ou 300 francs pour la saison, qui dure deux mois et demi ; elles se fournissent de bas et de chaussures, on leur donne le reste ; la plupart sont des grisettes. Au reste, figurants et figurantes, tous ces gens-là sont difficiles à manœuvrer. Si on les met à l'amende pour un retard ou pour toute autre raison, ils vous plantent là ; leur emploi au théâtre n'est qu'un surcroît de gain, ils vivent d'ailleurs ; tel ouvrier maçon, le soir mousquetaire ou druide, arrive à la répétition avec son pantalon de travail encore blanchi au genou. Il faut une grande capitale et une grande dépense d'argent pour huiler les rouages d'un théâtre moderne :

ceux-ci grincent parfois et se détraquent, on s'en aperçoit aux représentations. Pareillement il faut une centralisation et une vie nationale complète pour fournir des idées théâtrales ; on traduit ici nos pièces. Je viens d'écouter *Faust,* la *prima donna* est une Française. Au théâtre Nicolini, on joue *Montjoie* d'Octave Feuillet, et pour le rendre plus intelligible on l'intitule *Montjoie o l'Egoïsta.* Un autre jour, c'est *la Gelosia, Othello* arrangé en mélodrame bourgeois ; impossible de rester, je suis parti au troisième acte. – Il se produit quelques romans : Un *prode d'Italia, Pasquale Paoli,* grandes machines historiques à la façon de Walter Scott, écrites en style déclamatoire avec force allusions au temps présent. Un savant de mes amis reconnaît qu'en ce moment la littérature est mauvaise en Italie ; la politique prend pour elle toute la sève de l'arbre, les autres branches avortent. En fait d'histoire, rien que des monographies. Les écrivains ressemblent à des provinciaux, maintenus par l'éloignement à trente ans en arrière de la capitale ; il faudra beaucoup de temps pour que le style net, précis, attaché aux faits, exempt de phrases, s'acclimate ici. Ils n'ont pas même de langue arrêtée ; les Italiens nés hors de la Toscane sont obligés d'y venir, comme Alfieri, pour corriger leur dialecte. En outre, Italiens et Toscans, tous sont tenus d'éviter les tours français, si contraires au génie de leur langue, de les désapprendre à grand-peine, de s'en purger la mémoire ; or c'est la France qui, depuis cent cinquante ans, fournit des livres et des idées à l'Italie, jugez de la difficulté. Là-dessus, beaucoup d'écrivains tombent dans le pédantisme et la superstition classiques ; ils se nourrissent des bons auteurs du seizième siècle, remontent plus haut, en puristes, jusqu'au quatorzième ; mais comment exprimer les idées modernes dans la langue de Froissard, ou même dans celle d'Amyot ? Les voilà contraints de plaquer sur leur style antique une quantité de mots contemporains ; ces disparates les désolent, et ils ne marchent que les entraves aux pieds, empêtrés par le souvenir des tours autorisés et du vocabulaire correct. Un écrivain me disait que cette obligation lui mettait l'esprit à la torture. Cet avortement est encore un effet du passé ; on en aperçoit tout de suite les causes, qui sont d'un côté l'interruption de la tradition littéraire à partir du dix-septième siècle par la décadence universelle des esprits et des études, et de l'autre côté le manque de la capitale et de la centralisation nécessaires pour étouffer les dialectes. Toute l'histoire de l'Italie dérive d'un fait : elle n'a pu s'unir sur une monarchie tempérée, ou demi-intelligente, au seizième siècle, en même temps que ses voisines.

En revanche, la politique est en pleine fleur ; on dirait d'un champ longtemps desséché qui a reverdi sous une pluie subite. On ne voit que caricatures politiques sur Victor-Emmanuel, l'empereur Napoléon, le pape. Elles sont grossières d'intention et d'exécution : le pape est un squelette, un danseur de corde, la mort joue à la boule pour abattre les cardinaux et l'abattre. Point d'esprit ni de finesse ; il ne s'agit pour eux que de rendre l'idée bien sensible et de faire une forte impression. Pareillement leurs journaux, presque tous à un sou, crient fort et haut plutôt que juste. Je les compare à des gens qui, après beaucoup de temps, dégagés d'entraves étroites, gesticulent vigoureusement et donnent des coups de poing dans l'air pour détirer leurs membres. Quelques-uns cependant, *la Pace*, *la Gazette de Milan*, raisonnent serré, sentent les nuances, se défendent d'être pour de Maistre ou pour Voltaire, louent Paolo Sarpi, Gioberti, Rosmini, tâchent de renouer la tradition italienne. Des gens si spirituels et si bien doués finiront par trouver le ton proportionné et la ligne moyenne. En attendant, ils sont très fiers de leur presse libre et se moquent de la nôtre. À vrai dire, sur ce chapitre nous faisons triste figure à l'étranger ; quand on a lu dans un café le *Times*, le *Galignani*, le *Kœlnische* ou l'*Allgemeine Zeitung*, et qu'on retombe sur un journal français, l'amour-propre souffre. Un petit morceau politique vulgaire ou prudent, un article vague ou trop complaisant, des correspondances rares et toujours arrangées, très peu de renseignements précis et de discussions solides, beaucoup de phrases, dont plusieurs bien écrites, voilà le fond, qui est pauvre, non seulement parce que le gouvernement intervient, mais encore et surtout parce que les lecteurs instruits, capables d'attention sérieuse, sont trop peu nombreux. Le public ne demande pas qu'on le munisse de faits et de preuves ; il veut qu'on l'amuse ou qu'on lui ressasse bien clairement une idée toute faite. Tout au plus quelques esprits cultivés, une coterie parisienne qui a de petites succursales en province, devine çà et là une allusion, une ironie, une malice ; elle rit, la voilà satisfaite ; si la politique manque dans nos journaux, c'est que l'aptitude et l'instruction politique manquent dans notre pays. Ici on prétend que naturellement les Italiens ont l'instinct et le talent des affaires publiques ; en tous cas, ils en ont la passion.

Plusieurs personnes très bien placées pour voir me répètent que si la France monte encore dix ans la garde sur les Alpes pour empêcher l'Autriche de descendre, le parti libéral aura doublé ; les écoles, les journaux, l'armée, tous les accroissements de la prospérité et de l'intelligence contribuent à l'accroître. Les jalousies provinciales ou municipales ne font aucun obstacle. Dans les premiers temps, on a vu en Toscane quelques dissentiments, quelques résistances ; ce pays était le plus heureux, le mieux gouverné de l'Italie ; on hésitait avant de se soumettre à Turin et de courir les aventures ; mais le marquis Gino Capponi, l'homme le plus respecté du parti toscan, s'est lui-même prononcé pour l'union : nul autre moyen de subsister dans l'Europe moderne. D'ailleurs tous les grands Italiens, depuis Machiavel et Dante, ont écrit dans ce sens, il faut pouvoir résister à l'Autriche. Aujourd'hui tout se rejoint et se fond ; on voit déjà paraître dans l'armée une sorte de langue commune, qui est un compromis entre les divers dialectes.

Deux traits séparent cette révolution de la nôtre. En premier lieu, les Italiens ne sont point niveleurs ni socialistes. Le noble est familier, bonhomme avec le paysan, il parle avec amitié aux gens du peuple ; ceux-ci sont bien loin d'être hostiles à leur noblesse, ils sont plutôt fiers de la posséder. Toute la propriété est affermée en métayage, et le partage des fruits établit une sorte de camaraderie entre le maître et le fermier. Souvent ce fermier est sur le *podere* depuis deux cents ans, de père en fils ; par suite, il est conservateur, rebelle aux innovations, inaccessible aux théories ; la culture est encore la même que sous les Médicis, fort avancée pour ce temps-là, fort arriérée pour celui-ci. Le propriétaire vient en octobre pour surveiller sa récolte, puis s'en retourne : non pas qu'il soit *gentleman farmer*, il a un *fattore*, et souvent possède sept ou huit villas dont il habite une ; mais s'il n'a pas d'autorité morale ou politique sur ses paysans comme en Angleterre, il vit en bons termes avec eux. Il n'est pas dédaigneux, insolent, citadin comme nos anciens nobles ; il aime l'économie ; jadis il vendait son vin lui-même. À cet effet, chaque grand palais avait un guichet par lequel les chalands introduisaient leur bouteille vide et retiraient, moyennant argent, leur bouteille pleine ; la vanité supprimée laisse à la bonté humaine un plus large champ. Le maître profite et laisse profiter. Point de tiraillements ; les mailles du réseau social sont lâches, elles ne cassent pas. Voilà pourquoi le pays a pu se gouverner tout seul en 1859. À cet égard, ils sont plus heureux que nous ; c'est un grand point, quand on construit un gouvernement et une nation, de ne point sentir sous ses pieds les instincts et les théories communistes.

En second lieu, ils ne sont point voltairiens. Le commis voyageur, philosophe et lecteur de Béranger, n'est pas chez eux un caractère fréquent ou populaire. Les violences du journal le *Diritto* sont désapprouvées. Ils sont trop imaginatifs, trop poètes, et outre cela doués d'un trop grand bon sens, trop pénétrés des nécessités sociales, trop éloignés de notre logique abstraite pour vouloir supprimer la religion comme nous l'avons fait en 92. Ils sont élevés à voir des processions, des tableaux de sainteté, des églises pompeuses ou nobles ; leur catholicisme fait partie des habitudes de leurs yeux, de leurs oreilles, de leur imagination, de leur goût ; ils en ont besoin comme ils ont besoin de leur beau climat. Jamais un Italien ne sacrifiera tout cela, comme fait un Français, à un raisonnement de la cervelle raisonnante ; sa façon de concevoir les choses est tout autre, bien moins absolue, bien plus complexe, bien moins propre aux démolitions brusques, bien mieux accommodée au train courant du monde. Voilà encore une assise solide ; ils bâtissent sur une religion et une société intactes, et ne sont point obligés, comme nos politiques, de se prémunir contre les grands effondrements.

D'autres circonstances ou traits de caractère sont moins favorables. L'énergie manque en Toscane encore plus qu'ailleurs. En 1859, le pays a fourni douze mille hommes contre les Autrichiens ; encore y en avait-il six mille de l'armée précédente, – en tout six mille volontaires, – et beaucoup sont revenus. On compte quelques héros, des gens comme M. Montanelli, qui cherchaient les balles ; mais quant à la masse, la discipline les incommode, la dureté de la vie militaire les étonne, ils ne trouvaient pas leur café au lait le matin. À Florence, les mœurs depuis trois cents ans sont épicuriennes ; on ne s'inquiète ni de ses enfants, ni de ses parents, ni de personne ; on aime à causer et à flâner, on est spirituel et égoïste. Dès qu'on a quelque petit revenu, on se drape dans son manteau et on va bavarder au café. – D'autre part, la domination des habitudes et de l'imagination empêche les opinions religieuses de devenir nettes. Ils ne voient pas clair dans cette question catholique. Nul ne se fait au préalable son symbole arrêté et personnel comme en France au dix-huitième siècle ou comme en Allemagne au temps de Luther ; le raisonnement et la conscience ne parlent pas assez haut. Ils disent vaguement que le catholicisme doit s'accommoder aux besoins modernes ; mais ils ne précisent pas les concessions qu'il doit faire ou qu'on doit lui faire, ils ne savent pas ce qu'ils peuvent exiger ou abandonner. On a eu le tort grave en 1859 de ne pas instituer le mariage civil et de ne pas revenir aux lois léopoldines. Le pape, à force d'instances, les avait entamées ou transformées ; il n'avait pu souffrir à côté de lui un État vraiment laïque. Or, en face d'un adversaire pareil, il faut décider à part soi et d'avance ce qu'on cédera s'il le faut, et ce qu'on prendra, coûte que coûte ; car ses empiètements imperceptibles sont tenaces comme ceux du lierre, et l'irrésolution est toujours vaincue par l'obstination. Ajoutez qu'une portion notable du clergé, la plupart des prélats sont pour lui ; l'un d'eux, le cardinal de Pise, a la roideur du Moyen Âge, et il est *papabile*. – En somme, les Italiens sont dans une impasse. Ils voudraient rester bons catholiques, avoir chez eux la capitale du monde chrétien, et cependant réduire le pape au rôle de grand lama, sans s'apercevoir qu'une fois dépouillé il est à jamais hostile ; autant vaudrait « marier le grand Turc à la république de Venise ». Ce sont là leurs deux points faibles, l'insuffisance de l'esprit militaire et l'irrésolution de l'esprit religieux. Il faut laisser faire au temps, à la nécessité, qui peut-être affermira l'un et précisera l'autre.

La Piazza, le Dôme, le Baptistère.

Dans une ville comme celle-ci, les premiers jours on va devant soi, sans système. Comment veux-tu que dans ce pêle-mêle d'œuvres et de siècles on dégage tout de suite une idée nette ? Il faut feuilleter avant de lire.

Ce qu'on visite d'abord, c'est la Piazza della Signoria ; là, comme à Sienne, était le centre de la vie républicaine ; là, comme à Sienne, l'ancien hôtel de ville, le Palais-Vieux, est une bâtisse du Moyen Âge, énorme carré de pierres, percé de rares fenêtres en trèfles, muni d'un grand rebord de créneaux surplombants, flanqué d'une haute tour pareille, vraie citadelle domestique, bonne pour le combat et pour la montre, se défendant de près, s'annonçant de loin, bref une armure fermée, surmontée d'un cimier visible. Impossible de le voir sans penser aux guerres intestines que décrit Dino Compagni ; ce fut un rude temps en Italie que le Moyen Âge ; nous n'avions que la guerre des châteaux, ils ont eu celle des rues. Pendant trente-trois ans de suite, au treizième siècle, les Buondelmonti d'un côté, avec quarante-deux familles, les Uberti, de l'autre côté, avec vingt-deux familles, se sont battus sans relâche. On barricadait les rues avec des chevaux de frise, les maisons étaient fortifiées ; les nobles faisaient venir de la campagne leurs paysans armés. À la fin, trente-six palais des vaincus furent rasés, et si l'hôtel de ville est irrégulier, c'est que par un acharnement de vengeance on obligea l'architecte à laisser vides les emplacements maudits qui avaient porté les maisons détruites. Que dirions-nous aujourd'hui si une bataille comme celle de juin durait non pas trois jours, mais trente ans dans nos rues, si des transportations irrévocables mettaient hors de la nation un quart de la population, si ce peuple d'exilés, joint aux étrangers, rôdait autour de nos frontières, attendant l'occasion d'un complot ou d'une surprise pour forcer nos murailles et proscrire à son tour ses persécuteurs, si des haines et des combats nouveaux venaient entrechoquer les vainqueurs après la victoire, si la cité, déjà mutilée, était forcée de se mutiler sans cesse, si les tumultes brusques de la populace devaient compliquer les guerres intestines des nobles, si chaque mois une insurrection faisait fermer les boutiques, si chaque soir un homme sortant de sa maison pouvait craindre un ennemi embusqué au premier coin ? « Beaucoup de citoyens, dit Dino Compagni, étant un jour sur la place de Frescobaldi pour ensevelir une femme morte, et l'usage du pays en de telles réunions étant que les citoyens fussent assis en bas sur des nattes de jonc et les cavaliers et les docteurs en haut sur des bancs, comme les Donati et les Cerchi étaient en bas les uns en face des autres, un d'eux, pour arranger son manteau ou pour toute autre chose, se leva droit. Les adversaires, soupçonnant quelque chose, se levèrent aussi et mirent l'épée à la main. Les autres firent semblablement, et ils en vinrent aux mains. » Un pareil trait montre avec quel excès les âmes étaient tendues ; les lames fourbies et toutes prêtes sautaient d'elles-mêmes hors du fourreau. Au sortir de table, échauffés par le vin et la parole, les mains leur démangeaient. « Une compagnie de jeunes gens qui chevauchaient ensemble, s'étant retrouvés à souper un soir aux calendes de mai, devinrent tellement outrageux qu'ils songèrent à se rencontrer avec la brigade des Cerchi, et à user contre eux des mains et des armes. En ce soir, qui est le renouvellement du printemps, les femmes s'assemblent pour la danse et les bals dans leurs voisinages[1]. Les jeunes gens des Cerchi se rencontrèrent donc avec la brigade des Donati, qui les assaillirent à main armée. Et dans cet assaut, Ricoverino des Cerchi eut le nez coupé par un homme aux gages des Donati, lequel, dit-on, fut Piero Spini ; [...] mais les Cerchi ne révélèrent jamais qui c'était, comptant tirer ainsi *une plus grande vengeance.* » Ce mot, presque effacé de notre esprit, est la clef de l'histoire italienne ; les *vendette* à la façon corse sont à demeure et en permanence, de parti à parti, de famille à famille, de génération à génération, d'individu à individu. « Un jeune homme de mérite, fils de messire Cavalcante Cavalcanti, noble cavalier, appelé Guido, courtois et hardi, mais hautain, solitaire et attaché à l'étude, ennemi de messire Corso, avait résolu plusieurs fois de le rencontrer. Messire Corso le craignait fort, parce qu'il le connaissait comme étant de grand courage, et chercha à l'assassiner, Guido allant en pèlerinage à Saint-Jacques, ce qui ne réussit pas... Ce pourquoi, Guido, revenu à Florence, excita beaucoup de jeunes gens contre lui, lesquels lui promirent aide. Et un jour, étant à cheval avec quelques hommes de la maison des Cerchi, comme il avait un dard à la main, il éperonna son cheval contre messire Corso, croyant être suivi des siens, et, le dépassant, lui lança son dard, mais sans l'atteindre. Il y

1. Voyez le premier acte de *Roméo et Juliette* dans Shakespeare ; il a deviné et peint ces mœurs avec une exactitude admirable.

avait là, avec messire Corso, Simon, son fils, brave et hardi jeune homme, et Cecchino dei Bardi, ainsi que beaucoup d'autres avec des épées, qui coururent après lui ; mais, ne l'atteignant pas, ils lui jetèrent des pierres, on lui en jeta aussi des fenêtres, en sorte qu'il fut blessé à la main. » Pour trouver aujourd'hui des mœurs pareilles, il faudrait visiter les *placers* de San-Francisco ; là, sur la première provocation, en public, dans un bal, dans un café, le revolver parle ; il tient lieu de police, et supprime les formalités du duel. La loi de Lynch, fréquemment pratiquée, est seule capable de pacifier de tels tempéraments ; on l'appliquait parfois à Florence, mais trop peu et d'une façon décousue ; c'est pourquoi l'habitude de l'appel à soi-même, des coups de main subits, de l'assassinat honorable et honoré, y a persisté jusqu'à la fin et au delà du Moyen Âge. En revanche, cette habitude, en maintenant l'âme tendue et occupée de sentiments tragiques et forts, la rendait d'autant plus sensible aux arts dont la beauté et la sérénité faisaient contraste. Il fallait cette profonde couche féodale si labourée et si déchirée pour fournir des aliments et une prise aux racines vivaces de la Renaissance.

Le petit livre où sont toutes ces histoires est de Dino Compagni, un contemporain de Dante ; il est grand comme la main, coûte deux francs, et on peut l'emporter avec soi dans sa poche. Entre deux monuments, dans un café, sous une *loggia*, on en lit quelques morceaux, une rixe, une délibération, une sédition, et les pierres muettes deviennent parlantes.

Mais quand on cesse de regarder le Palais-Vieux pour jeter les yeux sur les monuments voisins, le caractère gai, la recherche de la beauté reparaissent de toutes parts. À droite, la Loggia de' Lanzi étale des statues antiques, des figures hardies et originales du seizième siècle, une *Sabine enlevée* de Jean de Bologne, une *Judith* de Donatello, le *Persée* de Cellini. Celui-ci est un éphèbe grec, une sorte de Mercure nu, au regard simple ; certainement la statuaire de la Renaissance renouvelle ou continue la statuaire antique, non pas la première, celle de Phidias, qui est calme et toute divine, mais la seconde, celle de Lysippe, qui cherche la vérité humaine. Ce Persée est un frère du Discobole, il a eu son modèle anatomique et réel ; ses genoux sont un peu lourds, les veines de ses bras sont trop marquées ; le sang qui jaillit du col de Méduse fait une grosse gerbe serrée ; c'est un égorgement exact. Mais il est si bien pris sur le vif ! La femme est vraiment morte, ses membres et ses articulations sont tout d'un coup devenus flasques ; le bras pend alangui, le corps est tordu, la jambe reployée par l'agonie. Au-dessous, sur le piédestal, parmi des guirlandes de fleurs et des têtes de chèvres, dans des niches à coquilles du goût le plus élégant et le plus sobre, quatre fines statuettes de bronze ont la vivante nudité des antiques.

Je cherche à me traduire ce mot de *vivant* que je sens venir sans cesse sur mes lèvres lorsque je vois les figures de la Renaissance ; je viens de le retrouver encore en regardant, de l'autre côté du palais, la fontaine d'Ammanati. Ce sont des Tritons nus, des Néréides sveltes, avec une tête trop petite, de grandes formes allongées et en mouvement, comme les figures de Rosso et du Primatice. Sans doute il est clair que l'art déchoit et devient maniéré, qu'il outre la désinvolture et l'étalage des membres, qu'il altère les proportions pour accroître l'élan et l'élégance du corps. Et pourtant ces figures sont de la même famille que les autres, et vivent comme elles ; je veux dire qu'elles jouissent librement et sans arrière-pensée de la vie corporelle, qu'elles sont contentes d'étendre ou de dresser leurs jambes, de se renverser à demi, de se déployer en superbes animaux. Les Tritons ont une bestialité toute joviale : on ne peut pas être plus franchement nu, avoir plus d'effronterie sans bassesse. Ils se cambrent, s'accrochent, font saillir leurs muscles ; on sent que cela leur suffit, qu'il suffit à ce beau jeune homme de se poser fièrement en tenant une corne d'abondance, que cette nymphe sans vêtements et sans action ne dépasse point par sa pensée son état d'animal superbe. Il n'y a point ici de symboles philosophiques, ni d'expressions pensives. Le sculpteur laisse aux têtes la physionomie simple et terne de la créature primitive ; le corps et la pose sont tout pour lui. Il reste dans les limites de son art, qui pour tout domaine a les membres et ne peut, après tout, qu'agencer des troncs, des cuisses et des nuques ; par cette harmonie involontaire de sa pensée et de ses ressources, il anime son bronze, et faute de cette harmonie nous n'en savons plus faire autant.

On veut voir les commencements de cette Renaissance ; du Palais-Vieux, on va au Dôme. L'une et l'autre sont le double cœur de Florence, tel qu'il a battu au Moyen Âge, l'un pour la politique, l'autre pour la religion, tous les deux si bien unis qu'ils n'en faisaient qu'un seul. Rien de plus noble que le décret public rendu en 1294 pour construire la cathédrale de la nation : « Attendu qu'il est de la souveraine prudence d'un peuple de grande origine de procéder en ses affaires de telle façon que par ses œuvres extérieures se reconnaisse non moins la sagesse que la magnanimité de sa conduite, il est ordonné à Arnolfo, maître architecte de notre commune, de faire les modèles ou dessins pour la rénovation de Santa Maria Reparata avec la plus haute et la plus prodigue magnificence, afin que l'industrie et la puissance des hommes n'inventent ni ne puissent jamais entreprendre quoi que ce soit de plus vaste et de plus beau ; selon ce que les citoyens les plus sages ont dit et conseillé en séance publique et en comité secret, à savoir qu'on ne doit pas mettre la main aux ouvrages de la commune, si l'on n'a pas le projet de les faire correspondre à la grande âme que composent les âmes de tous les citoyens unis dans une même volonté. » Dans cette ample phrase respire l'orgueil grandiose et le patriotisme passionné des républiques anciennes. Athènes sous Périclès, Rome sous le premier Scipion n'avaient pas des sentiments plus fiers. À chaque pas, ici comme ailleurs, dans les textes et les monuments, on retrouve, en Italie, les traces, le renouvellement, l'esprit de l'Antiquité classique.

Voyons donc ce célèbre Dôme ; la difficulté est de le voir. Il est sur un sol plat, et pour que l'œil pût embrasser sa masse, il faudrait abattre trois cents maisons. En ceci apparaît le défaut des grandes constructions du Moyen Âge ; même aujourd'hui, après tant d'éclaircies pratiquées par les démolisseurs modernes, la plupart des cathédrales ne sont visibles que sur le papier. Le spectateur en saisit un fragment, un pan, une façade ; mais l'ensemble lui échappe ; l'œuvre de l'homme n'est plus proportionnée aux organes de l'homme. Il n'en était point de même dans l'Antiquité ; les temples étaient petits ou médiocres, presque toujours placés sur une éminence ; de vingt endroits on pouvait saisir leur forme générale et leur profil complet. À partir du christianisme, les conceptions de l'homme ont outrepassé ses forces, et l'ambition de l'esprit n'a plus tenu compte des limitations du corps. L'équilibre s'est rompu dans la machine humaine ; avec l'oubli de la mesure, le goût de la bizarrerie s'est établi. Sans raison, sans symétrie, on a posé des campaniles ou des crochets, comme un pieu isolé, en avant ou à côté des cathédrales ; il y en a un à côté du Dôme, et il faut que cette altération de l'harmonie humaine fût bien forte, puisque ici même, parmi tant de traditions latines et d'aptitudes classiques, elle se fait sentir.

Pour le reste, sauf les arcades ogivales, le monument n'est pas gothique, il est byzantin, ou plutôt original : c'est une créature d'une forme nouvelle et mixte comme la civilisation nouvelle et mélangée dont elle est l'enfant. On y sent la force et l'invention, avec une pointe d'étrangeté et de fantaisie. Des murs pleins d'une grandeur énorme se développent ou se renflent sans que les rares fenêtres viennent évider leur masse ou affaiblir leur solidité. Point d'arcs-boutants ; ils se soutiennent par eux-mêmes. Des panneaux de marbre tour à tour jaunes et noirs les revêtent d'une marqueterie luisante, et des courbes d'arches engagées dans leurs massifs apparaissent comme une robuste ossature sous une peau. La croix latine que figure l'édifice se contracte à la tête, et le chevet, les transepts se pelotonnent en bourrelets, en rondeurs, en petits dômes au dos de l'église pour accompagner le grand dôme qui monte au-dessus du chœur, et ce dôme, ouvrage de Brunelleschi, plus neuf et plus fruste que celui de Saint-Pierre, porte en l'air à une hauteur étonnante sa forme allongée, ses huit pans, sa lanterne pointue. Mais comment rendre avec des paroles la physionomie d'une église ? Elle en a une cependant : toutes ses portions apparaissant ensemble se combinant en un seul accord et un seul effet. Regarde des plans, de vieilles estampes, tu sentiras la bizarre et saisissante harmonie de ces grands murs romains plaqués de bigarrures orientales, de ces ogives gothiques arrangées en coupoles byzantines, de ces colonnettes italiennes faisant cercle au-dessus d'une bordure de caissons grecs, de cet assemblage de toutes les formes, pointues, renflées, carrées, oblongues, circulaires, octogonales ; l'Antiquité, grecque et latine, l'Orient byzantin et sarrasin, le Moyen Âge germanique et italien, tout le passé ébréché, amalgamé, transformé, semble alors avoir bouilli de nouveau dans la fournaise humaine, pour se couler en nouvelles formes, sous la main des nouveaux génies, Giotto, Arnolfo, Brunelleschi et Dante.

Ici l'œuvre est inachevée, et la réussite n'est pas complète. La façade n'a pas été construite ; on n'en voit qu'un grand mur nu, écorché, comme un emplâtre de lépreux. Point de jour à l'intérieur ; une ligne de petites baies rondes, quelques fenêtres jettent un jour gris dans l'immensité de l'édifice : il est nu, et le ton argileux dont il est peint attriste l'œil de sa monotonie blafarde. Une *Piétà* de Michel-Ange, quelques statues semblent des ombres ; les bas-reliefs ne sont qu'un fouillis vague. L'architecte incertain entre le goût du Moyen Âge et le goût de l'Antiquité, n'a trouvé entre la lumière colorée et la lumière claire qu'une lumière morte.

Plus on regarde les œuvres de l'architecture, plus on les trouve propres à exprimer l'esprit le plus général d'une époque. Voici sur le flanc du Dôme le Campanile de Giotto, debout, isolé, comme le Saint-Michel de Bordeaux ou la tour Saint-Jacques de Paris : en effet, l'homme du moyen âge aime à bâtir en hauteur ; il vise vers le ciel, ses hauteurs s'effilent en cimes aiguës ; si celui-ci eût été achevé, un clocher de trente pieds eût surmonté la tour, qui en a deux cent cinquante. Jusqu'ici, l'architecte d'outre-mont et l'architecte italien suivent le même instinct et contentent le même penchant ; mais tandis que l'homme du Nord, franchement gothique, brode sa tour de nervures délicates, de fleurons compliqués, d'une dentelle de pierre infiniment multipliée et entrecroisée, l'homme du Midi, à demi latin par ses tendances et ses réminiscences, dresse un pilier carré, fort et plein, dans lequel l'ornement ménagé n'efface point la structure générale, qui n'est pas un frêle bijou sculpté, mais un solide monument durable, que son revêtement de marbres rouges, noirs et blancs entoure d'un luxe royal, qui, par ses saines et vivantes statues, par ses bas-reliefs encadrés de médaillons, rappelle les frises et les frontons d'un temple antique. Dans ces médaillons, Giotto a dessiné les principaux moments de la civilisation humaine, les traditions de la Grèce près de celles de la Judée, Adam, Tubalcaïn, Noé, Dédale, Hercule et Antée, le labourage inventé, le cheval dompté, les arts et les sciences découverts ; l'esprit laïque et philosophique vit librement chez lui, côte à côte avec l'esprit théologique et religieux. Ne voit-on pas déjà dans cette Renaissance du quatorzième siècle la Renaissance du seizième ? Pour passer de l'une à l'autre, il suffira que le premier esprit prenne l'ascendant sur le second ; au bout de cent ans, dans le revêtement de l'édifice, dans ces statues de Donatello, dans ce *chauve* si expressif, dans le sentiment de la vie réelle et naturelle qui éclate chez les orfèvres et chez les sculpteurs, on verra la preuve que la transformation commencée sous Giotto est déjà faite.

On ne peut faire un pas sans rencontrer un signe de cette persistance ou de cette précocité de l'esprit latin et classique. En face du Dôme est le Baptistère, qui d'abord servait d'église, sorte de temple octogone et surmonté d'une coupole, bâti certainement sur le modèle du Panthéon de Rome, et qui, au témoignage d'un évêque contemporain, déjà au huitième siècle élevait dans l'air les pompeuses rondeurs de ses formes impériales. Voilà donc aux temps les plus barbares du Moyen Âge une continuation, une rénovation, ou tout au moins une imitation de l'architecture romaine. On entre et l'on aperçoit une décoration qui n'a rien de gothique, un pourtour de colonnes corinthiennes en marbre précieux, au-dessus d'elles un cercle de colonnes plus petites surmontées d'arcades plus hautes, sur la voûte une légion de saints et d'anges qui peuplent tout l'espace et se pressent sur quatre rangs autour d'un grand Christ byzantin, maigre, éteint et triste. Ce sont là, aux trois étages superposés, les trois déformations graduelles de l'art antique ; mais déformé ou intact, c'est toujours l'art antique. Ce trait est capital pour toute l'histoire de l'Italie : elle n'est point devenue germanique. Au dixième siècle, le Romain avili subsistait distinct et intact en face du barbare orgueilleux, et l'évêque Luitprand écrivait : « Nous autres Lombards, de même que les Saxons, les Francs, les Lorrains, les Bavarois, les Souabes et les Bourguignons, nous méprisons si fort le nom romain que, dans notre colère, nous ne savons pas offenser nos ennemis par une plus forte injure qu'en les appelant des Romains, car par ce nom seul nous comprenons tout ce qu'il y a d'ignoble, de timide, d'avare, de luxurieux, de mensonger, tous les vices enfin. » Au douzième siècle, les Allemands de Frédéric Barberousse, comptant trouver dans les Lombards des hommes de la même race qu'eux, s'étonnaient de les voir tellement latinisés, « ayant quitté l'âpreté de la sauvagerie barbare et pris dans les influences de l'air et du sol quelque chose de la finesse et de la douceur romaines, ayant gardé l'élégance de la langue et l'urbanité des mœurs antiques, imitant jusque dans leurs cités et dans le gouvernement de leurs affaires publiques l'habileté des anciens Romains[1] ». Jusqu'au treizième siècle, ils continuent à parler latin ; saint Antoine de Padoue prêche en latin ; le peuple qui jargonne l'italien naissant, entend toujours la langue littéraire[2] comme un paysan du Berri ou de la Bourgogne que son patois campagnard n'empêche pas de comprendre le prône correct de son curé. Les deux grandes inventions féodales, l'architecture gothique et les poèmes chevaleresques, n'entrent chez eux que tardivement et par importation. Dante dit que jusqu'en 1313 aucun Italien n'avait écrit de poème chevaleresque ; on traduisait ceux de France ou on les lisait en provençal. Les seuls monuments gothiques de l'Italie, Assise et le dôme de Milan, sont bâtis par des étrangers. Au fond et sous des altérations extérieures ou temporaires, la structure latine du pays demeure complète, et au seizième siècle l'enveloppe chrétienne et féodale tombera d'elle-même pour laisser reparaître le paganisme sensuel et noble qui n'avait jamais été détruit.

On n'eut pas besoin d'attendre jusque-là. La sculpture, qui une première fois, sous Nicolas de Pise, avait devancé la peinture, la devança encore une fois au quinzième siècle, et l'on peut voir sur les portes mêmes du Baptistère avec quelle perfection subite et quel éclat. Trois hommes alors apparaissent ensemble, Brunelleschi, l'architecte du Dôme, Donatello, qui décora le campanile de ses statues, Ghiberti, qui fit les deux portes[3], tous les trois amis et rivaux, tous les trois ayant commencé par l'orfèvrerie et l'observation du corps vivant, tous les trois passionnés pour l'antique, Brunelleschi dessinant et mesurant les monuments romains, Donatello copiant à Rome les bas-reliefs et les statues, Ghiberti faisant venir de Grèce des torses, des vases, des têtes qu'il restaurait, qu'il imitait et qu'il adorait. « Il n'est pas possible, disait-il en parlant d'une statue antique, d'en exprimer la perfection avec

1. Otho de Freysingen.
2. *Litteraliter* et *sapienter*, opposé à *maternaliter*.
3. Le premier né en 1377, le second en 1386, le troisième en 1381.

des mots... Elle a des suavités infinies que l'œil seul ne comprend pas ; la main seule les découvre par le toucher. » Et il rappelait avec douleur les grandes persécutions par lesquelles, sous Constantin, « toutes les statues et les peintures qui respiraient tant de noblesse et de parfaite dignité furent renversées et mises en pièces, outre les châtiments sévères dont on menaça quiconque en ferait de nouvelles, ce qui amena l'extraction de l'art et des doctrines qui s'y rattachent ». Quand on sent aussi vivement la perfection classique, on n'est pas loin d'y atteindre. Vers 1400, à l'âge de vingt-trois ans, après un concours d'où Brunelleschi se retire en lui décernant le prix, il obtient de fabriquer les deux portes, et l'on voit renaître sous sa main la pure beauté grecque, non pas seulement l'imitation énergique du corps réel comme l'entend Donatello, mais le goût de la forme idéale et accomplie. Il y a dans ses bas-reliefs vingt figures de femmes, qui par la noblesse de leur taille et de leur tête, par la simplicité et le développement tranquille de leur attitude, semblent des chefs-d'œuvre athéniens. Elles ne sont point trop allongées comme chez les successeurs de Michel-Ange, ni trop fortes comme les trois Grâces de Raphaël. Son Ève qui vient de naître et qui, penchée, lève ses grands yeux calmes vers le Créateur est une nymphe primitive, vierge et naïve, en qui sommeillent et s'éveillent tout à la fois les instincts équilibrés. La même dignité et la même harmonie agencent les groupes et disposent les scènes. Des processions se déploient et tournent comme autour d'une vase ; des personnages, des foules s'opposent et se relient comme dans un chœur antique ; les formes symétriques de l'architecture ancienne ordonnent autour des colonnades les figures mâles et graves, les draperies tombantes, les attitudes variées, choisies et modérées de la belle tragédie qui s'accomplit sous leurs portiques. Tel jeune guerrier semble un Alcibiade ; devant lui marche un consulaire romain ; de florissantes jeunes femmes, d'une fraîcheur et d'une force incomparables, se tournent à demi, regardant, étendant un bras, l'une semblable à une Junon, l'autre pareille à une amazone, toutes saisies dans un de ces moments rares où la noblesse de la vie corporelle atteint sans effort ni réflexion sa plénitude et son achèvement. Quand la passion soulève les muscles et plisse les visages, c'est sans les déformer ni les grimer ; le sculpteur florentin, comme jadis le poète grec, ne lui permet point d'aller jusqu'au bout de sa course ; il la soumet à la mesure et subordonne l'expression à la beauté. Il ne veut pas que le spectateur soit troublé par l'étalage de la violence crue, ni emporté par la vivacité frémissante du geste impétueux saisi au vol. Pour lui, l'art est une harmonie qui purifie l'émotion pour assainir l'âme. Aucun homme, sauf Raphaël, n'a mieux retrouvé ce moment unique de l'invention naturelle et choisie, moment précieux où l'œuvre d'art sans intention devient une œuvre de morale. L'*École d'Athènes*, les loges du Vatican semblent de la même école que la porte du Baptistère, et, pour achever la ressemblance, Ghiberti manie le bronze comme ferait un peintre ; par l'abondance des personnages, par l'intérêt des scènes, par la grandeur des paysages, par l'emploi de la perspective, par la variété et la dégradation des plans successifs qui se reculent et qui s'enfoncent, ses sculptures sont presque des tableaux. Mais le vent du nord souffle entre les masses de pierres, comme dans un défilé de montagnes, et lorsqu'on a manié une demi-heure sa lorgnette sous la bise, on quitte Ghiberti lui-même pour une mauvaise tasse de café dans une mauvaise auberge.

Extrait du *Voyage en Italie.*

MARCEL SCHWOB

Paolo Uccello, peintre

Il se nommait vraiment Paolo di Dono ; mais les Florentins l'appelèrent Uccelli, ou Paul les Oiseaux, à cause du grand nombre d'oiseaux figurés et de bêtes peintes qui remplissaient sa maison : car il était trop pauvre pour nourrir des animaux ou pour se procurer ceux qu'il ne connaissait point. On dit même qu'à Padoue il exécuta une fresque des quatre éléments, et qu'il donna pour attribut à l'air l'image du caméléon. Mais il n'en avait jamais vu, de sorte qu'il représenta un chameau ventru qui a la gueule bée. (Or le caméléon, explique Vasari, est semblable à un petit lézard sec, au lieu que le chameau est une grande bête dégingandée.) Car Uccello ne se souciait point de la réalité des choses, mais de leur multiplicité et de l'infini des lignes ; de sorte qu'il fit des champs bleus, et des cités rouges, et des cavaliers vêtus d'armures noires sur des chevaux d'ébène dont la bouche est enflammée, et des lances dirigées comme des rayons de lumière vers tous les points du ciel. Et il avait coutume de dessiner des *mazocchi*, qui sont des cercles de bois recouvert de drap que l'on place sur la tête, de façon que les plis de l'étoffe rejetée entourent tout le visage. Uccello en figura de pointus, d'autres carrés, d'autres à facettes, disposés en pyramides et en cônes, suivant toutes les apparences de la perspective, si bien qu'il trouvait un monde de combinaisons dans les replis du *mazocchio.* Et le sculpteur Donatello lui disait : « Ah ! Paolo, tu laisses la substance pour l'ombre ! »

Mais l'Oiseau continuait son œuvre patiente, et il assemblait les cercles, et il divisait les angles, et il examinait toutes les créatures sous tous leurs aspects, et il allait demander l'interprétation des problèmes d'Euclide à son ami le mathématicien Giovanni Manetti ; puis il s'enfermait et couvrait ses parchemins et ses bois de points et de courbes. Il s'employa perpétuellement à l'étude de l'architecture, en quoi il se fit aider par Filippo Brunelleschi ; mais ce n'était point dans l'intention de construire. Il se bornait à remarquer les directions des lignes, depuis les fondations jusqu'aux corniches, et la convergence des droites à leurs intersections, et la manière dont les voûtes tournaient à leurs clefs, et le raccourci en éventail des poutres de plafond qui semblaient s'unir à l'extrémité des longues salles. Il représentait aussi toutes les bêtes et leurs mouvements, et les gestes des hommes afin de les réduire en lignes simples.

Ensuite, semblable à l'alchimiste qui se penchait sur les mélanges de métaux et d'organes et qui épiait leur fusion à son fourneau pour trouver l'or, Uccello versait toutes les formes dans le creuset des formes. Il les réunissait, et les combinait, et les fondait, afin d'obtenir leur transmutation dans la forme simple, d'où dépendent toutes les autres. Voilà pourquoi Paolo Uccello vécut comme un alchimiste au fond de sa petite maison. Il crut qu'il pourrait muer toutes les lignes en un seul aspect idéal. Il voulut concevoir l'univers créé ainsi qu'il se reflétait dans l'œil de Dieu, qui voit jaillir toutes les figures hors d'un centre complexe. Autour de lui vivaient Ghiberti, della Robbia, Brunelleschi, Donatello, chacun orgueilleux et maître de son art, raillant le pauvre Uccello, et sa folie de la perspective, plaignant sa maison pleine d'araignées, vide de provisions ; mais Uccello était plus orgueilleux encore. À chaque nouvelle combinaison de lignes, il espérait avoir découvert le mode de créer. Ce n'était pas l'imitation où il mettait son but, mais la puissance de développer souverainement toutes choses, et l'étrange série de chaperons à plis lui semblait plus révélatrice que les magnifiques figures de marbre du grand Donatello.

Ainsi vivait l'Oiseau, et sa tête pensive était enveloppée dans sa cape ; et il ne s'apercevait ni de ce qu'il mangeait ni de ce qu'il buvait, mais il était entièrement pareil à un ermite. En sorte que dans une prairie, près d'un cercle de vieilles pierres enfoncées parmi l'herbe, il aperçut un jour une jeune fille qui riait, la tête ceinte d'une guirlande. Elle portait une longue robe délicate soutenue aux reins par un ruban pâle, et ses mouvements étaient souples comme les tiges qu'elle courbait. Son nom était Selvaggia, et elle sourit à Uccello. Il nota la flexion de son sourire. Et quand elle le regarda, il vit toutes les petites lignes de ses cils, et les cercles de ses prunelles, et la courbe de ses paupières, et les enlacements subtils de ses cheveux, et il fit décrire dans sa pensée à la guirlande qui ceignait son front une multitude de positions. Mais Selvaggia ne sut rien de cela, parce qu'elle avait seulement treize ans. Elle prit Uccello par la main et elle l'aima. C'était la fille d'un teinturier de Florence, et sa mère était morte. Une autre femme était venue clans la maison, et elle avait battu Selvaggia, Uccello la ramena chez lui.

Selvaggia demeurait accroupie tout le jour devant la muraille sur laquelle Uccello traçait les formes universelles. Jamais elle ne comprit pourquoi il préférait considérer des lignes droites et des lignes arquées à regarder la tendre figure qui se levait vers lui. Le soir, quand Brunelleschi ou Manetti venaient étudier avec Uccello, elle s'endormait, après minuit, au pied des droites entrecroisées, dans le cercle d'ombre qui s'étendait sous la lampe. Le matin, elle s'éveillait, avant Uccello, et se réjouissait parce qu'elle était entourée d'oiseaux peints et de bêtes de couleur. Uccello dessina ses lèvres, et ses yeux, et ses cheveux, et ses mains, et fixa toutes les attitudes de son corps ; mais il ne fit point son portrait, ainsi que faisaient les autres peintres qui aimaient une femme. Car l'oiseau ne connaissait pas la joie de se limiter à l'individu ; il ne demeurait point en un seul endroit : il voulait planer, dans son vol, au-dessus de tous les endroits. Et les formes des attitudes de Selvaggia furent jetées au creuset des formes, avec tous les mouvements des bêtes, et les lignes des plantes et des pierres, et les rais de la lumière, et les ondulations des vapeurs terrestres et des vagues de la mer. Et sans se souvenir de Selvaggia, Uccello paraissait demeurer éternellement penché sur le creuset des formes.

Cependant il n'y avait point à manger dans la maison d'Uccello. Selvaggia n'osait le dire à Donatello ni aux autres. Elle se tut et mourut. Uccello représenta le roidissement de son corps, et l'union de ses petites mains maigres, et la ligne de ses pauvres yeux fermés. Il ne sut pas qu'elle était morte, de même qu'il n'avait pas su si elle était vivante. Mais il jeta ces nouvelles formes parmi toutes celles qu'il avait rassemblées.

L'Oiseau devint vieux, et personne ne comprenait plus ses tableaux. On n'y voyait qu'une confusion de courbes. On ne reconnaissait plus ni la terre, ni les plantes, ni les animaux, ni les hommes. Depuis de longues années, il travaillait à son œuvre suprême, qu'il cachait à tous les yeux. Elle devait embrasser toutes ses recherches, et elle en était l'image dans sa conception. C'était saint Thomas incrédule, tentant la plaie du Christ. Uccello termina son tableau à quatre-vingts ans. Il fit venir Donatello, et le découvrit pieusement devant lui. Et Donatello s'écria : « Ô Paolo, recouvre ton tableau ! » L'Oiseau interrogea le grand sculpteur : mais il ne voulut dire autre chose. De sorte qu'Uccello connut qu'il avait accompli le miracle. Mais Donatello n'avait vu qu'un fouillis de lignes.

Et quelques années plus tard, on trouva Paolo Uccello mort d'épuisement sur son grabat. Son visage était rayonnant de rides. Ses yeux étaient fixés sur le mystère révélé. Il tenait dans sa main strictement refermée un petit rond de parchemin couvert d'entrelacements qui allaient du centre à la circonférence et qui retournaient de la circonférence au centre.

Extrait des *Vies imaginaires.*

Edmond et Jules de Goncourt

Florence, Livourne et Sienne

Ville toute anglaise, où les palais sont presque du triste noir de la ville de Londres, et où tout semble sourire aux Anglais, et en première ligne le *Moniteur Toscan*, qui ne s'occupe que des choses de la Grande-Bretagne. Ville, où les trois quarts des rues sentent mauvais, où les femmes ont sur la tête des paillassons pour chapeaux, où l'Arno, quand il a de l'eau, a de l'eau couleur café au lait, où les quais sont une exposition de *ritirate*, où la place ducale a l'air d'un déballage d'antiquités, où il fait une humidité puante, laissant le corps sans ressort – une ville qui n'a pour elle que le bon marché de la vie, et le merveilleux musée des Uffizi.

Déjeuner chez Donnet, un café qui tient la place à Florence du café de Paris, chez nous. Là, une tasse de chocolat, avec un pain grillé et un rond de beurre, le déjeuner du pays, coûte un demi paul : cinq sous et demi.

Dans ce café, un type : le fleurisseur de la boutonnière des gens, le marchand de camélias.

Un glabre, à la figure chafouine, avec deux maigres bouquets de poils de barbe, en forme de papillotes, près des oreilles, le cou enveloppé d'un cache-nez sans couleur, le corps dans le veston râpé d'un jockey anglais : un être gris et mystérieux, vous faisant l'effet de l'eunuque d'un sérail de fleurs, quand il vient à vous, un bouquet de camélias blancs dans une main, et sous un bras, un grand panier évasé, d'où se penchent en dehors toutes les voluptueuses nuances de chair des camélias *carné*, des camélias, comme éclaboussés de gouttelettes de sang de Vénus.

San Miniato.

Derrière soi, les toits bruns de Florence, sur lesquels dominent la tour carrée du Palais Ducal, et la coupole du Dôme, avec sur la gauche, un poudroiement dans lequel se voit un pâle soleil sur les eaux jaunes de l'Arno, se tordant comme un serpent boueux vers la villa Demidoff, aux serres miroitantes.

Devant soi, une montée en ligne droite, entre des cyprès, à travers une campagne bossuée, maigrement recouverte de la verdure grêle et grise des oliviers. Au delà, des rampes de terrains, qui ont bu le sang de l'armée de Catilina, et qui ont la couleur de bête fauve, que Salvator Rosa étale sous la mêlée de ses batailles. Tout au fond, des montagnes noires, amoncelées les unes contre les autres, détachant durement la tourmente de leurs lignes sur l'argent d'un ciel, où courent de longs nuages déchiquetés, ayant l'air d'une cavalcade fantastique, aux sabots chevelus de chevaux aériens.

Un paysage sévère, morose, austère. Et çà et là, le blanc d'une villa éclatant, comme le blanc d'une carrière de marbre qu'on exploite, à côté d'une tache sombre, qui est un petit bois de chênes verts, abritant le *frigus opacum* de Virgile.

Les villas, ces blanches demeures, dans la noire verdure du *leccio* (chêne vert), font la riante ceinture de Florence, et presque toutes ont une histoire.

C'est la villa Careggi, élevée par Cosme le Vieux, et où fut ressuscitée la philosophie platonicienne, par Marcille Ficin, installé là, par le vieux duc, en souvenir de l'Académie de Platon, établie dans les jardins suburbains d'Athènes, pour assurer la tranquillité et le travail de son philosophe, tout entouré, en ce palais campagnard, de manuscrits grecs achetés à grands frais.

Et cette royale protection, le grand Cosme mort, était continuée à Ficin par Laurent le Magnifique, qui appelait autour de lui Cristoforo Landini, Pico della Mirandola, Giovanni Cavalcanti, Angelo Poliziano, le prince des lettres grecques et latines : académie commentant Platon, Jamblique, Proclus, dans les jardins de la villa, et les petits sentiers des collines ; académie, dont les membres étaient au nombre des Muses, et où dans un *convito platonico*, le rhétoricien Bernardo Nutti, après la desserte de la table, ouvrait le *Convito d'Amore* de Platon, et l'expliquait.

Et ce sont encore :

La villa Salviati, achetée par Mario et la Grisi, et où l'on croit qu'ils ne sont jamais venus.

La villa Pazzi, une villa ressemblant à une forteresse, et où a eu lieu la fameuse conspiration.

La villa Palmieri, le long du torrent Mugnone, où, pendant la peste de Florence, Boccace, réfugié dans une compagnie de jeunes gens et de jolies femmes, écrivait le *Décaméron*.

La villa, ou plutôt un ensemble de maisons appelé « la Cure », également située sur le bord de la Mugnone, où le Dante se retirait pendant ses souffrances.

La villa qu'on désignait sous le nom de Poggio imperiale, où sont les deux curieuses statues de l'Arno et de l'Arbia tenant un vase, d'où tombe l'eau qui alimente les viviers.

Enfin la villa Brunelleschi, aujourd'hui la villa della Petraja, qui peut être considérée comme le type de la villa florentine, en son aspect un peu rustique.

Une grande maison aux volets verts, aux toits de tuile, que surmonte une grosse tour carrée, aux serres faites de paillassons, protégeant des camélias en arbres, tout fleuris de couleurs tendres, au milieu d'un bois de chênes verts, où pendent des lianes centenaires et des sapins dressant leurs pyramides vertes, que le soleil dore des tons de la vieille mousse.

Une seule chose là-dedans sentant l'habitation souveraine. Une fontaine du Tribolo, le fontainier artiste, qui a fait presque toutes les fontaines des environs : une fontaine de marbre blanc, veiné de rose, où des amours, pliant sous des festons de fleurs, courent autour de la vasque, et où tout en haut des sveltesses coquettes du monument, élancé comme un mât enrubanné de sculptures, une Vénus debout, fait pleuvoir dans le bassin les perles tombantes de ses cheveux de bronze, qu'elle tord.

Et ces villas, ces frais endroits de repos et de plaisir, ont pour ainsi dire une paroisse attitrée, la petite église de Saint-Dominique, où, après une prière, les élégants et les élégantes vont, de villa en villa, danser et chanter. (...)

Le grand-duc qui règne à Florence aime son peuple, comme peuvent seulement aimer leurs peuples, les petits souverains qui connaissent à peu près tous leurs sujets de nom ou de figure, et qu'ils regardent comme une intéressante collection d'individus, dont ils sont propriétaires ; aussi a-t-il toujours, comme sur les lèvres, en face de son peuple : « Divertis-toi, je t'en supplie humblement ! » et pour l'encourager en ses joies, on le voit mettre le feu à tous les feux d'artifice, chauffer de ses applaudissements toutes les pièces des théâtres populaires, et prendre la file au carnaval, avec ses carrosses dorés.

Et, aux mauvais jours, quand ce fleuve sans eau, qui a eu cependant, du douzième siècle au dix-huitième, 54 grandes inondations, et 24 petites, quand l'Arno fait mine de monter, on peut le voir, le premier levé de Florence, accompagné de son parapluie, examiner de la berge, d'un œil anxieux pour son peuple, la montée du fleuve de ses États.

Un souverain si peu absolu, ce Léopold II, que lorsque la danseuse Fuoco, ne faisait pas sa visite d'usage, pour solliciter sa présence au théâtre, où elle dansait, et tenait d'insolents propos, pour motiver cette abstention, il se contentait de dire : « Elle me boude, nous verrons qui cédera ! » – et il allait voir le stenterello de *Bosgognissanti.*

Oh ! rien d'autoritaire en cette cour, où tout le temps d'une représentation, la souveraine le passait à cacher avec son éventail, une jeune personne, que l'héritier présomptif était accusé de regarder.

Et dans cette famille grand-ducale, la curieuse et bourgeoise histoire, que l'histoire de cette invitation à flirter de l'ambassadeur d'Angleterre, un vendredi, adressée à l'héritier présomptif : invitation qui amenait un conseil de famille, puis un conseil des ministres, où était agitée la proposition de corrompre le cuisinier de l'ambassade, pour en obtenir le menu du dîner... Enfin l'héritier présomptif se risquait à la grâce de Dieu. Le dîner était gras, et l'héritier présomptif réduit à ne toucher qu'à deux plats, mais ce dîner faisait plus intimes les relations de la Toscane avec la Grande-Bretagne. (...)

Oui vraiment, la pierre est triste à Florence. – Les revêtements du Dôme et du Campanile, sous l'influence du mauvais goût polychrome de la Renaissance, ressemblant aux boîtes indiennes, à leur géométrique marqueterie sur bois de santal ; – des palais-forteresses, à l'aspect de geôles énormes, aux murailles massives trouées de rares et étroites fenêtres, et avec ces torchères extérieures pour l'attache des flambeaux de résine, surmontées d'un éventail de sabres ou de feuilles de cactus en fer, sur lesquelles la légende raconte qu'autrefois on piquait des têtes. Mais qui donnera l'explication de cette pierre de Florence qui, au lieu d'avoir le ton doré des vieilles constructions des villes du soleil, a le ton froid et triste d'une ville de brouillard ?

D'anciennes maisons, comme la maison de Bianca Capello, encore plus lugubres que les palais : des maisons à l'ornementation de la façade, appelée *sgrafita*, où des figures et des arabesques, des sirènes et des cornes d'abondance fleuries, sont faites de lignes creuses, qu'on remplit de noir, à l'imitation d'une gravure sur ivoire : de vraies maisons demi-deuil.

Le Marché-Vieux, autour duquel dans le vieux passé de Florence, se sont élevées les maisons des plus illustres, des plus considérables familles de la ville, des Tosinghi, des Nerli, des Amieri, des Torna Quinci, des Arigucci, des Pegoletti, palais dans lesquels ces illustres Florentins, il faut le dire, vivaient frugalement et économiquement de légumes et de fruits. Oh ! en cette ville, chez les grands, la chère était maigre. Le nouvelliste Franco Sacchetti donne un détail de cette frugalité, quand il décrit le dîner donné par le gonfalonier à un célèbre médecin, consistant en un ventre de veau, de *starne* (perdreaux), bouillis, des *sardelle* (sardines) *in umido*.

Les archives des grandes familles font preuve de la modicité des dépenses pour la bouche et l'estomac, et dans la nourriture florentine d'alors les confitures jouent le grand rôle.

Un jour, la seigneurie faisant un édit somptuaire contre les banquets et voulant donner l'exemple, déclare que la table de la seigneurie ne pourra faire servir plus de deux onces de sucreries, et plus de trois onces, quand il y aura des étrangers. Et tout Florentin, quel qu'il fût, à moins qu'il n'eût du monde de dehors, ne pouvait, les jours maigres, avoir plus de deux plats de poissons, et les jours gras, plus de deux plats de viande, et s'il y avait plusieurs viandes dans le bouillon ou dans le rôti, elles devaient être servies sur un seul plat.

Et la collation du matin ne pouvait être composée que de *pinocchiato*, de *marmellata*, de *zucca confetta*, (gâteaux de pignons de pins avec confitures) ne dépassant pas deux onces par personne.

Du reste, cette parcimonie de la nourriture, qui existe encore un peu de l'autre côté des Alpes, était dans ce temps générale en Italie. Ricobaldo, qui écrivait au treizième siècle, termine l'histoire des Ferrare par un tableau de mœurs, dont je détache ces lignes :

« Le mari et la femme mangeaient au même plat, sans assiettes, dont l'usage était encore ignoré. Un ou deux gobelets suffisaient pour toute une maison. Ils soupaient à la lumière d'une lampe, l'usage des chandelles et des bougies n'étant pas connu... Quant à la table, le peuple ne mangeait de la viande fraîche que trois fois la semaine, il vivait à dîner d'herbes cuites, avec cette viande que l'on mangeait froide à souper. Il n'y avait que les plus riches qui buvaient du vin, en été. On ne tenait en réserve dans les celliers et les greniers que le plus étroit nécessaire. » (...)

En ce pays de ferronnerie artistique garnissant les angles des palais, de torchères faites par des chimères ou des êtres fantastiques, sous lesquelles d'ordinaire est un anneau admirablement travaillé, l'anneau où s'attachaient les mules des visiteurs, le souvenir s'est conservé d'un célèbre ouvrier en fer, de Niccolò Grosso Caparra, qui fit les magnifiques ferrures du palais Strozzi.

Un original artiste, qui n'entendait faire crédit à personne, quelque puissante que cette personne fût, et voulait de suite la *caparra* (le dépôt de l'argent), d'où le nom lui avait été donné par Laurent de Médicis, allant lui faire une commande lui-même, et ne pouvant obtenir, qu'il abandonnât un travail, qu'il avait commencé pour de petites gens, mais qui l'avaient payé d'avance.

Il avait fait appliquer sur sa boutique une enseigne où l'on voyait des livres qui brûlaient, et quand quelqu'un lui demandait du temps pour le payer, il lui répondait, en montrant son enseigne : « Ça m'est impossible, vous voyez, mes livres sont brûlés, *non posso più iscrivere debitori* (je ne peux plus inscrire de débiteurs). »

En qualité de catholique fervent, il ne voulut jamais travailler pour les juifs, disant que leur argent était fratricide et *putivano*, et en dépit de son amour de l'argent, il ne consentit jamais à quitter Florence, quelques magnifiques offres que lui firent les autres villes d'Italie.

Bals de la cour.

Un grand salon blanc. Deux immenses ifs de lumière s'élevant contre le mur du fond, où courent des guirlandes de fleurs. L'orchestre dans trois travées. De vieux et gras domestiques, aux têtes d'empereurs romains de la décadence, avec une perruque, retroussée par derrière en une queue de Janot, et des gardes du corps, dans des culottes de peau, sous de magnifiques habits rouges.

À droite et à gauche se pressent et s'entassent les personnes qui doivent être présentées : groupes à tout moment traversés par les ambassadeurs, à la recherche de leurs nationaux, et guidés par leurs chanceliers, comme des aveugles guidés par un caniche.

Le grand-duc entre, puis la grande-duchesse, puis la duchesse douairière, puis le duc héréditaire.

Le grand-duc est poivre et sel, et a l'air d'un vieux général autrichien ; il scrute les gens du regard, grimace, comme affecté désagréablement de leur présence, et se dérobe à leur curiosité, derrière sa femme.

La grande-duchesse est une forte femme, au front court, au nez droit, à la coloration sanguine, une Junon bourbonienne.

Le prince héréditaire, qui a vingt et un ans, est le portrait de sa mère, avec du ventre.

La duchesse douairière ressemble à un camée antique, à une Agrippine, qui serait une fée bienfaisante.

L'ambassadeur, le plus vieux en date, commence à présenter ses nationaux au grand-duc, à la grande-duchesse, à la duchesse douairière, au duc héréditaire, et pour eux commence le martyre de trouver un mot, une phrase, une banalité quelconque à l'endroit de ces visages tout neufs, que, la plupart du temps, ils ne revoient jamais. À quoi comme réponse, c'est l'éternelle et immuable réplique : « Florence, oui, c'est la capitale des Arts ! »

Une cour bourgeoise, familière, où il n'y a pas d'étiquette, si ce n'est que le duc héréditaire fait un tour de valse, avant les autres couples, et qu'on se lève, lorsque passe devant vous, une personne de la famille ducale.

Par exemple, dans cette cour bourgeoise, un buffet de bal, comme il n'y en a dans aucune cour de l'Europe : un buffet, un buisson de camélias, dans lequel est exposée et semée l'argenterie du grand-duc.

Or, sait-on que cette argenterie se compose de quarante-quatre coupes en vermeil, dont dix-huit sont de Cellini et le reste de son école ; d'une grande nielle de Polaiolo, représentant la Vierge, entourée de petites nielles de Finiguerra ; de deux immenses plats en vermeil, plats servant autrefois à poser les aiguières pour le lavage des mains, l'un représentant : « Orphée charmant les animaux », l'autre, « l'Enlèvement de Proserpine » ; et encore de Cellini, une bouteille de chasse, aux émaux couleur de rubis et vert de myrte.

Cette argenterie a pour accompagnement des amphores de Faenza, aux anses formées de deux serpents entrelacés, d'où l'on verse à la soif de ce monde – inaltérable comme une soif de peuple – une distribution de vin de Champagne, de Bourgogne, de Bordeaux, de Johannisberg.

Dans ce salon cosmopolite, dans ce salon, le rendez-vous de la blonde Anglaise, de la brune Américaine, de la noire Italienne, avec leurs beautés et leurs toilettes diverses, le voluptueux spectacle, que ces valses, où tout ce qui est frais à l'œil, où tout ce qui rit dans la gamme tendre du ton, crème, rose, bleu, mauve : les dentelles,

les nœuds de rubans, les pompons, les volants, ondoient et papillonnent devant vous, où se fait un incessant et tressaillant kaléidoscope de toutes les couleurs du satin, sur lesquels ruisselle et cascade la lumière, de toutes les transparences du tulle et de la mousseline, baisant les formes juvéniles, comme un nuage amoureux, et où avec leurs voltes, leurs ondulations, leurs retroussements, leurs fuites, leurs froissements, leurs heurts, c'est la mêlée, la bataille de fête des jupes enivrées de danse, avec en bas, le glissage tournant des souliers de satin blanc, avec, en haut, les milliers de feux des pendants d'oreilles, des rivières, des aigrettes – l'orchestre, comme d'un souffle, soulevant légèrement les valseuses, pliant les tailles, arrondissant les bras, déliant les corps, remuant les cous, tels que de frêles tiges de fleurs.

En ce tournoiement, où passe et repasse, trémolante, la chair des corsages de la femme, toute vibrante de musique, et laiteusement irradiée et comme opalisée par la lueur douce des bougies, où passent et repassent ces épaules, ainsi que deux ailes blanchement roses repliées, montrent leur marbre douillet, et ces seins attaquant le regard et s'y dérobant, à l'image d'une vague montante qui lèche le sable et se sauve ; en ce tournoiement, les yeux vont à la comtesse Cavoni, splendidement blonde, splendidement blanche, splendidement rose, une princesse de Rubens délicatifiée, dématérialisée ; les yeux vont à un étrange type, à une femme blanche, dont la blancheur singulière semble une blancheur, vue sous un lit d'eau de mer, une femme couronnée par un énorme diadème de cheveux, aile de corbeau, divisés en deux bandeaux bouffants, éclairés par des grappes de diamants, avec des sourcils remontés sataniquement sur des yeux aux prunelles dilatées de velours noir, et avec une grande bouche entrouverte : une créature évoquant à la fois l'idée de Circé et d'une goule.

Et cet élégant et aristocratique monde féminin, a l'entour, a le cadre de gens décorés, comme je n'en ai vu nulle part, et dont les croix et les brochettes font le plus joli carillon de la vanité humaine, sur leurs poitrines de généraux inconnus de toutes les nations, et qui semblent avoir mis au pillage les boutiques de décorations du Palais-Royal, et *sont crachatés* jusqu'aux aines, et d'une épaule à l'autre, ou bien, aux cous de tous ces jeunes gens, cravatés de rouge, comme des commandeurs de la Légion d'honneur, et qui sont de simples baillis de Saint-Étienne, des propriétaires d'une ferme de 200 000 francs, laissée par acte, à leur mort, à l'ordre de Saint-Étienne, en l'absence d'héritiers directs ou de telles personnes désignées...

Oh ! mais, parmi ces porteurs de quincaillerie, cet homme à la vieille peau tannée, aux poches sous les yeux, aux longues dents déchaussées, pareilles à des touches de piano, au mauvais rire d'un polichinelle vampire, et qui porte à une jambe boitillante l'ordre de la Jarretière, et au-dessous d'une pomme d'Adam décharnée, je crois bien l'ordre de la Toison-d'Or, n'est-ce pas lord Normanby ?

Santa Croce.

Le Westminster de la Toscane, où se trouve ce tombeau d'une étrange originalité : un hibou sur une tige de rosier dorée.

Là, le Giotto a peint une fresque, une fresque sortant de sa manière, et au delà de son talent de tous les jours. Dans cette fresque représentant la « Mort de saint François » : le Saint étendu mort, la tête auréolée, son autre *moi*, son moi immortel et radieux, est emporté au ciel par quatre anges, pendant que les moines chantant l'Office des morts, se pressent autour du cadavre, en des attitudes étonnées, et que dans l'entrebâillement des yeux du Saint, on aperçoit un regard de survie, dans sa bouche un pâle sourire, un rictus de ravissement, et dans ce corps quitté par la vie, – l'envolée encore apparente d'une âme.

Oui, en ce temps de Carnaval, j'ai vu cela, qu'on n'a jamais pu voir qu'en Italie ! Dans un champ des environs de Florence, un paysan poussait la charrue, costumé en pierrot ! (...)

Ils vont, ils vont, ils vont, les pantalons passant sous les dominos de calicot glacé ! ils vont dans un jupon, une camisole par-dessus, complétant le travestissement ! – parfois, rien qu'un soleil de papier doré dans le dos, faisant un turc ; et ils sont masqués, et ils tiennent la barbe de leurs masques, avec de vieux gants blancs qui ont fait des chaussures, et ils brandissent de petits fouets et des cravaches.

Ils vont, ils vont... puis ils reviennent, repassent devant vous, toujours sautant, gambadant, se trémoussant. L'esprit, la saillie, le rire du mot, une langue en joie, le fouaillement des gens avec un rude bouquet d'orties : l'engueulement enfin, ils l'ont remplacé par un sempiternel *hou ! hou !* – qui agace comme un gloussement de châtré, et dont dix mille gosiers fatiguent l'écho de la rue des *Calzaioli.*

Tout un peuple mis dans une gaieté en enfance, par un baladement bête dans les rues, par l'imitation de la pratique faussée d'un polichinelle : tout un peuple ne trouvant dans la fièvre de sa folie carnavalesque, pour repartie spirituelle, qu'un coup de son petit fouet ou d'une cuiller à pot sur un gibus.

Là-dessus, le soir, les fameux *Veglioni,* dans les salles de théâtre, illuminées *a giorno,* les *Veglioni,* aux rafraîchissements ne dépassant pas, en monnaie du pays, la somme de sept sous, aux danses honnêtes, aux réunions de ménages emmenant les tout petits : bals aux incidents anodins, comme le spectacle de deux masques se soufflant en mesure dans le nez, comme l'extraordinaire libéralité d'un verre de marsala, offert par un des beaux de la loge aristocratique à une femme, un moment suspendue à la rampe de la loge ; bals sans roman, sans intrigue, sans blessures à l'honneur des maris, bals où les femmes du monde qui ont perdu leurs cavaliers ne sont pas tutoyées par des mains masculines, où le papier des loges ne rougit pas de confusion, où l'unique sergent de ville suffisant à l'inspection des pas risqués, est le ministre de la police en personne, et où j'ai entendu de mes oreilles cette phrase : « Albertine, fais donc danser ton frère ! »

Le Carnaval de Florence, c'est une fête nationale de la famille, une réjouissance morale ayant l'innocence de ces divertissements d'enfants qui ont été bien sages, et à qui l'on permet de se déguiser avec des serviettes, des torchons de cuisine.

À côté de ce bal de la *Pergola,* mon Dieu, notre bal de l'Opéra : cette Bourse de la fille, cette fortune de Verdier, cette rente de Ricord !

Oh ! mon peuple parisien, mon grand peuple excessif, toi qui pousses la danse jusqu'à l'épilepsie, le souper jusqu'à la saoulerie et au mal de mer, l'amour jusqu'à la v..., que dirais-tu de ces bonnes gens, qui s'amusent à s'amuser vertueusement, qui exécutent des solos de la pastourelle sans se démancher le torse, qui cassent une pauvre croûte dans une loge... et se couchent sans voir leur chambre danser !

Le sentiment de vie aimante, d'animation tendre, de caresse de la main, existe avant le Vinci. Chez le Verocchio, son maître, et dans quelques sculptures postérieures, on trouve des mains sentimentales, des mains maigres admirablement effilées, des mains, mères des mains dessinées par Watteau, et dont Raphaël interrompit la chaîne, par ses belles mains bêtes, aux doigts en académiques fuseaux.

Deux emplacements d'illustres boutiques, qu'on vous montre : la boutique de Maso Finiguerra, l'inventeur de la gravure ; la boutique de Burchiello, l'inventeur de la poésie *burchiellesca* (burlesque). L'authenticité de l'emplacement de cette dernière boutique est-elle bien authentique ? car, je crois qu'on n'a pour le retrouver rien que le dessin qui est à la Galerie Ducale, sous son portrait, et qui représente deux chambres, l'une *ove si fa la barba*, l'autre, où le poète est représenté jouant de la guitare, tout en mangeant.

Ce poète-barbier, *matricotalo* en 1408, dans le peuple de Santa-Maria Novella, à l'époque où la barbe était encore très respectée en Italie et fort peu touchée par le rasoir, vécut fort pauvre, mais tout pauvre diable qu'il était, sa boutique était le rendez-vous de tous les grands et gais esprits du temps : Acquetino da Prato, le prêtre Roselli d'Arezzo, Davanzati, le philosophe, le peintre, le sculpteur, Battista Alberti.

Vraiment, ces jours-ci, c'était un amusant et élégant spectacle, que celui du va-et-vient dans le Corso, de ces équipages à la crinière des chevaux nattés avec des camélias, et traînant derrière eux les derniers et les plus beaux modèles de chasseurs que l'Europe possède, le va-et-vient des équipages de riches Américains, d'illustres Russes, de très charmantes Florentines : des équipages attelés à la Daumont avec deux postillons, des équipages de banquiers aux domestiques galonnés, comme les domestiques des pièces de Molière, et plus dorés et plus surdorés que les autres, de vrais équipages de l'Élixir d'Amour, – de l'équipage à la livrée marron, galonnée d'or, de la princesse douairière Poniatowska, – de l'équipage à la livrée rouge, de la duchesse Strozzi – de l'équipage à la livrée amarante, du comte de la Gherardesca, – de l'équipage à la livrée de velours bleu et argent, du comte Alberti, – de l'équipage à la livrée noire aux petits boutons d'or et aux glands d'argent, du comte Poniatowski : équipages mêlés aux rapides tape-culs du pays, avec leurs petits chevaux, leurs harnais carillonnants, leur montoir de cuivre étincelant, leur tapis rouge qui chatoie au soleil.

Mais parmi tous ces équipages, il fallait voir, dans son attirail antique, son luxe de vieilles dorures, l'équipage de gala du grand-duc et ses six chevaux, son timon et ses roues rouges, sa caisse vert foncé aux arabesques d'or, son groupe des trois Grâces sur la portière, son siège de velours bleu de ciel à triple frange d'argent, son intérieur bleu foncé avec ses rideaux jaunes, et la crinière des chevaux tressée de soie verte et jaune, et leurs panaches de même couleur, et la livrée au fond noir, disparaissant complètement sous des galons en échiquier à cases rouges, blanches et roses : – un équipage qui était comme une sortie d'écurie du siècle passé.

Un coin charmant que le Jardin Boboli : une petit île, au milieu de laquelle, d'une petite forêt de citronniers en fleur, s'élève la statue de Jean de Bologne, le créateur des Naïades de l'Arno, le distributeur poétique des eaux du fleuve ; une petite île qu'entoure une élégante barrière, formée par des compartiments de trois balustres sculptés en forme de congélations, rompue de distance en distance par une console plus basse, où est posé un oranger.

Deux grilles, ouvrant entre quatre colonnes, par une jetée de pierre qui traverse le canal, mènent à l'île, où des Tritons sont penchés sur des vasques formées d'une grande coquille, avec les enroulements d'un corps finissant en queue squameuse de dauphin, dans le contorsionné d'une rocaille, où semble avoir passé la violence du ciseau de Michel-Ange.

Deux fausses entrées sont décorées d'amours, au milieu d'attributs de Neptune ; et de l'eau, où trempent de grands pots rouges fleuris, deux cavaliers montés sur des chevaux marins, escaladent la berge.

Là, dans cette verdure intense des citronniers et des orangers, la blancheur des marbres est telle, que tout ce monde maritime apparaît, comme une grandiose sculpture en biscuit pâte tendre, posée sur un papier vert velouté !

Le Carnaval italien, je le répète, c'est quelque chose de remuant, de sautillant, de tournoyant, un accès de *tarentisme*, un branle tétanique des jambes, une espèce de diable-au-corps physique, bien plutôt qu'une folle joie, qu'une griserie intérieure. Des cris, des poussées, des *chiades* d'une récréation de collège, faisant toute une nation ballante dans les rues, voici en quoi consiste ce carnaval, aux gaudissements honnêtes, purs, immaculés. Des femmes et des hommes entremêlés les uns dans les autres, sans une excitation aphrodisiaque, sans un dégagement passionnel, sans une empoignade de la chair de femme, que l'homme a sous la main. Et des hommes et des femmes, en l'échange et le troc de vêtements masculins sur des femelles, et de vêtements féminins sur des mâles, constituant un monde d'êtres inquiétants. Enfin un délire se donnant cours réglementairement, de deux à quatre heures, sans une gifle, sans un carreau cassé, sans la bousculade d'un agent de police, – un délire soumis à une discipline, comme un soldat sous les armes.

Au Corso, seulement, dans et sur ces équipages de l'étranger et de l'aristocratie florentine, le Carnaval a fait montre, le mardi gras, d'élégance, de gaieté d'esprit, d'imagination carnavalesque, dans le travestissement.

Ici, on voyait une voiture de dominos noirs, attelée de chevaux noirs, sur lesquels était tombée une neige, tout à fait illusionnante, une neige faite avec de petits morceaux de ouate ; là, une voiture italienne faisant la charge merveilleuse d'une famille anglaise voyageant, avec l'échafaudage des malles et des cartons, et le vieil *englishman*, porteur de lunettes vertes, un calepin à la main, et la jeune *miss*, avec son sempiternel chapeau de paille, au voile bleu, porté hiver comme été, avec sa *silskine* à la fourrure mangée, et une mère et des domestiques inconcevables ; plus loin, une voiture où se tenait un homme seul, tout habillé de lierre peuplé d'escargots, et ayant une longue barbe en mousse.

Enfin, dans un équipage de la noblesse florentine, attelée à la Daumont, une charretée de jeunes élégants, en pierrots autochtones : le pierrot italien à la casaque de satin blanc, aux bas de soie blancs, aux souliers jaunes, parmi d'autres pierrots mi-partie blancs, mi-partie noirs, coiffés de marabouts, et ayant sur la figure des masques représentant la lune : – les deux couleurs divisant le costume de la racine des cheveux au bout des pieds. (…)

Paysage d'hiver de la banlieue de Florence.

Un soleil au rayonnement éblouissamment clair, des ombres portées ayant la cernée d'une tache d'encre sur du papier ; dans un air sec, pas le voile, pas la gaze flottante d'une vapeur, et pas de fuite de plans, et pas de lignes perdues, effacées, brouillées, et pas d'horizon défaillant : – une silhouette des choses, âpre, crue, brutale.

Au loin un amphithéâtre de collines, comme découpées à l'emporte-pièce sur un azur profond, immobile, solide, pareil à un mur d'outre-mer. Tout près, une campagne mamelonnée, bondissante, où sur une terre de cendre, la verdure grise de poussière des oliviers a des lumières d'argent bruni, qui, des oliviers vont jouer, comme dessus des verdures de zinc, sur les massifs d'arbres verts, les haies d'un lierre sombre, les cactus jaillissant des fissures de vieux murs.

Et là, dans ce bain de lumière aiguë, en la montée et la descente de ces petits chemins, tout le long, bordés de noirs cyprès, à un détour, l'œil du promeneur imaginatif a, parfois, comme l'illusion d'entrevoir, une seconde, le chaperon rouge du poète florentin, cherchant les beaux et grands vers italiens de sa *Divine Comédie.*

Cette cour du grand-duc Léopold II est si bourgeoise, si aimablement bourgeoise, qu'elle a donné trois idées à notre compagnon de voyage, Louis Passy : la première, d'y aller en parapluie, la seconde d'y prendre ostensiblement des notes sur un calepin, et la troisième, aujourd'hui, où nous sommes à la veille de partir, d'y mettre des cartes, avec P.P.C.

Un repère pour constater l'âge des vieux tableaux italiens : l'écartement des yeux[1]. De Cimabué à la Renaissance, les yeux vont, de maître en maître, en s'éloignant du nez, perdent la caractéristique du rapprochement byzantin, regagnent les tempes, et finissent par revenir chez le Corrège et chez André del Sarte, à la place où les mettaient l'Art et la Beauté antiques.

Comme je développais, assez éloquemment, des idées, sur les points de rapprochement entre nations, des races latines, et des sympathies, que ces points de rapprochement devaient amener entre les Italiens et les Français, mon interlocuteur toscan, un avocat très distingué, eut une espèce de rire muet, légèrement ironique, et après un silence, me jeta ces paroles :
« Monsieur, je crains bien, qu'à ce sujet, vous ayez des illusions... de complètes illusions.... Du reste, l'expérience vous est facile à faire... et vous pouvez vous convaincre, dans le premier salon venu d'ici, où il y aura un Français et un Anglais, que l'Italien ira, instinctivement, à l'Anglais. »

Et ce rire muet, et ces paroles de l'avocat toscan, me remettaient tout à coup en mémoire, ce que raconte le bailli Grosley de la gallophobie, dans je ne sais plus quelle ville d'Italie, au dix-huitième siècle, d'un aubergiste maître de poste, chez lequel il logeait : un vieillard impotent, confiné au coin de son feu, et passant la journée à souhaiter au voyageur français et à ses domestiques, la *rabbia*, le *canchero*, dans une verbosité haineuse, tout à fait amusante.

Au fond, un charmant et désirable endroit de la terre à habiter que cette ville de Florence, où une journée d'hiver n'est pas plus froide qu'une nuit d'été, à Paris, où il y a un chemin de fer qui ne va guère plus loin que là, où on peut encore voir l'heure à l'horloge du vieux Palais, où les truffes sont au prix des pommes de terre, où

1. C'est le mode d'expertise pour la fixation de la date des peintures italiennes anonymes, adopté par le sénateur Morelli, depuis la publication de cette note, dans *Idées et Sensation.*

il y a des camélias dans les lieux, où l'enseigne de la grande marchande de modes est en français, où un jeune homme ruiné ailleurs, rien qu'avec les 6 000 livres de rente qui lui restent, peut avoir en compagnie de la ballerine, dont les romans de Paul de Kock gratifient le misérable petit capitaliste parisien de ces temps-là, – peut avoir un cheval.

En cette ville bénie, tout semble arrangé pour le bonheur de tous, si bien que toutes les jolies femmes peuvent espérer de danser une fois, dans l'année, avec l'héritier présomptif, si bien que le comique du grand théâtre a la chance de faire rire les petits enfants et les grandes personnes, si bien que le clergé a l'esprit de se contenter d'expliquer au peuple les quatorze manières d'accommoder la morue salée, en carême.

Oui, un petit peuple si doux, que les officiers y mangent plus de crème fouettée que toute autre part ; si poli, que les marchands de tabac vous disent merci, quand vous entrez allumer chez eux un cigare ; si ennemi du changement, que lorsque la viande est payée trop cher par les bouchers, ils la vendent à faux poids, au su et au gré des acheteurs souriants ; si sobre, que c'est la ville, où les chiens se nourrissent de pain tout sec.

Livourne.

Un quartier du Havre, avec toute la saleté italienne, et la lessive guenilleuse des maisons séchant aux fenêtres. Deux ou trois larges rues *anglaisées* de quincaillerie, de draperie, de librairie de la Grande-Bretagne, mais coupées, de dix en dix pas, par d'ignobles ruelles, aux *Trattoria e Locanda di Basso Mondo*, aux dépôts d'huîtres, à 48 cratz la douzaine, aux misérables boutiques de barbiers, où l'on aperçoit dans l'ombre la face blanche de savon d'un matelot, qu'un maigre figaro tient par le bout du nez.

Et dans toute la ville, allant et venant, affairée, une population cosmopolite inclassable, des types entre le professeur de chausson et le vendeur de contremarques, proposant à vendre n'importe quoi à l'étranger qui passe : ces types, mêlés à des mendiants culs-de-jatte, qui le poursuivent sur leur petite sellette ferrée.

Un tableau de la rue. Devant une échoppe, stationne une toute petite fille, joliment débraillée, aux brillants yeux, sous l'ébouriffement de cheveux en révolte. La grosse marchande de l'échoppe retire d'une marmite, avec une cuillère en bois, des haricots bouillis, les verse dans une balance, les pèse, et du plateau de la balance les jette dans le tablier de la petite fille, qui se sauve en courant.

Sienne.

Dans la montée de cette sorte de chemin de ronde, qui fait le tour de Sienne, et dans lequel, des pans restés debout d'un mur des anciennes fortifications, descendent de grandes ombres aux dentelures bizarres, d'où, obscurs et noyés en la pénombre, émergent dans le soleil, des mulets à la pourpre éclatante de la couverture, aux éclairs des plaques de cuivre, toutes cliquetantes ; – là, dans ce chemin, entre une colonne en pleine lumière, à gauche, et à droite, la montagne aux oliviers d'hiver vert-de-grisés, portant l'église San-Dominico, soudain m'est apparue, une tannerie : un coin de bâtisse à faire la joie de Decamps, un morceau de paysage urbain, chauffé, recuit, calciné, rissolé, avec des pétards de blanc d'argent, de vermillon, d'outremer, dans des ombres de bitume et de terre de Sienne brûlée.

Un petit mur montant à la façon d'une rampe d'escalier : un petit mur blanc, ayant l'air de craie grattée, rayée, égratignée, et tout recouvert de peaux qui sèchent, suspendues à des moitiés de cerceaux, des peaux de toutes couleurs : des peaux couleur d'amadou, couleur de feuilles séchées, couleur de lie-de-vin, glacée de tons bleuâtres.

Au bas d'une terre, que l'égouttement de l'eau chargée de tan a rendue toute rouge, un grand réservoir, rempli d'une eau verdâtre, du vert dense d'un marbre, et dans cette eau, comme solide, les reflets du mur blanc, de la terre rouge, des peaux multicolores, avec au milieu de ces taches, arrêtées par de dures cernées, des rayures de lapis, dans lesquelles se mire le bleu inaltéré du ciel.

Contre le réservoir, s'élève un bâtiment à l'aspect d'une ruine antique, un grand bâtiment de brique tout rouge, où le plâtre qui le recouvrait, éclaté sous l'action du soleil, n'a laissé que quelques esquilles blanches : un bâtiment aux trois immenses baies cintrées, sans portes, et où, à la place des portes, sont encore suspendues de grandes peaux, qui ont l'air d'animaux desséchés. Et au-dessus de ces trois baies, dont le dessous est tout émeraudé par les jolies nuances frigides de l'humidité, une terrasse, au haut de laquelle, autour des pilastres, se contournent les sarments desséchés d'une vigne, qui fait le toit de l'édifice, en été.

Sur le bord du réservoir, était couchée sur le dos, une mâtine en mal de chien, les quatre pattes en l'air, les pattes inférieures toutes raides, les pattes supérieures agitées d'un mouvement convulsif, montrant les mamelles pressées de son ventre et le blanc de dessous de sa gorge, dans sa peau rayée de tigre, la tète renversée sur la margelle, et ne laissant voir qu'un bout de nez noir, et l'enroulement d'une langue rose dans un coin de gueule, à fleur d'eau, pendant qu'un mâtin rayé de noir dans sa peau grise, comme la mâtine, tournoyait, grondant autour d'elle.

Oh ! tout à fait un motif de Decamps, dans l'atmosphère limpidement claire d'un jour d'hiver italien, et dans un air chargé d'émanations âcres, toniques, astringentes.

Peintures du Pinturicchio au Dôme, d'une conservation miraculeuse, mais peintures moins libres, moins *nature*, moins intimes, que ses peintures de Florence, peintures plus soumises à un style de convenance et d'élévation plus classique, présentant cette curiosité, que les reliefs des choses dorées sont tels, que ce sont de véritables boutons, de véritables mors de chevaux, de véritables manches de poignards, sans que la perspective du tableau en souffre.

Devant le Sodoma, de l'église de Saint-Dominique, devant le tableau de « l'Évanouissement de Catherine de Sienne », me revenait l'histoire de cette sainte hystérique.

Je me la rappelais à l'âge de six ans, dans cette ancienne rue de la *Valle piatta*, levant les yeux vers cette église où j'étais entré, et voyant le Christ sur un trône, à travers un voile d'or tenu par des séraphins, et éprouvant une joie si puissante de cette vision, que secouée dans son extase par son frère, elle s'écriait : « Oh ! si tu pouvais voir les belles choses que je vois, tu ne me dérangerais pas ainsi ! » et la petite fille fondait en larmes. C'est elle encore qui, devenue une fille de Saint-Dominique, et demeurée sans instruction jusqu'à l'âge de trente ans, déclare que Jésus-Christ lui a appris à écrire dans une extase, en cette curieuse phrase : « *Je commençai à écrire, comme en dormant.* » C'est elle enfin, qui, à Pise, après un long agenouillement les bras en croix, tombait par terre, comme foudroyée, et se relevait rayonnante d'une beauté surhumaine, portant sur le corps les stigmates de Jésus-Christ.

Ah ! l'incroyable extatique que cette Catherine de Sienne, à laquelle auraient été donnés, pour ainsi dire, des sens spirituels qui lui faisaient sentir une odeur fétide chez les êtres en état de péché mortel, et qui, en ce temps des factions remplissant l'Italie de meurtres et d'empoisonnements, à cette époque des *pestes noires* faisant des rafles de 80 000 individus, et poussant les survivants aux jouissances brutalement hâtives, parlait aux multitudes accourues à sa voix « appelées comme par des trompettes invisibles », parlait de la beauté des âmes, lavées du limon bourbeux du péché, avec l'illumination artiste d'une voyante céleste, devenant la purificatrice des laides consciences de son siècle, méritant le surnom de la *Chasseresse mystique des âmes.*

Un régime de vie du reste tout propre à l'exaltation de la mysticité, de l'érotomanie religieuse.

Trois années entières, où Catherine de Sienne ne sortit de sa chambre que pour aller à l'église, trois années où elle se renferma dans un silence si entier, qu'elle ne parlait qu'à la confession, pour avouer ses fautes. Le coucher sur une planche, où elle ne s'accordait qu'une demi-heure de sommeil, tous les deux jours. La privation de la viande depuis l'âge de quinze ans, l'abandon du vin pendant les dernières dix-huit années de sa vie, le retranchement même du pain : sa nourriture, quelques feuilles de légumes et quelques fruits ; et encore ne faisait-elle que les mâcher et les rejeter après, ne se nourrissant que de leur suc. En sorte que l'hostie de l'eucharistie était presque son unique manger, et qu'elle ne se soulevait un peu de sa faiblesse presque mortelle, qu'à ce repas spirituel de tous les jours.

Et dans ce corps fermé à toute jouissance, à toute satisfaction matérielle, une seule sensualité était demeurée, un goût passionné pour les fleurs, et sa pauvre chambre de la *Fullonica* était toujours odorante de la senteur des lys et des violettes.

Or, dans cette chambre à la fois emplie de la suavité des fleurs et de la tendre dilection de Dieu : Doux Jésus ! Jésus amour ! Catherine se croit très sincèrement l'épouse du Christ qui, un jour, *a dit à son âme* : « Je célébrerai aujourd'hui avec toi, la joyeuse fête de nos fiançailles, en t'unissant à moi par le puissant lien de la foi. » Et en cette réalité humaine, donnée par l'imagination de l'extatique aux êtres qui ne sont pas, donnée aux purs esprits, le diable devient un tourmenteur en chair et en os de son intérieur, le diable qu'elle appelle plaisamment *Malatasca* (vieille sacoche) – et disant à propos des méchantes choses qui lui arrivent : « N'ayez pas peur, c'est encore un tour de *Malatasca.* »

C'est ainsi que cette femme du quatorzième siècle, tout en travaillant à réconcilier les guelfes et les gibelins, tout en s'efforçant à utiliser, au service d'une croisade, l'humeur batailleuse des *condottieri,* passe sa vie entière dans une vision béatifique, en cet état que saint Bonaventure décrit ainsi : « L'extase est une élévation délicieuse de l'âme, jusqu'à cette source de divin amour, par laquelle elle se sépare de l'homme extérieur – et où la mémoire, l'intelligence, la volonté sont englouties en Dieu. »

Dans sa réunion d'autographes, la bibliothèque de Sienne possède quelques correspondances d'émigrées françaises, provenant du chevalier de Sarto, attaché à Mme Adélaïde de France. Il y a toute une correspondance d'une Brissac, la fille du duc de Nivernois, toute une correspondance d'une comtesse de Letourville, qui avait établi une fabrique de chapeaux de paille à Florence, en 1800, et lui demandait de faire de la réclame à sa petite industrie.

Mais de toutes les correspondances, écrites en langue française, la plus intéressante est celle de la comtesse Albany. Et je copie cette lettre de la comtesse, sur les Siennoises et les Florentines de 1800.

....

« Je n'ai pas plus d'opinion des dames siennoises que des florentines, qui sont très vulgaires, excepté la Fabroni, qui est un peu moins ignorante

que les autres, parce qu'elle est avec son mari, qui est une vraie bibliothèque ambulante. La Fabroni voit aussi des étrangers, et le peu de gens à Florence qui savent lire. D'après cela, vous jugerez qu'elle est mieux que les autres. La Pallavicini est de sa société ; elle est de nouveau, je crois, brouillée avec Titomanni, qu'elle accuse d'être froid… La Venturi est morte avant-hier soir, en compagnie. Elle a voulu être exposée, deux jours, avant que d'aller en terre. Son mari, je crois, a été bien aise d'être délivré de cette femme, qui dans les derniers mois de sa vie, a donné des assauts terribles à son avarice, car elle avait des fantaisies incroyables, jusqu'à faire démeubler sa chambre pour la remeubler. Elle avait cinq ou six lits de toutes les grandeurs… Cicciaperci se porte mieux, sa goutte se dissipe. Sa femme est terriblement ennuyeuse : elle me dessèche avec ses discours sans nominatifs ni verbes, elle a la fureur de parler… Ici, la première condition d'un servage est de renoncer à toute occupation, pour se donner à la belle insipide… J'ai vu la Zendarari, qui est engraissée, mais plus d'un côté que de l'autre ; son mari me paraît bien peu de chose… La Martiani de Pise tourne la tête à toutes les femmes ; elles veulent toutes l'imiter, mais malheureusement elles n'ont pas sa bourse…

La fureur est toujours ici, de jouer la comédie. On doit jouer Oreste, *la Pallavicini fera Clylemnestre, la Fabroni, Électre, et Fabio, Oreste : ce qui est parfaitement ridicule, car la Fabroni est grosse et grande, et paraît plus la mère, que la Pallavicini. Les Florentines, qui sont des* buses, *passent leur vie autour d'une table de Pharaon à gagner quelques pauls. Je n'ai jamais vu des femmes plus insipides et plus ignorantes, elles ne savent pas même faire l'amour avec passion… On a la manie des spectacles à Florence, et les femmes ne sont bien que dans leurs loges. Elles sont embarrassées en société, et ne savent que dire. »* (…)

La rue à Sienne. – Vieilles femmes porteuses d'une quenouille, et qui filent en marchant, les deux mains au-dessus d'un gueux, dont l'anse entoure un de leurs bras. – Étaux de bouchers, ayant sur leur seuil, pareilles à des tapis déroulés, des peaux de bœufs encore saignantes, d'où jaillissent de grandes cornes, et tout autour de leur devanture, de petits agneaux, le ventre rose béant, sous leur toison blanche. – Un écriteau suspendu au milieu de la rue, ainsi qu'un réverbère, sur lequel il y a imprimé :

LA TRAVIATA
ossia
VIOLETTA
in tre atti
del signor cav. Giusep. Verdi
a ore otto e 1/2

Des processions de petits moinillons, à la démarche grave, à la mine espiègle, sous de grands tricornes, sous de longs manteaux, que dépasse la bande d'une soutane violette, et des souliers carrés à boucles. – Des portes de maisons garnies de clous, comme les semelles des souliers de la rue Guérin-Boisseau, et au-dessus desquelles est un petit tabernacle, surmonté d'un lanternon et de pots de faïences peintes, contenant des bouquets fanés. – Un garçonnet en tablier, portant sur l'épaule une planche, où il y a sept miches de pains à cuire. – Des chapeaux de paille, attachés extérieurement au premier étage d'une maison, des chapeaux de paille tout semblables aux chapeaux de paille dont Daumier coiffe ses pères de famille, dans leurs parties de natation. – Des fenêtres, où au bout d'un bâton, sont suspendus de petits drapeaux blancs. – Des hommes bronzés, dans des houppelandes vert de bouteille, au-dessous desquelles passent des bas blancs et des souliers jaunes. – Des boutiques, à la façade tout enguirlandée de *fiaschi*, dans leur treillis de paille. – Une boutique de barbier, en dehors de laquelle, sont exposés sur des portoirs, deux bustes de femmes en carton peint. – Une boutique pleine de poupées roses et bleues, au-dessus de laquelle une énorme molaire, aux trois racines saignantes, une enseigne de dentiste, se balance sous une couronne. – Une librairie qui annonce comme nouveauté :

Discorsi parrochiali
Brevi e famigliari
del dottor Natale Vincenzo Omboni.

– Une apothicairerie, où deux garçons coupent de la pâte de jujube, avec des mains sales, comme des pieds qui n'ont jamais été lavés. – De terribles chiennes de boucher, zébrées, tigrées, aux mamelles balayant le sol. – Une cheminée, où sont peintes à fresque, deux colombes portant une branche d'olivier. – De longs et maigres ecclésiastiques, dans de grands manteaux bleus, à collet de peluche noire remonté jusqu'au nez, un coude saillant dans l'étoffe en avant de la poitrine, et qui ressemblent à de cauteleuses silhouettes de Basile. – Une ouverture béante, dans laquelle sont entassés des fagots, et au-dessus de laquelle se lit : « *Forno delle campane.* » – Dans la retraite d'un mur lépreux, de maigres haridelles, réunies comme pour relais, dans la cour d'une *posada,* et un postillon, à la veste écarlate, qui enfourche une de ces rosses, avec ses grandes bottes, sous une madone au cierge allumé.

Et une place entourée d'arcades, pavée de briques, une place qui a la forme et le creux d'une coquille, au fond de laquelle est un palais rouge, surmonté d'une tour blanche, dont le cadran de l'horloge est entouré d'amours peints, supportant les armes de la Toscane.

Au milieu de la place sont exposés en vente : un paravent à la grossière imagerie trouée en plusieurs endroits, un cabriolet de voiture, un tableau sans cadre, une sordide malle de prélat une sordide malle de prélat en maroquin rouge, gaufrée d'or, deux ou trois buffets aux serrures disloquées, huit ou dix chaises de paille, au dos desquelles sont pendus des chapelets de gros oignons, et là-dedans, des femmes, le visage entoilé de linge blanc, qui, la tête en arrière, le ventre en avant, font de sa saillie, une espèce d'éventaire pour les coqs aux crêtes rouges, qu'elles tiennent contre elles : ces femmes mêlées à des hommes, habillés de couleurs passées, déteintes, rouillées, et portant, sur une hanche, des bassines de *castagnaccio.*

Au fond de la place, un tableau des numéros de la loterie, sortis la dernière fois (68 – 79 – 50 – 24 – 39) : un tableau, dans un cadre jaune, en bas duquel sont deux cornes d'abondance, d'où sortent des pièces d'or et d'argent.

Et encore des rues en échelle, qui semblent des rues, grimpées les unes sur les autres, faisant comme trois étages de maisons superposées, et où la montée des jupes de femmes qui hanchent, de temps en temps, a de longs repos ; et des rues en précipice, où l'on voit, comme à vol d'oiseau, de brunâtres toits de tuile, d'où montent des fumées bleues, et des profils lointains d'églises, et des perspectives de façades de briques, tachées d'immondices suintantes, et le long desquels filent, comme des flèches de fer blanc, les petits seaux, descendant du haut des maisons dans les puits.

Extrait de *L'Italie d'hier.*

Madame de Staël

Corinne à Florence

Le comte d'Erfeuil, après avoir passé quelque temps en Suisse, et s'être ennuyé de la nature dans les Alpes, comme il s'était fatigué des beaux-arts à Rome, sentit tout à coup le désir d'aller en Angleterre où on l'avait assuré que se trouvait la profondeur de la pensée ; et il s'était persuadé, un matin en s'éveillant, que c'était de cela qu'il avait besoin. Ce troisième essai ne lui ayant pas mieux réussi que les deux premiers, son attachement pour lord Nelvil se ranima tout à coup, et s'étant dit, aussi un matin, qu'il n'y avait de bonheur que dans l'amitié véritable, il partit pour l'Écosse. Il alla d'abord chez lord Nelvil, et ne le trouva pas chez lui ; mais ayant appris que c'était chez lady Edgermond qu'on pourrait le rencontrer, il remonta sur-le-champ à cheval, pour l'y chercher, tant il se croyait le besoin de le revoir. Comme il passait très vite, il aperçut sur le bord du chemin une femme étendue sans mouvement, il s'arrêta, descendit de cheval, et se hâta de la secourir. Quelle fut sa surprise en reconnaissant Corinne à travers sa mortelle pâleur ! Une vive pitié le saisit ; avec l'aide de son domestique il arrangea quelques branches pour la transporter, et son dessein était de la conduire ainsi au château de lady Edgermond, lorsque Thérésine qui était restée dans la voiture de Corinne, inquiète de ne pas voir revenir sa maîtresse, arriva dans ce moment, et, croyant que lord Nelvil pouvait seul l'avoir plongée dans cet état, décida qu'il fallait la porter à la ville voisine. Le comte d'Erfeuil suivit Corinne, et pendant huit jours que l'infortunée eut la fièvre et le délire, il ne la quitta point ; ainsi c'était l'homme frivole qui la soignait, et l'homme sensible qui lui perçait le cœur.

Ce contraste frappa Corinne quand elle reprit ses sens, et elle remercia le comte d'Erfeuil avec une profonde émotion ; il répondit en cherchant vite à la consoler : il était plus capable de nobles actions que de paroles sérieuses, et Corinne devait trouver en lui plutôt des secours qu'un ami. Elle essaya de rappeler sa raison, de se retracer ce qui s'était passé : longtemps elle eut de la peine à se souvenir de ce qu'elle avait fait, et des motifs qui l'avaient décidée. Peut-être commençait-elle à trouver son sacrifice trop grand, et pensait-elle à dire au moins un dernier adieu à lord Nelvil, avant de quitter l'Angleterre, lorsque le jour qui suivit celui où elle avait repris connaissance, elle vit dans un papier public, que le hasard fit tomber sous ses yeux, cet article-ci :

« Lady Edgermond vient d'apprendre que sa belle-fille, qu'elle croyait morte en Italie, vit et jouit à Rome, sous le nom de Corinne, d'une très grande réputation littéraire. Lady Edgermond se fait honneur de la reconnaître et de partager avec elle l'héritage du frère de lord Edgermond qui vient de mourir aux Indes.

« Lord Nelvil doit épouser, dimanche prochain, miss Lucile Edgermond, fille cadette de lord Edgermond, et fille unique de lady Edgermond, sa veuve. Le contrat a été signé hier. »

Corinne, pour son malheur, ne perdit point l'usage de ses sens en lisant cette nouvelle : il se fit en elle une révolution subite, tous les intérêts de la vie l'abandonnèrent ; elle se sentit comme une personne condamnée à mort, mais qui ne sait pas encore quand sa sentence sera exécutée ; et, depuis ce moment la résignation du désespoir fut le seul sentiment de son âme.

Le comte d'Erfeuil entra dans sa chambre ; il la trouva plus pâle encore que quand elle était évanouie, et lui demanda de ses nouvelles avec anxiété. – Je ne suis pas plus mal, je voudrais partir après demain qui est dimanche, dit-elle avec solennité, j'irai jusqu'à Plymouth, et je m'embarquerai pour l'Italie. – Je vous accompagnerai, répondit vivement le comte d'Erfeuil, je n'ai rien qui me retienne en Angleterre. Je serai enchanté de faire ce voyage avec vous. – Vous êtes bon, reprit Corinne, vraiment bon, il ne faut pas juger sur les apparences... puis s'arrêtant, elle reprit : j'accepte jusqu'à Plymouth votre appui, car je ne serais pas sûre de me guider jusque-là ; mais quand une fois on est embarqué, le vaisseau vous emmène, dans quelque état que vous soyez, c'est égal. – Elle fit signe au comte d'Erfeuil de la laisser seule, et pleura longtemps devant Dieu en lui demandant la force de supporter sa douleur. Elle n'avait plus rien de l'impétueuse Corinne, les forces de sa puissante vie étaient épuisées, et cet anéantissement, dont elle ne pouvait elle-même se rendre compte, lui donnait du calme. Le malheur l'avait vaincue : ne faut-il pas tôt ou tard que les plus rebelles courbent la tête sous son joug ?

Le dimanche Corinne partit d'Écosse avec le comte d'Erfeuil. – C'est aujourd'hui, dit-elle en se levant de son lit pour aller dans sa voiture, c'est aujourd'hui ! – Le comte d'Erfeuil voulut l'interroger, elle ne répondit point, et retomba dans le silence. Ils passèrent devant une église, et Corinne demanda la permission au comte d'Erfeuil d'y entrer un moment ; elle se mit à genoux devant l'autel, et s'imaginant qu'elle y voyait Oswald et Lucile, elle pria pour eux ; mais l'émotion qu'elle ressentit fut si forte qu'en voulant se relever elle chancela, et ne put faire un pas sans être soutenue par Thérésine et le comte d'Erfeuil, qui vinrent au-devant d'elle. On se levait dans l'église pour la laisser passer, et l'on lui montrait une grande pitié. – J'ai donc l'air bien malade, dit-elle au comte d'Erfeuil ; il y a des personnes plus jeunes et plus brillantes que moi, qui sortent à cette heure d'un pas triomphant de l'église.

Le comte d'Erfeuil n'entendit pas la fin de ces paroles ; il était bon, mais il ne pouvait être sensible ; aussi dans la route, tout en aimant Corinne était-il ennuyé de sa tristesse, et il essayait de l'en tirer, comme si, pour oublier tous les chagrins de la vie, il ne fallait que le vouloir. Quelquefois il lui disait : *Je vous l'avais bien dit.* Singulière manière de consoler ; satisfaction que la vanité se donne aux dépens de la douleur !

Corinne faisait des efforts inouïs pour dissimuler ce qu'elle souffrait, car on est honteux des affections fortes devant les âmes légères ; un sentiment de pudeur s'attache à tout ce qui n'est pas compris, à tout ce qu'il faut expliquer, à ces secrets de l'âme enfin dont on ne vous soulage qu'en les devinant. Corinne aussi se savait mauvais gré de n'être pas assez reconnaissante des marques de dévouement que lui donnait le comte d'Erfeuil ; mais il y avait dans sa voix, dans son accent, dans ses regards, tant de distraction, tant de besoin de s'amuser, qu'on était sans cesse au moment d'oublier ses actions généreuses comme il les oubliait lui-même. Il est sans doute très noble de mettre peu de prix à ses bonnes actions : mais il pourrait arriver que l'indifférence qu'on témoignerait pour ce qu'on aurait fait de bien, cette indifférence si belle en elle-même, fût néanmoins, dans de certains caractères, l'effet de la frivolité.

Corinne, pendant son délire, avait trahi presque tous ses secrets, et les papiers publics avaient appris le reste au comte d'Erfeuil ; plusieurs fois il aurait voulu que Corinne s'entretînt avec lui de ce qu'il appelait *ses affaires* ; mais il suffisait de ce mot pour glacer la confiance de Corinne, et elle le supplia de ne pas exiger d'elle qu'elle prononçât le nom de lord Nelvil. Au moment de quitter le comte d'Erfeuil, Corinne ne savait comment lui exprimer sa reconnaissance, car elle était à la fois bien aise de se trouver seule, et fâchée de se séparer d'un homme qui se conduisait si bien envers elle. Elle essaya de le remercier ; mais il lui dit si naturellement de n'en plus parler, qu'elle se tut. Elle le chargea d'annoncer à lady Edgermond qu'elle refusait en entier l'héritage de son oncle, et le pria de s'acquitter de cette commission, comme s'il l'avait reçue d'Italie, sans apprendre à sa belle-mère qu'elle était venue en Angleterre.

– Et lord Nelvil doit-il le savoir ? dit alors le comte d'Erfeuil. – Ces mots firent tressaillir Corinne. Elle se tut quelque temps ; puis elle reprit : – Vous pourrez le lui dire bientôt ; oui, bientôt. Mes amis de Rome vous manderont quand vous le pourrez. – Soignez au moins votre santé, dit le comte d'Erfeuil ; savez-vous que je suis inquiet de vous ? – Vraiment ? répondit Corinne en souriant ; mais je crois en effet que vous avez raison. – Le comte d'Erfeuil lui donna le bras pour aller jusqu'à son vaisseau : au moment de s'embarquer, elle se tourna vers l'Angleterre, vers ce pays qu'elle quittait pour toujours, et qu'habitait le seul objet de sa tendresse et de sa douleur : ses yeux se remplirent de larmes, les premières qui lui fussent échappées en présence du comte d'Erfeuil. – Belle Corinne, lui dit-il, oubliez un ingrat ; souvenez-vous des amis qui vous sont si tendrement attachés ; et croyez-moi, pensez avec plaisir à tous les avantages que vous possédez. – Corinne, à ces mots, retira sa main au comte d'Erfeuil, et fit quelques pas loin de lui ; puis se reprochant le mouvement auquel elle s'était livrée, elle revint et lui dit doucement adieu. Le comte d'Erfeuil ne s'aperçut point de ce qui s'était passé dans l'âme de Corinne : il entra dans la chaloupe avec elle, la recommanda vivement au capitaine, s'occupa même, avec le soin le plus aimable, de tous les détails qui pouvaient rendre sa traversée plus agréable, et revenant avec la chaloupe, il salua le vaisseau de son mouchoir, aussi longtemps qu'il le put. Corinne répondit avec reconnaissance au comte d'Erfeuil : mais, hélas ! était-ce donc là l'ami sur lequel elle devait compter ?

Les sentiments légers ont souvent une longue durée, rien ne les brise parce que rien ne les resserre ; ils suivent les circonstances, disparaissent et reviennent avec elles, tandis que les affections profondes se déchirent sans retour, et ne laissent à leur place qu'une douloureuse blessure.

*

Un vent favorable transporta Corinne à Livourne en moins d'un mois. Elle eut presque toujours la fièvre pendant ce temps ; et son abattement était tel, que la douleur de l'âme se mêlant à la maladie, toutes ses impressions se confondaient ensemble, et ne laissaient en elle aucune trace distincte. Elle hésita, en arrivant, si elle se rendrait d'abord à Rome ; mais bien que ses meilleurs amis l'y attendissent, une répugnance insurmontable l'empêchait d'habiter les lieux où elle avait connu Oswald. Elle se retraçait sa propre demeure, la porte qu'il ouvrait deux fois par jour en venant chez elle, et l'idée de se retrouver là sans lui la faisait frissonner. Elle résolut donc de se rendre à Florence ; et comme elle avait le sentiment que sa vie ne résisterait pas longtemps à ce qu'elle souffrait, il lui convenait assez de se détacher par degrés de l'existence, et de commencer d'abord par vivre seule loin de ses amis, loin de la ville témoin de ses succès, loin du séjour où l'on essayerait de ranimer son esprit, où on lui demanderait de se montrer ce qu'elle était autrefois, quand un découragement invincible lui rendait tout effort odieux.

En traversant la Toscane, ce pays si fertile, en approchant de cette Florence, si parfumée de fleurs, en retrouvant enfin l'Italie, Corinne n'éprouva que de la tristesse ; toutes ces beautés de la campagne qui l'avaient enivrée dans un autre temps la remplissaient de mélancolie. « Combien est terrible, dit Milton, le désespoir que cet air si doux ne calme pas ! » Il faut l'amour ou la religion pour goûter la nature ; et, dans ce moment, la triste Corinne avait perdu le premier bien de la terre, sans avoir encore retrouvé ce calme que la dévotion seule peut donner aux âmes sensibles et malheureuses.

La Toscane est un pays très cultivé et très riant, mais il ne frappe point l'imagination comme les environs de Rome. Les Romains ont si bien effacé les institutions primitives du peuple qui habitait jadis la Toscane, qu'il n'y reste presque plus aucune des antiques traces qui inspirent tant d'intérêt pour Rome et pour Naples. Mais on y remarque un autre genre de beautés historiques, ce sont les villes qui portent l'empreinte du génie républicain du Moyen Âge. À Sienne, la place publique où le peuple se rassemblait, le balcon d'où son magistrat le haranguait, frappent les voyageurs les moins capables de réflexion ; on sent qu'il a existé là un gouvernement démocratique.

C'est une jouissance véritable que d'entendre les Toscans, de la classe même la plus inférieure ; leurs expressions, pleines d'imagination et d'élégance, donnent l'idée du plaisir qu'on devait goûter dans la ville d'Athènes, quand le peuple parlait ce grec harmonieux qui était comme une musique continuelle. C'est une sensation très singulière de se croire au milieu d'une nation dont tous les individus seraient également cultivés, et paraîtraient tous de la classe supérieure ; c'est du moins l'illusion que fait, pour quelques moments, la pureté du langage.

L'aspect de Florence rappelle son histoire avant l'élévation des Médicis à la souveraineté ; les palais des familles principales sont bâtis comme des espèces de forteresses d'où l'on pouvait se défendre ; on voit encore à l'extérieur les anneaux de fer auxquels les étendards de chaque parti devaient être attachés ; enfin tout y était arrangé bien plus pour maintenir les forces individuelles que pour les réunir toutes dans l'intérêt commun. On dirait que la ville est bâtie pour la guerre civile. Il y a des tours au palais de justice d'où l'on pouvait apercevoir l'approche de l'ennemi et s'en défendre. Les haines entre les familles étaient telles qu'on voit des palais bizarrement construits, parce que leurs possesseurs n'ont pas voulu qu'ils s'étendissent sur le sol où des maisons ennemies avaient été rasées. Ici les Pazzi ont conspiré contre les Médicis ; là les guelfes ont assassiné les gibelins, enfin les traces de la lutte et de la rivalité sont partout ; mais à présent tout est rentré dans le sommeil, et les pierres des édifices ont seules conservé quelque physionomie. On ne se hait plus, parce qu'il n'y a plus rien à prétendre, qu'un État sans gloire comme sans puissance n'est plus disputé par ses habitants. La vie qu'on mène à Florence de nos jours est singulièrement monotone ; on va se promener tous les après-midi sur les bords de l'Arno ; et le soir l'on se demande les uns aux autres si l'on y a été.

Corinne s'établit dans une maison de campagne à peu de distance de la ville. Elle manda au prince Castel-Forte qu'elle voulait s'y fixer : cette lettre fut la seule que Corinne écrivit ; car elle avait pris une telle horreur pour toutes les actions communes de la vie, que la moindre résolution à prendre, le moindre ordre à donner lui causait un redoublement de peine. Elle ne pouvait passer les jours que dans une inactivité complète ; elle se levait, se couchait, se relevait, ouvrait un livre sans pouvoir en comprendre une ligne. Souvent elle restait des heures entières à sa fenêtre, puis elle se promenait avec rapidité dans son jardin une autre fois elle prenait un bouquet de fleurs, cherchant à s'étourdir par leur parfum. Enfin le sentiment de l'existence la poursuivait comme une douleur sans relâche, et elle essayait mille ressources pour calmer cette dévorante faculté de penser, qui ne lui présentait plus, comme jadis, les réflexions les plus variées, mais une seule idée, mais une seule image armée de pointes cruelles qui déchiraient son cœur.

*

Un jour Corinne résolut d'aller voir à Florence les belles églises qui décorent cette ville ; elle se rappelait qu'à Rome quelques heures passées dans St-Pierre calmaient toujours son âme, et elle espérait le même secours des temples de Florence. Pour se rendre à la ville elle traversa le bois charmant qui est sur les bords de l'Arno : c'était une soirée ravissante du mois de juin, l'air était embaumé par une inconcevable abondance de roses, et les visages de tous ceux qui se promenaient exprimaient le bonheur. Corinne sentit un redoublement de tristesse en se voyant exclue de cette félicité générale que la Providence accorde à la plupart des êtres ; mais cependant elle la bénit avec douceur de faire du bien aux hommes. – Je suis une exception à l'ordre universel, se disait-elle, il y a du bonheur pour tous, et cette terrible faculté de souffrir, qui me tue, c'est une manière de sentir particulière à moi seule. Ô mon Dieu ! cependant, pourquoi m'avez-vous choisie pour supporter cette peine ? Ne pourrais-je pas aussi demander comme votre divin fils " que cette coupe s'éloignât de moi ? "

L'air actif et occupé des habitants de la ville étonna Corinne. Depuis qu'elle n'avait plus aucun intérêt dans la vie, elle ne concevait pas ce qui faisait avancer, revenir, se hâter ; et traînant lentement ses pas sur les larges pierres du pavé de Florence, elle perdait l'idée d'arriver, ne se souvenant plus où elle avait l'intention d'aller : enfin elle se trouva devant les fameuses portes d'airain, sculptées par Ghiberti, pour le baptistère de St-Jean, qui est à côté de la cathédrale de Florence.

Elle examina quelque temps ce travail immense, où des nations de bronze, dans des proportions très petites, mais très distinctes, offrent une multitude de physionomies variées, qui toutes expriment une pensée de l'artiste, une conception de son esprit. – Quelle patience, s'écria Corinne, quel respect pour la postérité ! et cependant combien peu de personnes examinent avec soin ces portes à travers lesquelles la foule passe avec distraction, ignorance ou dédain. Oh ! qu'il est difficile à l'homme d'échapper à l'oubli, et que la mort est puissante !

C'est dans cette cathédrale que Julien de Médicis a été assassiné ; non loin de là, dans l'église de Saint-Laurent, on voit la chapelle en marbre, enrichie de pierreries, où sont les tombeaux des Médicis et les statues de julien et de Laurent, par Michel-Ange. Celle de Laurent de Médicis, méditant la vengeance de l'assassinat de son frère, a mérité l'honneur d'êtres appelée *la pensée de Michel-Ange.* Au pied de ces statues sont l'Aurore et la Nuit ; le réveil de l'une, et surtout le sommeil de l'autre, ont une expression remarquable. Un poète fit des vers sur la statue de la Nuit, qui finissaient par ces mots : « bien qu'elle dorme elle vit, réveille-la si tu ne le crois pas, elle te parlera ». Michel-Ange qui cultivait les lettres, sans lesquelles l'imagination en tout genre se flétrit vite, répondit au nom de la Nuit :

Grato m'è il sonno et più l'esser di sasso.
Mentre che il danno e la vergogna dura,
Non veder, non sentir m'è gran ventura.
Però non mi destar, deh parla basso.[1]

Michel-Ange est le seul sculpteur des temps modernes qui ait donné à la figure humaine un caractère qui ne ressemble ni à la beauté antique ni à l'affectation de nos jours. On croit y voir l'esprit du Moyen Âge, une âme énergique et sombre, une activité constante, des formes très prononcées, des traits qui portent l'empreinte des passions, mais ne retracent point l'idéal de la beauté. Michel-Ange est le génie de sa propre école, car il n'a rien imité, pas même les anciens.

Son tombeau est dans l'église de *Santa Croce.* Il a voulu qu'il fût placé en face d'une fenêtre, d'où l'on pouvait voir le dôme bâti par Filippo Brunelleschi, comme si ses cendres devaient tressaillir encore sous le marbre, à l'aspect de cette coupole, modèle de celle de Saint-Pierre. Cette église de Santa Croce contient la plus brillante assemblée de morts qui soit peut-être en Europe. Corinne se sentit profondément émue en marchant entre ces deux rangées de tombeaux. Ici c'est Galilée qui fut persécuté par les hommes, pour avoir découvert les secrets du ciel ; plus loin, Machiavel, qui

1. Il m'est doux de dormir, et plus doux d'être de marbre. Aussi longtemps que dure l'injustice et la honte, ce n'est un grand bonheur de ne pas voir et de ne pas entendre; ainsi donc ne m'éveille point, de grâce parle bas.

révéla l'art du crime, plutôt en observateur qu'en criminel, mais dont les leçons profitent davantage aux oppresseurs qu'aux opprimés ; l'Arétin, cet homme qui a consacré ses jours à la plaisanterie, et n'a rien éprouvé, sur la terre, de sérieux que la mort ; Boccace, dont l'imagination riante a résisté aux fléaux réunis de la guerre civile et de la peste ; un tableau en l'honneur du Dante, comme si les Florentins, qui l'ont laissé périr dans le supplice de l'exil, pouvaient encore se vanter de sa gloire ; enfin, plusieurs autres noms honorables se font aussi remarquer dans ce lieu ; des noms célèbres pendant leur vie, mais qui retentissent plus faiblement de générations en générations, jusques à ce que leur bruit s'éteigne entièrement.

La vue de cette église, décorée par de si nobles souvenirs, réveilla l'enthousiasme de Corinne : l'aspect des vivants l'avait découragée, la présence silencieuse des morts ranima, pour un moment du moins, cette émulation de gloire dont elle était jadis saisie ; elle marcha d'un pas plus ferme dans l'église, et quelques pensées d'autrefois traversèrent encore son âme ; elle vit venir sous les voûtes de jeunes prêtres qui chantaient à voix basse et se promenaient lentement autour du chœur ; elle demanda à l'un d'eux ce que signifiait cette cérémonie : – Nous prions pour nos morts, lui répondit-il. « Oui, vous avez raison, pensa Corinne, de les appeler “ vos morts ” : c'est la seule propriété glorieuse qui vous reste. Oh ! pourquoi donc Oswald a-t-il étouffé ces dons que j'avais reçus du ciel et que je devais faire servir à exciter l'enthousiasme dans les âmes qui s'accordent avec la mienne ? Ô mon Dieu ! s'écria-t-elle en se mettant à genoux, ce n'est point par un vain orgueil que je vous conjure de me rendre les talents que vous m'aviez accordés. Sans doute ils sont les meilleurs de tous, ces saints obscurs qui ont su vivre et mourir pour vous ; mais il est différentes carrières pour les mortels ; et le génie qui célébrerait les vertus généreuses, le génie qui se consacrerait à tout ce qui est noble, humain et vrai pourrait être reçu du moins dans les parvis extérieurs du ciel. » Les yeux de Corinne étaient baissés en achevant cette prière, et ses regards furent frappés par cette inscription d'un tombeau sur lequel elle s'était mise à genoux : « Seule à mon aurore, seule à mon couchant, je suis seule encore ici. »

– Ah ! s'écria Corinne, c'est la réponse à ma prière. Quelle émulation peut-on éprouver, quand on est seule sur la terre ? Qui partagerait mes succès, si j'en pouvais obtenir ? Qui s'intéresse à mon sort ? Quel sentiment pourrait encourager mon esprit au travail ? il me fallait son regard pour récompense.

Une autre épitaphe aussi fixa son attention : « Ne me plaignez pas », disait un homme, mort dans sa jeunesse, « si vous saviez combien de peines ce tombeau m'a épargnées ! » – Quel détachement de la vie ces paroles inspirent, dit Corinne, en versant des pleurs ! tout à côté du tumulte de la ville, il y a cette église qui apprendrait aux hommes le secret de tout, s'ils le voulaient ; mais on passe sans y entrer, et la merveilleuse illusion de l'oubli fait aller le monde.

*

Le mouvement d'émulation qui avait soulagé Corinne, pendant quelques instants, la conduisit encore le lendemain à la galerie de Florence ; elle se flatta de retrouver son ancien goût pour les arts, et d'y puiser quelque intérêt pour ses occupations d'autrefois. Les beaux-arts sont encore très républicains à Florence : les statues et les tableaux sont montrés à toutes les heures avec la plus grande facilité. Des hommes instruits, payés par le gouvernement, sont préposés, comme des fonctionnaires publics, à l'explication de tous ces chefs-d'œuvre. C'est un reste du respect pour les talents en tous genres, qui a toujours existé en Italie, mais plus particulièrement à Florence, lorsque les Médicis voulaient se faire pardonner leur pouvoir par leur esprit, et leur ascendant sur les actions, par le libre essor qu'ils laissaient du moins à la pensée. Les gens du peuple aiment beaucoup les arts à Florence, et mêlent ce goût à la dévotion, qui est plus régulière en Toscane qu'en tout autre lieu de l'Italie ; il n'est pas rare de les voir confondre les figures mythologiques avec l'histoire chrétienne. Un Florentin, homme du peuple, montrait aux étrangers une Minerve qu'il appelait Judith, un Apollon qu'il nommait David, et certifiait, en expliquant un bas-relief qui représentait la prise de Troie, que Cassandre « était une bonne chrétienne ».

C'est une immense collection que la galerie de Florence, et l'on pourrait y passer bien des jours sans parvenir encore à la connaître. Corinne parcourait tous ces objets, et se sentait avec douleur distraite et indifférente. La statue de Niobé réveilla son intérêt : elle fut frappée de ce calme, de cette dignité, à travers la plus profonde douleur. Sans doute dans une semblable situation la figure d'une véritable mère serait entièrement bouleversée ; mais l'idéal des arts conserve la beauté dans le désespoir ; et ce qui touche profondément dans les ouvrages du génie, ce n'est pas le malheur même, c'est la puissance que l'âme conserve sur ce malheur. Non loin de la statue de Niobé est la tête d'Alexandre mourant : ces deux genres de physionomie donnent beaucoup à penser. Il y a dans Alexandre l'étonnement et l'indignation de n'avoir pu vaincre la nature. Les angoisses de l'amour maternel se peignent dans tous les traits de Niobé : elle serre sa fille contre son sein avec une anxiété déchirante ; la douleur exprimée par cette admirable figure porte le caractère de cette fatalité qui ne laissait, chez les anciens, aucun recours à l'âme religieuse. Niobé lève les yeux au ciel, mais sans espoir, car les dieux mêmes y sont ses ennemis.

Corinne, en retournant chez elle, essaya de réfléchir sur ce qu'elle venait de voir, et voulut composer comme elle le faisait jadis ; mais une distraction invincible l'arrêtait à chaque page. Combien elle était loin alors du talent d'improviser ! Chaque mot lui coûtait à trouver, et souvent elle traçait des paroles sans aucun sens, des paroles qui l'effrayaient elle-même, quand elle se mettait à les relire, comme si l'on voyait écrit le délire de la fièvre. Se sentant alors incapable de détourner sa pensée de sa propre situation, elle peignait ce qu'elle souffrait ; mais ce n'étaient plus ces idées générales, ces sentiments universels qui répondent au cœur de tous les hommes ; c'était le cri de la douleur, cri monotone à la longue, comme celui des oiseaux de la nuit ; il y avait trop d'ardeur dans les expressions, trop d'impétuosité, trop peu de nuances c'était le malheur, mais ce n'était plus le talent. Sans doute il faut, pour bien écrire, une émotion vraie, mais il ne faut pas qu'elle soit déchirante. Le bonheur est nécessaire à tout, et la poésie la plus mélancolique doit être inspirée par une sorte de verve qui suppose et de la force et des jouissances intellectuelles. La véritable douleur n'a point de fécondité naturelle : ce qu'elle produit n'est qu'une agitation sombre qui ramène sans cesse aux mêmes pensées. Ainsi ce chevalier, poursuivi par un sort funeste, parcourait en vain mille détours et se retrouvait toujours à la même place.

Le mauvais état de la santé de Corinne achevait aussi de troubler son talent. L'on a trouvé dans ses papiers quelques-unes des réflexions qu'on va lire, et qu'elle écrivit dans ce temps où elle faisait d'inutiles efforts pour redevenir capable d'un travail suivi.

*

Fragments des pensées de Corinne.

« Mon talent n'existe plus ; je le regrette. J'aurais aimé que mon nom lui parvînt avec quelque gloire ; j'aurais voulu qu'en lisant un écrit de moi il y sentît quelque sympathie avec lui.

« J'avais tort d'espérer qu'en rentrant dans son pays, au milieu de ses habitudes, il conserverait les idées et les sentiments qui pouvaient seuls nous réunir. Il y a tant à dire contre une personne telle que moi, et il n'y a qu'une réponse à tout cela, c'est l'esprit et l'âme que j'ai ; mais quelle réponse pour la plupart des hommes !

« On a tort cependant de craindre la supériorité de l'esprit et de l'âme : elle est très morale cette supériorité ; car tout comprendre rend très indulgent, et sentir profondément inspire une grande bonté.

« Comment se fait-il que deux êtres qui se sont confié leurs pensées les plus intimes, qui se sont parlé de Dieu, de l'immortalité de l'âme, de la douleur, redeviennent tout à coup étrangers l'un à l'autre ? étonnant mystère que l'amour ! sentiment admirable ou nul ! religieux comme l'étaient les martyrs, ou plus froid que l'amitié la plus simple. Ce qu'il y a de plus involontaire au monde vient-il du ciel ou des passions terrestres ? Faut-il s'y soumettre ou le combattre ? Ah ! qu'il se passe d'orages au fond du cœur !

« Le talent devrait être une ressource ; quand le Dominiquin fut enfermé dans un couvent, il peignit des tableaux superbes sur les murs de sa prison, et laissa des chefs-d'œuvre pour trace de son séjour ; mais il souffrait par les circonstances extérieures ; le mal n'était pas dans l'âme ; quand il est là, rien n'est possible, la source de tout est tarie.

« Je m'examine quelquefois comme un étranger pourrait le faire, et j'ai pitié de moi. J'étais spirituelle, vraie, bonne, généreuse, sensible ; pourquoi tout cela tourne-t-il si fort à mal ? Le monde est-il vraiment méchant ? et de certaines qualités nous ôtent-elles nos armes au lieu de nous donner de la force ?

« C'est dommage : j'étais née avec quelque talent ; je mourrai sans que l'on ait aucune idée de moi, bien que je sois célèbre. Si j'avais été heureuse, si la fièvre du cœur ne m'avait pas dévorée, j'aurais contemplé de très haut la destinée humaine, j'y aurais découvert des rapports inconnus avec la nature et le ciel ; mais la serre du malheur me tient ; comment penser librement, quand elle se fait sentir chaque fois qu'on essaie de respirer ?

« Pourquoi n'a-t-il pas été tenté de rendre heureuse une personne dont il avait seul le secret, une personne qui ne parlait qu'à lui du fond du cœur ? Ah ! l'on peut se séparer de ces femmes communes qui aiment au hasard ; mais celle qui a besoin d'admirer ce qu'elle aime, celle dont le jugement est pénétrant, bien que son imagination soit exaltée, il n'y a pour elle qu'un objet dans l'univers.

« J'avais appris la vie dans les poètes ; elle n'est pas ainsi ; il y a quelque chose d'aride dans la réalité, que l'on s'efforce en vain de changer.

« Quand je me rappelle mes succès, j'éprouve un sentiment d'irritation. Pourquoi me dire que j'étais charmante, si je ne devais pas être aimée ! Pourquoi m'inspirer de la confiance pour qu'il me fût plus affreux d'être détrompée ? Trouvera-t-il dans une autre plus d'esprit, plus d'âme, plus de tendresse qu'en moi ? Non, il trouvera moins et sera satisfait ; il se sentira d'accord avec la société. Quelles jouissances, quelles peines factices elle donne !

« En présence du soleil et des sphères étoilées, on n'a besoin que de s'aimer et de se sentir digne l'un de l'autre. Mais la société, la société ! comme elle rend le cœur dur et l'esprit frivole ! comme elle fait vivre pour ce que l'on dira de vous ! Si les hommes se rencontraient un jour, dégagés chacun de l'influence de tous, quel air pur entrerait dans l'âme ! que d'idées nouvelles, que de sentiments vrais la rafraîchiraient !

« La Nature aussi est cruelle. Cette figure que j'avais, elle va se flétrir ; et c'est en vain alors que j'éprouverais les affections les plus tendres ; des yeux éteints ne peindraient plus mon âme, n'attendriraient plus pour ma prière.

« Il y a des peines en moi que je n'exprimerai jamais, pas même en écrivant ; je n'en ai pas la force : l'amour seul pourrait sonder ces abîmes.

« Que les hommes sont heureux d'aller à la guerre, d'exposer leur vie, de se livrer à l'enthousiasme de l'honneur et du danger ! Mais il n'y a rien au dehors qui soulage les femmes ; leur existence, immobile en présence du malheur, est un bien long supplice !

« Quelquefois, quand j'entends la musique, elle me retrace les talents que j'avais ; le chant, la danse et la poésie ; il me prend alors envie de me dégager du malheur, de reprendre à la joie : mais tout à coup un sentiment intérieur me fait frissonner ; on dirait que je suis une ombre qui veut encore rester sur la terre, quand les rayons du jour, quand l'approche des vivants, la forcent à disparaître.

« Je voudrais être susceptible des distractions que donne le monde ; autrefois je les aimais, elles me faisaient du bien, les réflexions de la solitude me menaient trop loin et trop avant ; mon talent gagnait à la mobilité de mes impressions. Maintenant j'ai quelque chose de fixe dans le regard, comme dans la pensée : gaieté, grâce, imagination, qu'êtes-vous devenues ? Ah ! je voudrais, ne fût-ce que pour un moment, goûter encore de l'espérance ! mais c'en est fait, le désert est inexorable, la goutte d'eau comme la rivière sont taries, et le bonheur d'un jour est aussi difficile que la destinée de la vie entière.

« Je le trouve coupable envers moi ; mais quand je le compare aux autres hommes, combien ils me paraissent affectés, bornés, misérables ! et lui, c'est un ange, mais un ange armé de l'épée flamboyante qui a consumé mon sort. Celui qu'on aime est le vengeur des fautes qu'on a commises sur cette terre, la divinité lui prête son pouvoir.

« Ce n'est pas le premier amour qui est ineffaçable il vient du besoin d'aimer ; mais lorsqu'après avoir connu la vie, et dans toute la force de son jugement, on rencontre l'esprit et l'âme que l'on avait jusqu'alors vainement cherchés, l'imagination est subjuguée par la vérité, et l'on a raison d'être malheureuse.

« Que cela est insensé, diront au contraire la plupart des hommes, de mourir pour l'amour, comme s'il n'y avait pas mille autres manières d'exister ! L'enthousiasme en tout genre est ridicule pour qui ne l'éprouve pas. La poésie, le dévouement, l'amour, la religion, ont la même origine ; et il y a des hommes aux yeux desquels ces sentiments sont de la folie. Tout est folie, si l'on veut, hors le soin que l'on prend de son existence ; il peut y avoir erreur et illusion partout ailleurs.

« Ce qui fait mon malheur surtout, c'est que lui seul me comprenait, et peut-être trouvera-t-il une fois aussi que moi seule je savais l'entendre. Je suis la plus facile et la plus difficile personne du monde ; tous les êtres bienveillants me conviennent comme société de quelques instants ; mais pour l'intimité, pour une affection véritable, il n'y avait au monde qu'Oswald que je pusse aimer. Imagination, esprit, sensibilité, quelle réunion ! où se trouve-t-elle dans l'univers ? et le cruel possédait toutes ces qualités, ou du moins tout leur charme !

« Qu'aurais-je à dire aux autres ? à qui pourrais-je parler ? quel but, quel intérêt me reste-t-il ? Les plus amères douleurs, les plus délicieux sentiments me sont connus, que puis-je craindre ? que pourrais-je espérer ? Le pâle avenir n'est plus pour moi que le spectre du passé.

« Pourquoi les situations heureuses sont-elles si passagères ? qu'ont-elles de plus fragile que les autres ? L'ordre naturel est-il la douleur ? C'est une convulsion que la souffrance pour le corps, mais c'est un état habituel pour l'âme.

Ahi ! null' altro che pianto al mondo dura.[1]
Pétrarque.

« Une autre vie ! une autre vie ! voilà mon espoir ; mais telle est la force de celle-ci, qu'on cherche dans le ciel les mêmes sentiments qui ont occupé sur la terre. On peint dans les mythologies du nord les ombres des chasseurs poursuivant les ombres des cerfs dans les nuages ; mais de quel droit disons-nous que ce sont des ombres ? où

1. « Ah ! dans le monde rien ne dure que les larmes ! »

est-elle la réalité ? Il n'y a de sûr que la peine ; il n'y a qu'elle qui tienne impitoyablement ce qu'elle promet.

« Je rêve sans cesse à l'immortalité, non plus à celle que donnent les hommes, ceux qui, selon l'expression du Dante, « appelleront antique le temps actuel », ne m'intéressent plus ; mais je ne crois pas à l'anéantissement de mon cœur. Non, mon Dieu, je n'y crois pas. Il est pour vous ce cœur dont il n'a pas voulu, et que vous daignerez recevoir après les dédains d'un mortel.

« Je sens que je ne vivrai pas longtemps, et cette pensée met du calme dans mon âme. Il est doux de s'affaiblir dans l'état où je suis, c'est le sentiment de la peine qui s'émousse.

« Je ne sais pourquoi dans le trouble de la douleur on est plus capable de superstition que de piété ; je fais des présages de tout, et je ne sais point encore placer ma confiance en rien. Ah ! que la dévotion est douce dans le bonheur ! quelle reconnaissance envers l'Être suprême doit éprouver la femme d'Oswald !

« Sans doute la douleur perfectionne beaucoup le caractère ; on rattache dans sa pensée ses fautes à ses malheurs, et toujours un lien visible, au moins à nos yeux, semble les réunir ; mais il est un terme à ce salutaire effet.

« Un profond recueillement m'est nécessaire avant d'obtenir,

« ... Tranquillo varco
A più tranquille vita.[1]

« Quand je serai tout à fait malade, le calme doit renaître en mon cœur ; il y a beaucoup d'innocence dans les pensées de l'être qui va mourir, et j'aime les sentiments qu'inspire cette situation.

« Inconcevable énigme de la vie, que la passion, ni la douleur, ni le génie ne peuvent découvrir, vous révélerez-vous à la prière ? Peut-être l'idée la plus simple de toutes explique-t-elle ces mystères ! peut-être en avons-nous approché mille fois dans nos rêveries ? Mais ce dernier pas est impossible, et nos vains efforts en tout genre donnent une grande fatigue à l'âme. Il est bien temps que la mienne se repose.

1. « Un tranquille passage vers une vie plus tranquille.

Fermossi al fin il cor che balzo tanto.[1]
Hippolito Pindemonte.

*

Le prince Castel-Forte quitta Rome pour venir s'établir à Florence près de Corinne : elle fut très reconnaissante de cette preuve d'amitié ; mais elle était un peu honteuse de ne pouvoir plus répandre dans la conversation le charme qu'elle y mettait autrefois. Elle était distraite et silencieuse ; le dépérissement de sa santé lui ôtait la force nécessaire pour triompher, même pour un moment, des sentiments qui l'occupaient. Elle avait encore en parlant l'intérêt qu'inspire la bienveillance ; mais le désir de plaire ne l'animait plus. Quand l'amour est malheureux, il refroidit toutes les autres affections, on ne peut s'expliquer à soi-même ce qui se passe dans l'âme ; mais autant l'on avait gagné par le bonheur, autant l'on perd par la peine. Le surcroît de vie que donne un sentiment qui fait jouir de la nature entière se reporte sur tous les rapports de la vie et de la société ; mais l'existence est si appauvrie quand cet immense espoir est détruit, qu'on devient incapable d'aucun mouvement spontané. C'est pour cela même que tant de devoirs commandent aux femmes, et surtout aux hommes, de respecter et de craindre l'amour qu'ils inspirent, car cette passion peut dévaster à jamais l'esprit comme le cœur.

Le prince Castel-Forte essayait de parler à Corinne des objets qui l'intéressaient autrefois ; elle était quelquefois plusieurs minutes sans lui répondre, parce qu'elle ne l'entendait pas dans le premier moment ; puis le son et l'idée lui parvenaient, et elle disait quelque chose qui n'avait ni la couleur ni le mouvement que l'on admirait jadis dans sa manière de parler, mais qui faisait aller la conversation quelques instants, et lui permettait de retomber dans ses rêveries. Enfin, elle faisait encore un nouvel effort pour ne pas décourager la bonté du prince Castel-Forte, et souvent elle prenait un mot pour l'autre, ou disait le contraire de ce qu'elle venait de dire ; alors elle

1. Il s'est enfin arrêté, ce coeur qui battait si vite.

souriait de pitié sur elle-même, et demandait pardon à son ami de cette sorte de folie dont elle avait la conscience.

Le prince Castel-Forte voulut se hasarder à lui parler d'Oswald, et il semblait même que Corinne prît à cette conversation un âpre plaisir ; mais elle était dans un tel état de souffrance en sortant de cet entretien, que son ami se crut absolument obligé de se l'interdire. Le prince Castel-Forte avait une âme sensible ; mais un homme, et surtout un homme qui a été vivement occupé d'une femme, ne sait, quelque généreux qu'il soit, comment la consoler du sentiment qu'elle éprouve pour un autre. Un peu d'amour-propre en lui, et de timidité dans elle, empêchent que l'intimité de la confiance ne soit parfaite : d'ailleurs à quoi servirait-elle ? il n'y a de remède qu'aux chagrins qui se guériraient d'eux-mêmes.

Corinne et le prince Castel-Forte se promenaient ensemble chaque jour sur les bords de l'Arno. Il parcourait tous les sujets d'entretien avec un aimable mélange d'intérêt et de ménagement ; elle le remerciait en lui serrant la main, quelquefois elle essayait de parler sur les objets qui tiennent à l'âme ; ses yeux se remplissaient de pleurs, et son émotion lui faisait mal ; sa pâleur et son tremblement étaient pénibles à voir, et son ami cherchait bien vite à la détourner de ces idées. Une fois elle se mit tout à coup à plaisanter avec sa grâce accoutumée ; le prince Castel-Forte la regarda avec surprise et joie, mais elle s'enfuit aussitôt en fondant en larmes.

Elle revint à dîner, tendit la main à son ami en lui disant : – Pardon, je voudrais être aimable, pour vous récompenser de votre bonté, mais cela m'est impossible, soyez assez généreux pour me supporter telle que je suis. – Ce qui inquiétait vivement le prince Castel-Forte, c'était l'état de la santé de Corinne. Un danger prochain ne la menaçait pas encore, mais il était impossible qu'elle vécût longtemps, si quelques circonstances heureuses ne ranimaient pas ses forces. Dans ce temps le prince Castel-Forte reçut une lettre de lord Nelvil, et bien qu'elle ne changeât rien à la situation, puisqu'il lui confirmait qu'il était marié, il y avait dans cette lettre des paroles qui auraient ému profondément Corinne. Le prince Castel-Forte réfléchissait des heures entières, pour concerter avec lui-même s'il devait ou non causer à son amie, en lui montrant cette lettre, l'impression la plus vive, et il la voyait si faible qu'il ne l'osait pas. Pendant qu'il délibérait encore, il reçut une seconde lettre de lord Nelvil, également remplie de sentiments qui auraient attendri Corinne, mais contenant la nouvelle de son départ pour l'Amérique. Alors le prince Castel-Forte se décida tout à fait à ne rien dire. Il eut peut-être tort, car une des plus amères douleurs de Corinne, c'était que lord Nelvil ne lui écrivît point ; elle n'osait l'avouer à personne ; mais bien qu'Oswald fût pour jamais séparé d'elle, un souvenir, un regret de sa part lui auraient été bien chers ; et ce qui lui paraissait le plus affreux, c'était ce silence absolu qui ne lui donnait pas même l'occasion de prononcer ou d'entendre prononcer son nom.

Une peine dont personne ne vous parle, une peine qui n'éprouve pas le moindre changement ni par les jours, ni par les années, et n'est susceptible d'aucun événement, d'aucune vicissitude, fait encore plus de mal que la diversité des impressions douloureuses. Le prince Castel-Forte suivit la maxime commune qui conseille de tout faire pour amener l'oubli ; mais il n'y a point d'oubli pour les personnes d'une imagination forte, et il vaut mieux avec elle renouveler sans cesse le même souvenir, fatiguer l'âme de pleurs enfin, que l'obliger à se concentrer en elle-même.

Extrait de *Corrinne ou l'Italie.*

Joseph Méry

L'atelier de Bartolini

Quand on entre à Florence par la porte de Pise, on passe dans une rue triste et sombre qui fait contraste avec la ravissante vallée de l'Arno qu'on vient de quitter ; à quelques pas de cette porte, une façade monumentale de maison arrête un instant vos yeux par son caractère artistique ; c'est l'atelier de Bartolini, le Phidias toscan.

Tout le monde n'est pas admis à visiter ce palais du grand sculpteur ; les princes et les lords, qui ne sont que princes ou lords, ont souvent fait antichambre à la porte de l'atelier ; mais l'artiste voyageur, le pèlerin amant de l'Italie, le poète fervent, ont leurs libres entrées, de droit, chez Bartolini. Il leur crie comme la mère d'Aristée : « *Fas vobis limina divum.* » Rien ne rappelle mieux les ateliers antiques de Praxitèle ou de Scopas que cette demeure tout empreinte de la majesté de l'art ; les plafonds des salles s'élèvent à soixante pieds pour laisser respirer à leur aise les statues gigantesques qui viennent de jaillir du bloc ; des masses énormes de marbre vous arrêtent à chaque pas ; de jeunes élèves, enfants de la campagne voisine, comme Giotto, travaillent à tous les angles, pour dégrossir le marbre, et le jeter au ciseau du maître. Le sol est jonché d'une poussière blanche et lumineuse, plus douce aux pieds de l'artiste que le gazon des Cascines, que les pelouses de l'Arno. Moi, pauvre et inconnu comme le Scythe Anacharsis, j'entrai là, comme lui chez le sculpteur d'Athènes, avec un saint respect dans le cœur, le frisson aux cheveux, la flamme au visage ; une petite porte s'ouvrit, porte sacrée, interdite aux profanes, et j'eus le bonheur de surprendre Bartolini en flagrante obsession de l'art ; il était couvert d'une auréole de fumée de marbre les bras nus, la tête nue, les yeux étincelants d'esprit.

Il me reçut avec une simplicité grave, sans aucune dépense de gestes et de propos ; j'aimai cette intelligente fierté du grand artiste, qui, en vous initiant dans les plus grands mystères de son cénacle, vous accorde une faveur qui ne pourrait plus être qu'affaiblie par de vaines phrases et de fades compliments de réception. Il était muet et debout, le ciseau à la main, devant la plus récente et la plus aimée de ses créations, sa *Bacchante*, sa *Bacchante* déjà célèbre en Italie, quoiqu'elle ne soit pas encore sortie de son boudoir, la ravissante fille. Je ne vis plus rien de ce qui m'entourait, la divine statue m'absorba ; je fus saisi d'une telle illusion, que je me retirai, comme on ferait par respect devant une jeune femme nue, et surprise au lit.

Rien de suave, rien de gracieux d'ondulations comme la pose de la *Bacchante* ; elle est mollement renversée sur le côté gauche ; la partie supérieure du corps se replie voluptueusement, et dans ce délicieux abandon, elle se trahit tout entière. Que de jeunes filles toscanes ont donné leur contingent de beauté spéciale à ce marbre ! Il s'est enrichi, et s'est rendu parfait avec les dons épars de tant de modèles. Que de femmes il a fallu pour en composer une seule !

Le sculpteur Bartolini admire l'antique, mais il ne le copie pas : il copie la nature qui vaut mieux que l'antique.

« Si j'avais à faire un Apollon, me disait-il, je chercherais un homme physique, comme Diogène cherchait l'homme moral ; je n'irais pas au Belvédère du Vatican, devant la plus belle statue de ce dieu : je chercherais des formes divines chez l'humanité mortelle. La nature ne trompe pas le ciseau ; je suis sûr que l'*Apollon du Belvédère* se briserait en morceaux, s'il venait à marcher. Mais les modèles parfaits n'existent pas ; la nature laisse tomber une perfection sur un corps entre deux défauts ; et puis notre choix est restreint dans une seule classe de modèles, ceux qui posent par métier. Je ne néglige aucune peine, je n'épargne rien, ni argent, ni recherches pour avoir d'excellents modèles ; quelquefois je suis obligé de les deviner, par instinct, à la promenade, à la campagne, et sous des vêtements, dans un costume qui ne flatte pas leurs beautés de détail. Regardez cette jeune fille (il me montra une enfant de treize ans assise sur un lit). Comment la trouvez-vous ? (Je fis un signe d'hésitation.) Ses yeux vous semblent morts, n'est-ce pas ? Son regard éteint ? Vous allez la voir. »

Il ordonna au jeune modèle de prendre la pose de la prière ; l'enfant s'agenouilla et laissa pencher sa tête sur l'épaule droite. Elle devint sublime : ses joues s'enluminèrent de pudeur, ses grands yeux noirs parlèrent au ciel ; ce fut la personnification de la prière dans tout son beau idéal de sainte et douce violence, de séraphique ferveur.

« La nature ! poursuivit le grand artiste, la nature c'est toujours elle qu'il faut étudier dans notre art. Nous avons beaucoup de chefs-d'œuvre parmi nos statues antiques, je n'en copierais pas un orteil pour le pied de ma *Bacchante.* Tant qu'il y aura des femmes, je tâcherai de découvrir chez une d'elles la perfection, dans un ongle, un pli de chair, une racine de cheveu, et je m'approprierai cette beauté minutieuse de détail. Voilà tout mon secret. »

Mes oreilles étaient toutes aux paroles de Bartolini ; mes yeux ne pouvaient se détacher de sa fille de marbre ; elle aussi semblait écouter son père, et le regarder avec amour, dans l'ivresse des bacchanales ; on aura cru voir la fille de Loth méditant son inceste. La chambre était éclairée par un jour tendre ; de légers rayons couraient avec leurs atomes sur le corps de l'adorable statue, et semaient sur ses belles formes une teinte molle qui les incarnait. La *Bacchante*, noyée dans cette flottante lumière, semblait perdre parfois son immobilité ; à force de la regarder fixement, je croyais saisir la vie, et le jeu des muscles, dans ses bras arrondis, dans son dos si souple, dans son col moelleux qui donnait un frisson magnétique à mes lèvres. Je compris la folie de Pygmalion.

– À quel amant destinez-vous cette belle maîtresse ? demandai-je à Bartolini.

– Au duc de Devonshire, me répondit-il.

– Ce duc est bien heureux ! Me permettez-vous de la revoir, car je sens que ma visite est trop longue, et que votre temps est de l'or pur.

– Venez quand vous voudrez.

– Je n'y manquerai pas, croyez-le bien. Maintenant, accordez-moi une faveur.

– Laquelle ?

– La faveur d'embrasser votre fille.

Le sculpteur étendit sa main droite vers elle avec un geste de paternel consentement.

Ma lèvre effleura les lèvres de la *Bacchante*. Je sortis heureux, comme on sort à vingt ans d'un premier et pudique rendez-vous.

Je me lançai dans Florence, la ville des statues. La *Sabine* de Jean de Bologne me parut lourde, la *Niobé* m'attendrit, la *Vénus* pudique me trouva glacé ; j'en demande pardon à l'ombre de Praxitèle. Oh ! sans doute, lorsque sa *Vénus* sortit de son ciseau, pure, blanche, lumineuse comme le marbre de Paros dont elle est faite, elle mérita les baisers de tous les jeunes gens de Cypris et d'Amathonte ; elle était suave aux yeux et aux mains comme l'ivoire des lits du gynécée ; sa chevelure exhalait encore les parfums de la mer Ionienne, comme la déesse dont elle est la divine image ; sa radieuse nudité donnait des extases d'amour au prêtre qui la couronnait de myrte, à la veillée de ses fêtes. La Grèce entière avait passé, amoureuse et ravie, devant le sacré piédestal, quand la céleste image, inclinée à demi, souriant à l'adorateur, laissait mollement tomber un de ses bras pudiques, et de l'autre cachait le plus beau sein qu'un œil de mère ait pu voir. Mais aujourd'hui, après tant de siècles d'inhumation, comment nous a-t-elle rendu le corps divin, cette villa d'Adrien dévastée par les soldats de Théodoric ? À Rome, les Visigoths ont violé la statue sainte, et quinze cents ans après ils ont trouvé des dignes imitateurs à Paris, chez les Tartares du Don. Quelle destinée ! Au moins son frère, l'*Apollon* du Vatican, a traversé les siècles, en conservant sa pureté native ; dans la rotonde bâtie pour lui, il se lève encore splendide et virginal, comme sur l'autel de Claros ; mais elle, cette *Vénus* mutilée, comme ils nous l'ont faite les saccageurs de Théodoric et d'Alexandre ! Cadavre jauni par la terre grasse de la fosse ; cadavre morcelé, plein de souillures ; il a fallu que de pieuses mains en réunissent les membres épars pour reconstruire un corps : et pourtant l'œil de l'artiste, s'il se ferme un instant sur les cicatrices du simulacre ; s'il ne s'ouvre que sur les grâces divines de l'ensemble ; s'il surprend encore la palpitation du marbre à travers le vernis du sépulcre, eh bien ! c'est encore pour lui la *Vénus* de Praxitèle et de Médicis, la statue aimée de Périclès et d'Adrien.

Le lendemain, à sept heures du matin, je repris le chemin de l'atelier de Bartolini.

Florence est bien la ville des arts ; en aucune autre cité vous ne trouverez ces brillants accessoires qui vous accompagnent poétiquement jusque sur le seuil du peintre, du musicien, du sculpteur. Dans la rue, à la promenade, sur les quais, sur les places publiques, rien ne vous distrait de votre religieuse pensée de visite. Chemin faisant, vos réflexions courent dans une atmosphère imprégnée du parfum des beaux-arts. En me rendant chez Bartolini, je passai devant le palais Strozzi, bâti pour dévorer le temps : je m'inclinai devant la colonne apportée des thermes d'Antonin ; je traversai le magnifique pont que Michel-Ange fit à Rome, et qu'il envoya, dit-on, dans une lettre, au grand-duc qui le lui avait demandé. Vue de là, sous la transparente lumière d'une matinée d'avril, Florence était suave et gracieuse comme son nom ; l'Arno coulait comme de l'azur fluide entre ses deux rives radieuses de soleil, semées de palais et de dômes. À gauche, je voyais s'avancer la colonnade sombre des Offices ; auprès, le pont vieux où Hercule terrasse Nessus par ordre de Jean de Bologne ; au fond du tableau, la délicieuse colline de San Miniato ; à ma droite, je suivais l'Arno qui descendait avec ravissement sous les arbres des Cascines ; du centre des grands bois, je voyais surgir un groupe de pins gigantesques dont les têtes s'arrondissent en parasol et dominent les vastes allées ; vis-à-vis, sur l'autre rive, montait la villa Strozzi, avec ses cyprès et ses mélancoliques ombrages.

Je trouvai Bartolini comme je l'avais vu la veille, devant sa *Bacchante* ; à cinq heures du matin, il prend le ciseau et ne le quitte qu'à la nuit ; c'est ainsi qu'on se fait grand.

– Comment avez-vous trouvé la *Vénus de Médicis* ? me dit-il.

– Froide, lui répondis-je, je venais d'embrasser votre *Bacchante.* »

Il sourit, comme un roi à une parole de courtisan : le génie est la première des royautés ; l'adulation n'est permise que devant lui. Il m'offrit de me faire visiter les salles de son atelier, j'acceptai avec joie.

Il me montra sa galerie de bustes ; il en a fait six cents, presque tous portraits de femmes. Toutes les belles Anglaises ont posé devant lui ; pas une dame opulente et voyageuse ne passe à Florence sans en rapporter son buste de marbre ciselé par Bartolini ; le plâtre reste à l'atelier. C'est la plus curieuse collection de nobles et belles têtes qu'on puisse voir. Voilà le délassement du sculpteur florentin ; son travail est réservé aux colosses.

Depuis plusieurs années, il a fondu des blocs pour son mausolée du seigneur Demidoff, ce riche des *Mille et Une Nuits* qui avait des mines d'or dans ses terres et qui aurait acheté à la mort une semaine de vie de plus, si cent millions eussent pu la payer. De grandes et belles statues, de magnifiques bas-reliefs orneront le tombeau du Lucullus moscovite ; cet ouvrage prodigieux n'avance qu'avec lenteur, parce que de bons modèles manquent souvent au scrupuleux artiste ; il faudra peut-être une vie d'homme pour achever le mausolée de ce riche mort. Florence a donné des regrets à Demidoff. Ce Russe intelligent n'avait pas adopté pour devise ces deux vers :

Nescio qua natale solum dulcedine cunctos
Ducit, et immemores non sinit esse sui.

Il pensait, sans doute, que la patrie n'est chère qu'à ceux qui ont une patrie habitable ; il avait vu Florence et l'avait préférée à Moscou. On conçoit difficilement le Samoïède qui regretterait dans le Midi sa patrie d'ours blancs, de glaçons et d'éternelles nuits ; on comprend mieux Potaveri, le jeune sauvage, qui demandait, à Paris, ses doux palmiers et son océan Pacifique, où il donnait des rendez-vous à sa maîtresse sur une belle vague d'écume et d'azur. Demidoff avait planté trois tentes sur le Thabor florentin, et il ne tournait jamais ses yeux ni vers le Kremlin, ni vers la Néva, ni vers la cité polaire que Pierre le Grand a eu le courage de bâtir en plein hiver. Le palais du Russe converti au culte du Midi s'enveloppait de l'ombrage des Cascines ; on y dansait, on y chantait, on y riait éternellement ; c'était le véritable Paradis terrestre, moins l'arbre du mal et le serpent. Demidoff était grand-duc de Toscane, il ne lui manquait que l'écu d'or et les cinq tourteaux de gueules ; sous son règne, Florence était plus Florence que jamais. Une nuit où la ville entière avait été appelée à la fête, un spectre jaloux, qui n'avait pas reçu sa lettre d'invitation, entra sans se faire annoncer, c'était la mort. Le lustre s'éteignit et ne s'est plus rallumé. Bartolini travaille aux décors de cette dernière fête ; il cisèle le tombeau.

Au milieu de ces lugubres images, un portrait suspendu à la muraille me frappa vivement ; il n'était ni de Rembrandt, ni de Van Dyck, ni de Titien ; c'était une œuvre toute fraîche ; si cette toile avait eu le plus léger vernis séculaire, je l'aurais volontiers attribuée au premier grand nom de l'école de Florence qu'on m'aurait cité ; j'aurais cru que Masaccio était tout exprès sorti de la tombe pour peindre Bartolini dans son atelier.

Le portrait n'est pas signé ; un portrait d'Ingres n'est jamais synonyme. Ingres est l'ami du sculpteur florentin ; Ingres et Bartolini sont deux talents fraternels ; à l'un la toile, à l'autre le marbre. L'*Odalisque* est sœur de la *Bacchante.* Ingres, passant à Florence, il y a quelques années, entra dans la maison de Bartolini comme dans son hôtellerie naturelle. Ces deux hommes de génie eurent entre eux de beaux et solennels entretiens sur l'art ; personne ne parle de l'art comme Bartolini ; il s'exprime dans notre langue avec une facilité merveilleuse, toute pleine de la grâce toscane. Les idées neuves jaillissent avec abondance dans sa parole de flamme. Il a médité sur tous les secrets de la nature et de l'école ; il ne répète pas les théories écrites, il improvise les siennes, comme ferait un maître devant des élèves intelligents. Bien peu d'hommes ont autant d'esprit que lui ; il a des saillies sérieuses qui prennent en naissant la rondeur concise de l'axiome : c'est l'artiste complet qui a toujours à sa disposition la parole éloquente pour défendre son art. Ingres était fait pour comprendre Bartolini : il a payé la noble hospitalité reçue en suspendant son portrait dans l'atelier du sculpteur, comme Titien chez François Ier. Aujourd'hui que le grand peintre est dans son palais du Monte Pincio, où il dirige notre jeune école romaine, il fera sans doute asseoir l'artiste florentin au foyer de la colonie française. Cela rappellera ces beaux jours des illustres migrations où l'artiste grec, débarqué à Tarente, traversait l'Italie, son bâton à la main, et venait frapper au seuil d'Apulius ou d'Apollodore, qui peignaient les fresques du palais d'Auguste sur le mont Palatin.

Il est une statue qui remplit l'atelier de toute sa grandeur, de tout son majestueux éclat ; c'est l'image qu'on trouve partout à Florence, et dans le monde ; mais là, elle est de la taille que Kléber donnait au vainqueur d'Aboukir ; c'est la statue de Napoléon : il a l'héroïque pose et le poétique vêtement de Trajan et d'Antonin ; les beaux-arts ne connaissent pas la redingote à Florence. Le marbre impérial a dix-huit pieds de hauteur ; si tout autre nom était attaché à cette image, elle paraîtrait colossale ; mais comme elle se nomme Napoléon, elle semble de grandeur naturelle. Ajaccio marchande pour l'acheter ; Bartolini veut être dignement rémunéré de son œuvre, et ses prétentions sont fort modestes. En échange de quatre-vingt mille francs, le sculpteur prend la statue, s'embarque avec elle, et va la placer lui-même sur le môle d'Ajaccio. Il vaut mieux être obélisque de Luxor que statue de Napoléon ; la gigantesque image languit dans l'atelier de Bartolini, et nul brick ne sort de Toulon pour la conquérir. On parle de la suppléer par une statue de bronze ; on prétend que le marbre se brise à coups de pierre, ce qui est incontestable ; mais quel est le Corse qui jetterait sa pierre au simulacre de son empereur ? Cela ne s'est vu qu'à Orgon, et Orgon en a pris le deuil depuis. À Florence, on ne conçoit pas qu'on prenne tant de souci pour la vie du marbre ; Florence, elle qui expose, en pleine rue, les géants de Michel-Ange, de Donatello, de Jean de Bologne, et qui ne s'est jamais repentie de sa confiance dans le respect du peuple. Là, un guelfe laisserait vivre éternellement un gibelin, si la balle de son mousquet devait effleurer une statue. Ajaccio fera ses réflexions.

Avant de partir, je voulus revoir une fois encore la *Bacchante* ; Bartolini rouvrit le boudoir secret ; elle me parut encore plus femme que la veille. Céleste enfant ! Comme elle va frissonner dans les brumes du duché de Devonshire, elle née dans les rayons italiens ! J'espère que Bartolini la gardera ; il lui en coûterait trop de se séparer d'elle, je n'ai jamais conçu le père qui livre la plus belle de ses filles aux caresses d'un étranger : l'*Épithalame de Manlius et de Junie* l'avait déjà dit avant moi, en magnifiques vers latins.

Extrait des *Nuits italiennes*.

Giacomo Casanova

Las et content des plaisirs, je me rendis à Florence

Je suis parti de Rome au commencement de juin 1771, tout seul dans ma voiture à quatre chevaux de poste, bien équipé, me portant très bien, et tout à fait déterminé à adopter un train de vie tout à fait différent de celui que j'avais suivi jusqu'à ce moment-là. Las et content des plaisirs dont j'avais goûté trente ans de suite, je pensais non pas à y renoncer tout à fait, mais à ne faire pour le temps à venir autre chose que les effleurer, me défendant de tout engagement à conséquence. À cet effet, j'allais à Florence sans nulle lettre, décidé à ne voir personne, me donnant entièrement à l'étude. *L'Iliade* d'Homère qui, depuis mon départ d'Angleterre, faisait une heure ou deux chaque jour mes délices, dans sa langue originale, m'avait fait venir l'envie de la traduire en stances italiennes ; il me semblait que tous ses traducteurs en italien l'avaient falsifiée, Salvini excepté, que personne ne pouvait lire à cause de sa grande sécheresse. J'avais des scoliastes, je rendais justice à Pope ; mais je trouvais que, dans ses notes, il aurait pu dire beaucoup plus. Florence était la ville où je pensais de m'occuper à cela, m'y tenant éloigné de tout le monde.

D'autres circonstances m'excitaient à prendre ce parti.

Il me semblait d'avoir vieilli. Quarante-six ans me paraissaient un grand âge. Il m'arrivait de trouver la jouissance de l'amour moins vive, moins séduisante que je ne me la figurais avant le fait, et il y avait déjà huit ans qu'à petit degré ma puissance diminuait. Je trouvais qu'un long conflit n'était pas suivi du plus tranquille sommeil, et que mon appétit à table, que l'amour aiguisait avant ce temps-là, devenait moindre lorsque j'aimais, également que lorsque j'avais joui. Outre cela, je trouvais que je n'intéressais plus le beau sexe à vue, il me fallait parler, on me préférait des rivaux, et on avait l'air de me faire une grâce en m'associant secrètement à quelqu'un ; mais je ne pouvais plus prétendre à des sacrifices. Je m'impatientais enfin lorsque je voyais un jeune étourdi auquel l'empressement que je montrais pour l'objet qu'il aimait ne donnait aucun ombrage, et que le même objet pour me faire une grâce, voulait me faire passer pour sans conséquence. Quand on disait de moi : c'est un homme d'un certain âge, j'en convenais, mais cette vérité me dépitait. Tout cela, dans les moments qu'étant tout seul je descendais dans moi-même, me rendait convaincu que je devais penser à une belle retraite. Je m'y voyais forcé même, car je me voyais à la veille de n'avoir plus de quoi vivre après avoir consumé mes trésors. Tous mes amis dont les bourses m'étaient ouvertes, étaient morts. M. Barbaro, mort poitrinaire dans cette même année, n'avait pu me léguer dans son testament que six misérables sequins par mois pour toute ma vie ; et M. Dandolo, qui était le seul ami qui me restait, ne pouvait m'en donner qu'encore six, et il avait vingt ans plus que moi. J'avais, à mon départ de Rome, sept ou huit cents écus romains, et mes bijoux en montres, en tabatières, en jolies bagues de peu de prix qui me faisaient plus de mal que de bien, car ils me faisaient croire riche, et l'ambition me forçait à dépenser de façon à faire voir qu'on ne se trompait pas. La connaissance de cette vérité me fit prendre le sage parti de ne paraître à Florence que vêtu simplement et sans aucun faste. Faisant cela, je me suis dit que, quand le besoin d'argent m'obligera à vendre les meubles que je possédais, personne n'en saurait rien.

Avec ce plan, je suis arrivé à Florence en moins de deux jours, sans m'arrêter nulle part, allant me loger à une auberge de nulle renommée, et envoyant ma voiture à la poste, puisque l'aubergiste, qui s'appelait J.B. Allegranti, n'avait pas un endroit pour la mettre. Ce fut le lendemain que je suis allé la faire mettre dans une remise.

Assez bien logé dans une petite chambre, trouvant l'hôte modeste et raisonnable, et ne voyant que des femmes laides et âgées, j'ai cru de pouvoir y vivre très tranquillement et hors de risque de faire des connaissances séduisantes.

Le lendemain matin, je me suis habillé de noir avec mon épée en ceinture, et je suis allé au palais Piti pour me présenter à l'archiduc grand-duc. C'était Léopold qui mourut, il y a sept ans, empereur. Il donnait audience à tous ceux qui se présentaient, j'ai cru devoir aller directement à lui sans me soucier d'aller auparavant chez le comte de Rosemberg. Voulant demeurer tranquille en Toscane, j'ai cru que, pour me garantir de malheurs dépendant d'espionnage et des soupçons naturels à la police, je devais tout directement me présenter au maître. Je suis donc allé à l'antichambre et j'ai écrit mon nom à la suite des autres qui étaient là attendant leur tour pour avoir audience. Un marquis Pazzi qui était de ce nombre et qui m'avait connu à Rome chez une marquise, je ne me souviens plus si née Frescobaldi de Florence ou veuve d'un marquis de ce même nom, m'approcha pour me faire compliment sur le plaisir qu'il avait de me revoir dans sa patrie. Il me dit qu'il avait accompagné jusqu'à Bologne M. XXX, qui retournait en Angleterre avec une jeune épouse romaine, qui effacerait toutes les beautés de Londres. Il me dit qu'il m'en parlait parce que, dans le séjour qu'il avait fait à Florence, il avait beaucoup parlé de moi, se flattant de me voir de retour de Rome. Je l'ai remercié de la bonne nouvelle qu'il me donnait, puisque je m'intéressais beaucoup au bonheur du beau couple. (...)

J'ai demandé en peu de mots au jeune grand-duc, le sûr asile pendant tout le temps que je m'arrêtais dans ses États, et prévenant les interrogations que je prévoyais, je lui ai dit par quelle raison je ne pouvais pas retourner à Venise. Je lui ai dit que pour ce qui regardait mon nécessaire à la vie je n'avais besoin de personne, et que je comptais de passer mon temps dans l'étude. Il me répondit que, ayant une bonne conduite, les lois de son pays suffisaient à me rendre certain de jouir de toute la tranquillité qui m'était nécessaire, mais que cependant il était bien aise que je me fusse présenté. Il me demanda quelles étaient les connaissances que j'avais à Florence, et je lui ai répondu que j'avais connu plusieurs maisons il y avait alors dix ans, mais que voulant vivre tout à moi je pensais de ne renouveler connaissance avec personne.

Ce fut toute la conversation que j'ai eue avec ce prince. C'était tout ce qu'il me paraissait devoir faire pour me mettre à l'abri des malheurs. Ce qui m'était arrivé dix ans auparavant devait être oublié, ou ne devait plus avoir la moindre force, car l'ancien gouvernement n'avait rien de commun avec le nouveau. Je suis allé dans la boutique d'un libraire où j'ai acheté les livres dont j'avais besoin, et où un homme à l'air noble me voyant curieux de littérature grecque me parla et m'intéressa. Je lui ai dit que je travaillais à la traduction de l'*Iliade*, et confidence pour confidence, il me dit qu'il était occupé à une anthologie d'épigrammes grecques qu'il voulait donner au public traduites en vers latins et italiens. M'en étant démontré curieux, il me demanda où je logeais, et je lui ai dit mon logement et mon nom, lui demandant après le sien avec intention de le prévenir. Étant allé le voir le lendemain, il me fit la même politesse le surlendemain, nous nous montrâmes nos études, nous communiquant nos connaissances, nous devînmes amis, et nous le fûmes constamment jusqu'à mon départ de Florence sans avoir jamais eu besoin ni de manger ni de boire ensemble, ni même d'aller nous promener. Une liaison de deux hommes qui aiment les Lettres, exclut souvent tous les plaisirs dont ils ne peuvent jouir qu'en dérobant leur temps à la littérature. Cet honnête gentilhomme florentin s'appelait, ou s'appelle s'il vit encore, Everard Medici.

Au bout du mois, je me suis déterminé à sortir de la maison de Jean Baptiste Allegranti. J'y étais bien, j'y jouissais de la solitude et de toute la tranquillité qui m'était nécessaire pour étudier Homère, mais je n'en pouvais plus. Sa nièce Magdelaine fort jeune, mais bien formée, jolie, et toute esprit, me causait les plus fortes distractions quand je la voyais, quand elle me donnait le bon jour, quand elle venait quelquefois dans ma chambre pour me demander si j'avais besoin de quelque chose. Sa présence, ses petites grâces me séduisaient. Ce fut la crainte de cette séduction qui la garantit de la mienne. Cette fille en peu d'années devint célèbre musicienne.

Je suis donc sorti de chez son oncle, allant prendre deux chambres chez un bourgeois qui avait une femme laide, et point de nièces. Magdalaine Allegranti est devenue la première actrice de l'Europe, et a toujours vécu sagement. Elle vit avec son mari au service de l'Électeur de Saxe.

Dans mon nouveau logement j'ai vécu fort tranquille trois seules semaines. Le comte Stratico arriva à Florence avec le chevalier Morosini, son élève, âgé alors de dix-huit ans. Je n'ai pu me dispenser de l'aller voir. La jambe qu'il s'était cassée n'avait pas encore regagné sa force, il ne pouvait pas sortir avec son élève qui, ayant tous les vices de la jeunesse, lui faisait toujours craindre des malheurs. Il me pria de tâcher de me l'attacher, et de devenir s'il était nécessaire le compagnon de ses plaisirs pour ne pas le laisser aller seul où il aurait pu trouver compagnie mauvaise et dangereuse.

Cela interrompit mes études et altéra mon système de paix, j'ai dû par sentiment devenir le compagnon des débauches du jeune homme. C'était un effréné qui n'aimait ni aucune espèce de littérature, ni la compagnie noble, ni les gens sensés : monter à cheval pour tuer les chevaux allant à bride abattue, ne craignant jamais de se tuer lui-même, boire toutes sortes de vins, jamais content que lorsqu'il avait perdu la raison, et se procurer le plaisir brutal avec des femmes prostituées que souvent il battait, étaient ses seules passions. Il tenait un valet de louage qui par accord était obligé de lui fournir tous les jours quelque fille ou femme qui dans la ville de Florence n'aurait pas été connue pour femme publique. En deux mois qu'il a passés en Toscane je lui ai sauvé vingt fois la vie ; je languissais, mais le sentiment me forçait à ne pas l'abandonner ; pour ce qui regardait la dépense, je devais me montrer indifférent, car il voulait toujours tout payer, et par cette raison nous eûmes souvent des fortes disputes, car payant lui-même il prétendait que je dusse boire autant que lui, et faire comme lui l'œuvre de chair, ou avec la même fille ou avec une autre ; mais sur ces deux articles je ne l'ai jamais contenté qu'à demi. Ce ne fut qu'à Luques, où étant allés pour voir l'opéra, il fit venir souvent avec nous deux danseuses, dont une était faite pour plaire aux plus difficiles. Le chevalier, qui à son ordinaire avait trop bu, ne put lui rendre qu'une petite justice ; mais je l'ai vengée, et comme elle me croyait père du dormeur, elle me dit que je devais lui donner une meilleure éducation.

Après son départ qui arriva lorsque son gouverneur se trouva parfaitement guéri, j'ai repris mes études, mais allant souper tous les jours chez la danseuse Denis qui, après avoir quitté le service du roi de Prusse, et même le théâtre, s'était retirée à Florence où elle vit peut-être encore. Elle avait à peu près mon âge, mais malgré cela, elle excitait encore à l'amour. On ne lui aurait donné que trente ans, elle avait des grâces enfantines qui ne lui mentaient pas, le ton de la bonne compagnie, l'esprit fort doux, et elle se mettait très bien. Outre cela elle était merveilleusement bien logée sur la place au-dessus du premier café de Florence ayant un balcon où dans les nuits chaudes on jouissait d'une fraîcheur qui allait à l'âme. Le lecteur peut se souvenir de quelle façon j'étais devenu son ami à Berlin l'an 1764. La rencontrant de nouveau dans ce moment-là à Florence tous nos anciens feux se rallumèrent.

La principale locataire de la maison où elle demeurait était la même Brigonzi que j'avais rencontrée à Memel, dans la même année lorsque j'allais à Pétersbourg. Cette dame Brigonzi, qui prétendait que je l'avais aimée 25 ans avant ce temps-là, montait souvent chez sa locataire avec le marquis Capponi, son ancien amoureux, homme très aimable et orné. Voyant qu'il me parlait avec plaisir je lui ai facilité le moyen de faire connaissance avec moi allant lui faire une visite qu'il m'a rendue, me laissant son billet pour ne m'avoir pas trouvé chez moi. Il me présenta à sa famille, il m'invita à dîner, et ce fut le premier jour que je me suis habillé avec élégance, et que je me suis montré avec mes bijoux. J'ai connu chez lui le fameux amant de Corilla, marquis Gennori, qui me conduisit dans une maison de Florence où je n'ai pas pu échapper à ma destinée. Je suis devenu amoureux de Madame XX, veuve, encore jeune, ornée de littérature, assez riche, et instruite des mœurs des nations pour avoir voyagé et passé six mois à Paris. Cet amour malheureux me rendit désagréables les derniers trois mois que j ai passés à Florence.

Le comte Medini arriva dans ce même temps ; c'était le commencement d'octobre, et n'ayant point d'argent pour payer voiturier, celui-ci l'avait fait arrêter. Il était allé se loger chez un Irlandais qui était pauvre malgré qu'il avait été toute sa vie fripon, et Medini m'écrivait me conjurant d'aller d'abord le délivrer des sbires qui l'entouraient dans sa propre chambre, et qui voulaient le conduire en prison. Il me disait qu'il n'était pas nécessaire que je payasse, mais que je lui fisse seulement caution, m'assurant que je ne risquais rien, puisqu'il était sûr d'être en état de payer lui-même dans peu de jours.

Le lecteur peut se souvenir des raisons que j'avais de ne pas aimer cet homme, mais malgré cela je n'ai pas eu la force de ne pas aller à son secours, déterminé même à lui faire caution d'abord qu'il m'aurait fait voir qu'il deviendrait en état de payer lui-même entre peu de jours. La somme d'ailleurs, comme je pensais, ne pouvait pas être grande. Je ne comprenais pas pourquoi l'aubergiste même ne lui faisait pas ce plaisir. Mais j'ai tout vu et su d'abord que je suis entré dans son appartement.

Il me reçut courant m'embrasser, me priant de tout oublier, et de le tirer du mauvais pas. J'ai vu là trois malles vides parce que toutes les hardes qu'elles contenaient étaient dispersées par la chambre, sa maîtresse que je connaissais, et qui avait des raisons pour ne pas m'aimer, sa sœur qui avait onze à douze ans et qui pleurait, et sa mère qui jurait et pestait, appelant Medini fripon, et disant qu'elle irait au magistrat pour réclamer, car il n'était pas permis qu'on lui enleva ses robes et celles de ses filles à cause de la dette qu'il avait contractée avec le voiturier. J'ai demandé d'abord à l'hôte pourquoi il ne faisait pas caution, tandis qu'ayant chez lui les personnes et tout leur équipage il ne risquait rien. L'hôte me répondit que tout ce que je voyais là ne suffisait pas à payer le voiturier, et qu'il ne voulait plus garder dans sa maison ces nouveaux arrivés. Surpris que tout ce que je voyais ne fût pas suffisant à couvrir la dette, je demande à combien elle montait, et je vois une somme exorbitante signée par Medini même, qui se tenait tranquille, laissant que je m'informasse de tout. La somme montait à *240* écus romains ; mais je n'en fus plus étonné, lorsqu'il me dit que ce voiturier le servait depuis six semaines, l'ayant conduit de Rome à Livourne, puis à Pise, puis par toute la Toscane, l'entretenant partout. Je dis à Medini que le voiturier ne pouvait pas me prendre caution d'une aussi grosse somme, mais que quand même il serait assez fou pour me prendre, je ne me déterminerais jamais à l'être. Medini alors me dit d'aller avec lui dans l'autre chambre, m'assurant qu'il me persuaderait. Deux archers voulaient y entrer me disant pour raison que le débiteur pouvait s'enfuir par les fenêtres ; après les avoir assurés que je ne le laisserais pas sortir, ils nous laissèrent aller seuls, et dans ce moment le voiturier arriva qui, venant me baiser la main, me dit que si je cautionnais le compte il le laisserait en liberté et il me donnerait trois mois de temps à payer. Ce voiturier était le même qui m'avait conduit de Sienne avec l'Anglaise que le comédien français avait séduite.

Medini, grand parleur, effronté, menteur, entreprenant, ne désespérant jamais de rien, crut de me persuader me montrant des lettres décachetées qui l'annonçaient en termes pompeux aux premières nobles maisons de Florence ; je les ai lues, mais je n'ai trouvé sur aucune l'ordre de lui donner de l'argent ; il me dit que dans ces maisons on jouait, et que taillant, il était sûr de gagner des sommes immenses.

Une autre ressource qu'il me montra, et qu'il avait dans un grand portefeuille, fut un tas de cahiers où il avait trois quarts de l'*Henriade* de Voltaire parfaitement bien traduite en stances italiennes. Ses stances, ses vers étaient égaux à ceux du Tasse. Il comptait de finir à Florence ce beau poème, et de le présenter au grand-duc ; il était sûr non seulement d'un présent magnifique, mais de devenir son favori. Je riais en moi-même de ce qu'il ne savait pas que le grand-duc ne faisait que semblant d'aimer la littérature. Un abbé Fontaine, assez habile, l'amusait avec l'histoire naturelle ; pour le reste, ce prince ne lisait jamais rien et préférait la mauvaise prose à la plus belle poésie. Ce qu'il aimait était les femmes et l'argent.

Après avoir passé deux heures fort ennuyeuses avec ce malheureux rempli d'esprit mais sans jugement, et m'être beaucoup repenti d'être allé chez lui, je lui ai dit très laconiquement que je ne pouvais pas répondre pour lui, et m'acheminant à la porte de la chambre pour m'en aller, il osa me prendre au collet.

Le désespoir réduit les hommes à des excès pareils. Medini, aveugle et violent, me prit au collet sans avoir un pistolet à la main, sans se souvenir que j'étais peut-être plus fort que lui, que je lui avais tiré du sang pour la seconde fois à Naples, et que les sbires, l'hôte, les domestiques étaient dans la chambre voisine ; mais je n'étais pas assez lâche pour appeler, je lui ai mis mes deux mains au cou pour l'étrangler, étant plus grand que lui de six pouces, ce qui faisait que le tenant éloigné de moi il ne pouvait pas m'en faire autant. Il me lâcha à la poitrine dans l'instant, et pour lors je l'ai pris au collet moi-même, lui demandant s'il était devenu fou ; j'ai ouvert la porte, et les archers qui étaient quatre entrèrent. J'ai dit au voiturier que je ne répondais de rien, et dans le moment que je voulais sortir pour m'en aller tout à fait, Medini sauta à la porte me disant que je ne devais pas l'abandonner. Voulant sortir par force, les sbires voulurent alors s'emparer de lui, et le combat m'a dans ce moment-là intéressé. Medini sans armes, et en robe de chambre, commença à donner des soufflets, des coups de poing et de pieds aux quatre lâches dont cependant chacun avait une épée. Ce fut moi pour le coup qui, me tenant à la porte, j'ai empêché l'irlandais de sortir pour faire monter du monde. Medini ensanglanté, car il saignait du nez, avec sa robe de chambre et sa chemise déchirée, ne cessa de battre les quatre satellites que lorsqu'ils s'éloignèrent de lui. Dans ce moment-là j'ai plaint en moi-même le malheureux et je l'ai estimé. Dans l'intervalle du silence, j'ai demandé aux deux domestiques à livrée qui étaient là, pourquoi ils n'avaient pas bougé pour défendre leur maître. Un d'eux me répondit qu'il leur devait six mois de gages, et l'autre infâme me dit qu'il voulait lui-même le faire mettre en prison. Ce tableau m'a ému. Medini travaillait avec de l'eau fraîche pour étancher son sang.

Le voiturier sans éloquence me dit que si je ne répondais pas pour le comte il prenait cela pour un avertissement que je lui donnais moi-même qu'il devait le faire mettre en prison.

– Donne-lui, lui dis-je, quinze jours de temps, et je m'engagerai par écrit que si dans ces quinze jours il se sauve, je te payerai toute la somme.

Le voiturier, après avoir un peu pensé, me dit qu'il était content, mais qu'il ne voulait débourser le sou pour les frais de justice ; après avoir su ce que c'était que ces frais, je me suis disposé à payer, me moquant des sbires qui prétendaient un dédommagement pour ce qu'il les avait battus. Les domestiques alors me dirent que si je ne répondais pas à leur faveur aussi, ils feraient arrêter leur maître, et Medini me dit de les laisser faire. Après avoir écrit tout ce qu'il a fallu pour contenter le voiturier, et avoir payé quatre ou cinq écus pour faire partir les sbires, Medini me dit qu'il désirait me parler encore, mais sans même lui répondre je lui ai tourné le dos, et je suis allé dîner. Deux heures après, un de ses deux domestiques vint chez moi pour me dire que si je lui promettais six sequins il viendrait m'avertir, d'abord qu'il pénétrerait qu'il prendrait le parti de s'enfuir. Je lui ai dit d'un ton sec que je n'avais pas besoin de son zèle puisque j'étais sûr que le comte payerait avant la fin du terme toutes ses dettes. Le lendemain matin j'ai averti le comte de la proposition que son laquais était venu me faire. Il me répondit une longue lettre remplie de remerciements, et tendant à se concilier mon amitié pour le mettre en état et en position de faire honneur à ses affaires ; mais je ne lui ai pas répondu. Son bon ange fit arriver à Florence quelqu'un qui le tira d'embarras. Ce fut Premislas Zanowitch, qui après devint fameux comme son frère qui, après avoir trompé les marchands d'Amsterdam, prit la qualité de prince Scanderbeck. J'en parlerai à sa place. Ces deux grands grecs moururent mal tous les deux.

Premislas Zannowich, ayant l'âge heureux de 25 ans, était fils d'un gentilhomme natif de Budna, dernière ville de la Dalmatie ci-devant vénitienne, confinant avec l'Albanie sujette aujourd'hui au Turc : c'est l'ancienne Épire. Ce jeune homme rempli d'esprit, ayant été élevé à Venise, ayant fait ses études, ayant connu la grande compagnie et ayant pris goût aux plaisirs qu'on se procure dans cette belle capitale, ne put se résoudre à retourner à Budna avec son père, lorsque la police souveraine trouva à propos de lui donner ordre de retourner à sa patrie pour y jouir en paix de la grande fortune qu'il avait faite en jouant aux jeux de hasard dans la capitale, où il avait fait un séjour de quinze ans. Premislas ne se sentait pas fait pour vivre à Budna. Il n'aurait su qu'y faire. Il n'aurait trouvé là que des grossiers esclavons simples, ou féroce dans leurs mœurs, n'ayant pas tout à fait la faculté de raisonner, ni heureux, ni malheureux, traitant les peines comme les plaisirs, sans talents, sans nulle connaissance des arts ou des lettres, et indifférents à tous les événements qui intéressent l'Europe, dont ils ne reçoivent des nouvelles que lorsque quelque barque venant du levant ou du couchant les leur annonce. Premislas donc, et Étienne son frère doué de talent plus encore que lui, prirent le parti de devenir aventuriers, très d'accord, et toujours entretenant une correspondance ensemble, un allant vers le septentrion, l'autre vers le midi de l'Europe qu'ils avaient formé le projet de mettre en contribution moyennant leur esprit fin, et faisant des dupes partout où ils auraient pu trouver la matière disposée à donner dans les panneaux qu'ils lui tendraient.

Premislas, que je ne connaissais que pour l'avoir vu enfant, et alors de réputation parce qu'il avait dupé à Naples le chevalier de Morosini, l'entraînant à lui faire une caution de *6 000* ducats, arriva à Florence dans une belle voiture avec sa maîtresse, deux grands laquais et un valet de chambre qui lui servait de courrier. Il se logea grandement, il prit un beau carrosse de remise, il loua une loge à l'opéra, il prit un cuisinier, il donna une femme de compagnie à sa belle maîtresse, et il alla au casin des nobles, tout seul, superbement vêtu et bien en bijoux. On savait que c'était le comte Premislas Janowich. Les Florentins ont un casin qu'ils appellent de la noblesse ; chaque étranger est le maître d'y aller sans être présenté par personne, mais tant pis pour lui s'il n'a pas au moins les dehors qui indiquent qu'il est fait pour y aller, car les Florentins ferrés à glace le laissent là comme isolé ; il n'ose pas y retourner une seconde fois. À ce casin on lit les gazettes, on joue à toutes sortes de jeux, on y est galant si l'on veut, et on y déjeune ou on y goûte en payant. Les dames florentines y vont aussi.

Janovich, faisant l'affable, n'attendait pas qu'on lui parle pour parler, il fit la révérence à tout le monde, tantôt à l'un, tantôt à l'autre, il se félicita d'être allé les voir, parla de Naples d'où il venait, fit des comparaisons flatteuses pour les assistants, dans un propos adroitement amené se nomma, joua fort notablement, perdit de bonne humeur, paya après avoir fait semblant de l'avoir oublié, plut à tout le monde. J'ai su tout cela le lendemain chez la Denis, de la bouche du sage marquis Capponi. Il me dit qu'on lui demanda s'il me connaissait, et qu'il avait répondu qu'à mon départ de Venise il était au collège, mais qu'il avait beaucoup entendu son père parler de moi avec beaucoup d'estime ; le chevalier de Morosini était son ami intime, et le comte Medini, qui était à Florence depuis huit jours et dont on lui parla, lui était aussi connu, et il en dit du bien. Interrogé par le marquis si je le connaissais, j'ai répondu à l'unisson sans me croire obligé de conter ce que je savais et qui pouvait lui être désavantageux. La Denis ayant montré envie de le connaître, le chevalier Puzzi lui promit de le lui présenter.

Cela fut fait trois ou quatre jours après. J'ai vu un jeune homme, maître de son monde, et qui ne pouvait pas manquer son coup. Sans être beau, et sans avoir rien d'imposant ni sur sa figure, ni dans sa taille, il avait les manières nobles et aisées, l'esprit de conversation, la tournure du style plaisante, une gaieté qui se communiquait, il ne parlait jamais de lui, et mis sur le propos de sa patrie, il en fit un portrait comique, parlant de son fief, dont la moitié était enclavée dans les terres du Turc, comme d'un manoir fait pour faire mourir de tristesse celui qui s'aviserait d'y habiter. D'abord qu'il a su qui j'étais, il me dit tout ce qu'il pouvait me dire de plus honnête sans ombre de flatterie. J'ai vu enfin dans ce jeune homme un grand aventurier en herbe, qui avec de la conduite pouvait aspirer au grand ; mais son luxe me paraissait trop pour lui en juger. Il me paraissait de voir en lui mon portrait quand j'avais quinze ans de moins, et je le plaignais car je ne lui supposais pas mes ressources.

Zanovich vint me voir. Il me dit par manière d'acquit que Medini lui avait fait pitié, et qu'il avait payé toutes ses dettes. Je l'ai applaudi, et je l'ai remercié. Ce trait de générosité me fit juger qu'ils avaient fait quelques complots de leur métier. Je les félicitais sans me soucier d'y être. Le lendemain je lui ai rendu sa visite. Je l'ai trouvé à table avec sa maîtresse que j'avais connue à Naples, et que j'aurais fait semblant de ne pas connaître si elle n'avait été la première à m'appeler D. Giacomo, montrant plaisir de me revoir. Je l'ai appelée Donna Ippolita avec un air d'incertitude, et elle me répondit que je ne me méprenais pas, et que quoique grandie de trois pouces, elle était la même. J'avais soupé avec elle aux crocielles avec milord Baltimore. Elle était fort jolie. Zanovich me pria à dîner pour le surlendemain, et je l'ai remercié ; mais D. Ippolita sut m'y engager, me disant que je trouverais compagnie, et que son cuisinier s'était engagé de se faire honneur.

Curieux un tant soit peu de la compagnie qui composerait ce dîner, et ambitieux de faire voir à Zanovich que je n'étais pas en situation de devenir à charge à sa bourse, je me suis paré pour la seconde fois à Florence. J'y ai trouvé Medini avec sa maîtresse, deux dames étrangères avec leurs messieurs, et un Vénitien très bien mis et assez bel homme qui montrait trente-cinq à quarante ans, et que je n'aurais jamais reconnu si Zanovich ne me l'avait nommé, Alvise Zen. Zen étant une famille patricienne, je me suis cru en devoir de lui demander quels étaient les titres que je lui devais, et il me répondit ceux qu'on donne à un ami d'ancienne date et que je ne pouvais pas remettre, car il n'avait alors que dix ans. Il me dit qu'il était le fils du capitaine Zen que j'avais connu lorsque j'étais aux arrêts au fort St-André.

– Il y a de cela, lui dis-je, vingt-huit ans, et je vous remets, monsieur, malgré que dans ce temps-là vous n'aviez pas encore eu la petite vérole.

Je l'ai vu fâché de devoir en convenir, mais toute la faute fut à lui puisqu'il n'avait nul besoin de me dire qu'il m'avait connu là, et que l'adjudant était son père. Il était fils d'un fils naturel d'un noble vénitien. Ce garçon était le plus grand polisson de la forteresse, un garnement de premier ordre. Il venait alors de Madrid où il avait gagné beaucoup d'argent, tenant la banque de pharaon dans la maison de l'ambassadeur de Venise, Marco Zen. Je fus enchanté de le connaître personnellement. Je me suis aperçu à ce dîner qu'il n'avait ni culture, ni la moindre éducation, il n'avait ni les façons, ni le langage d'un homme comme il faut ; mais il n'aurait pas voulu troquer son talent de savoir corriger la fortune contre tout cela. Medini et Zanovich étaient tout autre chose. Les deux étrangers étaient les dupes sur lesquels ils avaient jeté le dévolu ; mais je ne fus pas curieux de la partie. Lorsque j'ai vu préparer la table pour le jeu, et un tas d'or que Zen mit hors d'une grande bourse, je me suis retiré.

Ce fut ainsi que j'ai constamment vécu tous les sept mois que je suis resté à Florence. Après ce dîner je n'ai plus vu ni Zanovich, ni Medini, ni Zen, que par hasard dans les endroits publics. Mais voilà ce qui est arrivé à la moitié de décembre.

Milord Lincoln, jeune de dix-huit ans, devint amoureux d'une danseuse vénitienne nommée la Lamberti. Elle était fille de l'hôte de la rue du char et elle plaisait à tout le monde. On voyait le jeune

Anglais tous les jours à l'opéra aller lui faire des visites dans son camerino, et tous les observateurs s'étonnaient qu'il n'allât pas chez elle où il devait être sûr d'être bien reçu, tant à cause de la réputation d'Anglais, comme à cause de sa jeunesse et de sa richesse puisqu'il était fils unique (je crois) du lord comte de Neucastel. Zanovich ne fit pas cette observation en vain. Il devint en peu de jours l'ami intime de la Lamberti, puis il se lia à Milord Lincoln, et il le conduisit chez la belle, comme un homme poli conduit un ami chez sa maîtresse.

La Lamberti, d'accord avec le fourbe, ne fut pas avare de ses faveurs avec le jeune Anglais. Elle lui donnait à souper tous les jours avec Zanovich et Zen, que Zanovich lui avait conduit, ayant apparemment besoin de lui ou pour faire la banque de pharaon en or visible, ou pour tricher, n'en sachant peut-être pas assez pour faire la chose lui-même. Dans le commencement on laissa gagner au lord quelque centaine de sequins après souper où il se soûlait, en s'étonnant le lendemain de se trouver autant favorisé de la fortune que de l'amour, et des honnêtes gens qui lui tenaient tête chez la Lamberti où il se soûlait, et où malgré cela il gagnait toujours. Mais il finit de s'émerveiller lorsque à la fin on lui fit faire la grande lessive. Zen lui gagna douze mille livres sterling, et Zanovich fut celui qui les prêta au jeune lord à trois ou quatre cents à la fois parce que milord avait promis à son gouverneur de ne pas jouer sur sa parole. Zanovich, heureux, gagnait à Zen tout ce que milord perdait, et de cette façon on planta l'Anglais lorsque Zanovich lui compta la somme qu'il lui avait prêtée. L'Anglais s'arrangea d'abord. Il lui promit de lui payer trois mille guinées le lendemain, et il signa trois lettres de change, de trois mille chacune, payables de deux mois en deux mois, tirées sur un banquier de Londres. J'ai su tout l'historique de cette affaire du lord même trois mois après à Bologne.

Mais à Florence on commença à parler de cette perte le lendemain. Sasso Sassi, banquier, avait payé à Zanovich par ordre de Milord *6 000* sequins. Medini vint chez moi furieux de ce que Zanovich ne l'avait pas mis de cette partie, tandis que je me félicitais de ne m'y être pas trouvé. Mais ma surprise ne fut pas petite lorsque trois jours après cet événement, j'ai vu dans ma chambre un homme qui après m'avoir demandé mon nom et m'avoir entendu le lui prononcer me donna ordre de la part du grand-duc de sortir de Florence, temps trois jours, et de la Toscane en huit. J'ai d'abord fait monter mon hôte pour avoir un témoin de l'ordre injuste qu'on me donnait.

C'était le *28* de décembre ; dans le même jour j'avais eu ordre de sortir de Barcellone, temps trois jours, il y avait précisément trois ans. Je m'habille vite, et comme il pleuvait à verse j'envoie chercher une voiture. Je vais chez l'auditeur pour savoir quelque circonstance sur cet exil qui ne me paraissait pas naturel. Cet auditeur, chef de la police, devait savoir tout. J'y vais, et je trouve le même qui m'avait congédié de Florence, il y avait alors onze ans, à cause de la fausse lettre de change du Russe Ivan. Je lui demande par quelle raison il m'avait envoyé ordre de partir, et il me répond froidement parce que telle est la volonté de S.A.R.

– Mais, lui répondis-je, S.A.R. ne peut pas avoir cette volonté sans une raison, et il me semble d'avoir droit de la demander.

– Allez donc la lui demander, car pour moi je l'ignore. Le souverain est parti hier pour Pise, et il y restera trois jours ; vous êtes le maître d'y aller.

– Et si j'y vais, me payera-t-il le voyage ?

– Je ne sais pas cela, mais vous verrez s'il aura l'air de vous faire cette politesse.

– Je n'irai pas à Pise, je lui écrirai seulement si vous me promettez de lui faire tenir ma lettre.

– Je la lui enverrai d'abord parce que tel est mon devoir.

– C'est bon, vous l'aurez avant midi, et avant la pointe du jour de demain je serai sur la terre du pape.

– Vous n'avez pas besoin de vous tant presser.

– J'en ai un besoin extrême, car je ne pourrais pas dormir dans un pays de despotisme et de violence où le droit des gens est méconnu et où le souverain me manque de foi. Je lui écrirai tout ceci.

Je sors, et au bas de l'escalier je trouve Medini qui me dit qu'il allait demander à l'auditeur pourquoi il lui avait envoyé ordre de partir. Je lui réponds en riant que je venais de lui faire la même question, et qu'il m'avait dit d'aller en demander la raison au grand-duc qui était à Pise.

– Vous avez donc reçu ordre de partir aussi ? Qu'avez-vous fait ?
– Rien.
– Je n'ai non plus rien fait. Nous devons aller à Pise.
– Vous pouvez y aller si cela vous amuse. Pour moi, je partirai avant la nuit.

Je vais chez moi, et j'envoie dans l'instant mon hôte à la poste pour qu'il examine avec un charron ma voiture, et pour qu'il m'ordonne quatre chevaux de poste à l'entrée de la nuit. Après avoir donné plusieurs autres petits ordres, je me suis amusé à écrire au grand-duc cette petite lettre que je traduis actuellement mot pour mot.

« Jupiter, Monseigneur, ne vous a confié la foudre que sous condition que vous ne la lancerez que sur les coupables, et vous lui désobéissez en la lançant sur ma tête. Il y a sept mois que vous m'avez promis que je jouirai chez vous d'une pleine paix, moyennant que je ne troublerais jamais le bon ordre de la société et que je respecterais les lois ; je me suis scrupuleusement tenu à cette juste condition ; et par conséquent V.A.R. m'a manqué de foi. Je ne vous écris, Monseigneur, que pour vous faire savoir que je vous pardonne. La conséquence de ce pardon est que je ne me plaindrai à personne, et que je ne vous accuserai d'injustice ni par écrit, ni de vive voix dans les maisons de Bologne où je me trouverai après-demain. Je voudrais même pouvoir oublier cette flétrissure à mon honneur qui me vient de votre volonté arbitraire si ce n'était qu'il faut que je m'en souvienne pour ne mettre jamais de ma vie mes pieds sur la terre dont Dieu vous a fait maître. L'auditeur m'a dit que je pouvais aller parler à V.A.R. à Pise ; mais j'eus peur que cette démarche de ma part semble téméraire à un prince qui selon le droit public ne doit pas parler aux hommes après les avoir condamnés, mais avant. Je suis, etc. »

Après avoir cacheté cette lettre je l'ai envoyée à l'auditeur, puis j'ai commencé à faire mes malles.

Dans le moment que j'allais me mettre à table, voilà Medini qui vint faire les hauts cris contre Zanowich et contre Zen. Il se plaint d'eux que, tandis que le malheur qui lui arrivait ne venait que des douze mille guinées qu'ils avaient gagnées à l'Anglais, ils lui refusaient actuellement une centaine de sequins sans lesquels il lui était impossible de partir. Il me dit qu'ils avaient aussi reçu l'ordre de partir, et qu'ils allaient tous à Pise, et il se montra surpris que je n'y allasse aussi. Riant de sa surprise, je l'ai prié de s'en aller, étant obligé de faire mes paquets. Il me pria alors, comme je m'y attendais, de lui prêter de l'argent ; mais la façon dont je le lui ai refusé fut si rude qu'il s'en alla sans insister.

Après dîner, je suis allé remettre des morceaux d'Anthologie à M. Medici, et à embrasser la Denis qui savait déjà tout, et qui ne pouvait pas concevoir comment le grand-duc pouvait ainsi mêler les innocents avec les coupables. Elle me dit que la danseuse Lamberti avait aussi reçu ordre de partir, et un petit abbé bossu vénitien qui connaissait la Lamberti, mais qui n'y avait jamais soupé. Le grand-duc enfin avait fait main basse sur tous les Vénitiens qui se trouvaient alors à Florence.

Retournant chez moi, j'ai rencontré le gouverneur de Milord Lincoln que j'avais connu onze ans avant ce temps-là à Lausanne. Je lui ai conté d'un air dédaigneux ce qui venait de m'arriver à cause de la lessive que son élève avait faite. Ce brave Anglais me dit en riant que le grand-duc avait fait dire au jeune lord qu'il ne devait pas payer la somme qu'il avait perdue, et qu'il avait fait répondre au grand-duc que ne payant pas il ferait une action malhonnête puisque encore l'argent qu'il devait était argent prêté, n'ayant jamais joué sur la parole. Le fait était vrai. C'était vrai aussi que le prêteur et le joueur s'entendaient, mais Milord ne pouvait pas en être sûr.

Mon départ de Florence me fit guérir d'un amour très malheureux, et qui aurait eu des conséquences funestes, si j'y avais encore passé quelque temps. J'en ai épargné au lecteur la triste histoire à cause qu'elle me rend triste toutes les fois que je m'en rappelle les circonstances. La veuve que j'aimais, et à laquelle j'avais eu la faiblesse de m'expliquer, ne me conserva à son char que pour chercher toutes les occasions de m'humilier ; elle me méprisait, et elle voulait m'en convaincre. Je m'étais obstiné à ne pas cesser de la voir, croyant toujours que j'y parviendrais ; mais je me suis aperçu lorsque j'en fus guéri en l'oubliant que j'aurais perdu mon temps.

Extrait de l'*Histoire de ma vie.*

PAUL BOURGET

Trippisme à Montepulciano

Montepulciano, le 1er novembre.

La route de Pienza à Montepulciano marque un retour dans la Toscane boisée après la sorte de lande grise et nue que la voiture a traversée pour ainsi dire continûment depuis Sienne. Les chênes roux reparaissent sur les collines. Il fait un ciel mi-parti, comme les costumes des personnages dans les fresques, avec une grande moitié toute voilée de pluie et une moitié bleue, pleine de soleil, et c'est toujours autour de moi ce charme mi-parti aussi, gracieux tout ensemble et tragique, du Moyen Âge italien. Je continue à voir par-dessus ces bois la menace de nouveaux villages crénelés. Sur les hauteurs moindres, jaunissent des villas à tournure de châteaux vers lesquelles conduisent de grandes allées de cyprès, qui, de loin, semblent une fantastique armée de noirs pèlerins. Et comme si la nature, artiste elle-même dans ce pays d'artistes, avait voulu sur cet extrême bord de la Toscane résumer toutes les impressions des guerres anciennes en une seule, une ville se détache sur l'espèce de cap auquel aboutit l'ondulation immense des coteaux. C'est Montepulciano, véritable bijou de guerre d'une joliesse féroce, serti dans ses remparts d'un dessin net comme un relief de géométrie et que contourne la route. Par delà cette place forte, un paysage se développe tout en plaine, et par delà encore une autre ligne de montagnes, lointaines, doucement, tendrement voilées d'une brume violette qui s'échappe des trois lacs, – bleuâtres et mystérieuses opales dont cette énorme vallée est comme incrustée. Leur eau vaporeuse semble dormir par cette matinée d'automne d'un sommeil de beaux yeux extasiés. Le plus grand des trois porte cependant un nom tragique, – Trasimène. Mais pour moi, et la vallée et les trois lacs et les montagnes violettes, c'est l'Ombrie, – l'Ombrie, le coin du monde qui vit éclore le rêve d'art le plus touchant, le plus amoureusement mystique et humain à la fois, et le souvenir du Pérugin efface dans mon imagination celui d'Hannibal !

La voiture a passé sous une longue voûte, et, si habitués que soient mes yeux depuis ces quelques jours à de sèches visions d'architecture, je reste saisi de ce nouveau défilé entre des palais qui s'appelle la Grande-Rue de cette petite ville. Les blasons, ici et là, sont bien arrachés, des magasins installés au rez-de-chaussée, à droite une *drogheria*, à gauche un café, ailleurs un office de loto où des barbiers, des domestiques et des paysans vont jouer, d'après leurs rêves ou ceux de leurs patrons, quelques numéros *graziossimi* ou *simpaticissimi*, comme ils disent. Du linge est bien appendu aux fenêtres, et, parmi ces fenêtres, quelques-unes sont murées ; d'autres cruellement dégradées par l'abandon... N'importe, la magnificence de la vie d'autrefois éclate aussi forte qu'à Sienne, et cette patrie d'Ange Politien convient vraiment aux souvenirs de splendide existence qu'évoque le nom du favori de Laurent. Je compte plus de cinquante de ces palais avant d'arriver à l'auberge, laquelle, installée, elle aussi, dans un ancien palais, – ô ironie des décadences ! – porte le nom de Marzocco, du lion symbolique de Florence, et la bête du glorieux blason se dresse en effet sur une colonne, rappelant l'ancien asservissement auquel la grande République a fini par réduire la petite.

Que j'ouvre ici une parenthèse pour protester contre le préjugé trop répandu et grâce auquel tant de voyageurs hésitent à s'aventurer dans les petites villes italiennes, à savoir qu'une fois épuisée la liste des grands hôtels on ne trouve dans la péninsule ni à se loger ni à se nourrir. La vérité est que nul pays peut-être n'offre plus que celui-ci de différence entre les maisons du premier ordre et celles du second. Un faux grand hôtel italien est ce que l'on peut imaginer de plus haïssable, de mieux organisé pour une exploitation de l'étranger, que rien ne compense. En revanche, la bonhomie de la *Locanda* provinciale que fréquentent des officiers, des ingénieurs, des avocats en tournée est une des choses les plus exquises que j'aie rencontrées dans aucun pays. À Volterra, à Colle, à Sienne, à Pienza, sur la Rivière, à Rapallo, avant de m'abandonner décidément à ce qu'un humoriste de mes amis appelle le *Trippisme*, du mot anglais *Trip*, – avec la devise : « Frère, il faut partir », – j'ai trouvé partout la même maison, meublée sans luxe, mais propre, tenue par une seule famille. Le père fait la cuisine ; la fille sert à table, une sœur garde le comptoir, la mère et la cousine s'occupent des chambres. Une simple et cordiale atmosphère bourgeoise règne dans la demeure. Pas de table d'hôte, mais on vous apporte à regarder le perdreau, les grives, les alouettes, le rouget, les champignons, les foies de volailles, les truffes blanches qui serviront à votre repas. Aucune carte des vins ne traîne dans le restaurant, chargée des divers Châteaux-Poisons qui déshonoreraient pour toujours le Bordelais, s'il n'était démontré qu'il n'y entre pas une seule grappe d'un seul raisin de Bordeaux. En revanche, tous, dans la maison, depuis l'hôte de passage jusqu'au faquin de service, boivent du véritable vin de pays, et celui de Montepulciano a cet arôme de fleurs qui rendait si chers au sobre Balzac certains crus de sa Touraine. Dans ces auberges perdues vous ne rencontrerez aucun journal gallophobe, aucune allusion à la politique contemporaine et à ses subtilités. La vieille communion du sang latin se retrouve dans la sympathie avec laquelle ces gens vous servent, prêts à vous conduire eux-mêmes à travers les curiosités de leur ville, soucieux d'assurer par des billets de recommandation la suite de votre voyage, enfin une grâce d'accueil capable de vous faire oublier que les cheminées fument, que les tapis, usés jusqu'à la trame, ne vont pas jusqu'au bout du carreau, que les fenêtres ne joignent pas toujours. Mais si le ciel est redevenu beau, que vous importe ?

Que vous importe surtout, si la rue est un enchantement ? Et toutes celles de Montepulciano ont cette fascination mélancolique et puissante du passé. C'est la veille de la fête des Morts, et ce ciel voilé de la Toussaint s'harmonise par une si étrange correspondance avec cette cité de jadis, comme aussi les idées suscitées par cette fête, la plus touchante peut-être de toutes, et, à coup sûr, la plus humaine, la plus conforme aux besoins invincibles du cœur. Cette solidarité entre les vivants et les morts qui fait que les bienheureux ont mérité pour nous et que nous pouvons, nous, mériter pour nos chers absents, comment n'en pas sentir la profonde poésie dans ce décor où palpite encore, pour nous exalter, la pensée des générations éteintes ? Sans doute, ces hommes d'il y a plusieurs siècles ont cru construire ces palais pour eux, pour leur famille. À peine les virent-ils achevés. Elle est si courte, la durée du temps donné à chacun pour réaliser même le projet d'une maison ! Combien survivent de leur race, et ces descendants vivent-ils ici ? – Non. C'est pour nous que ces disparus ont bâti ces demeures, pour nous qui, passant sous leurs balcons vides, rêvons d'héroïques existences et d'élégantes fantaisies. C'est pour nous qu'ils défendirent leur ville et qu'ils lui assurèrent de quoi avoir ces joyaux de toute commune un peu fière, un Municipe, un Dôme. De ces deux monuments, le premier seul ici fut terminé. La pauvre cathédrale, elle, dresse sur la place une façade tronquée, triste mur de briques rouges qui attend son revêtement de marbre. C'est toujours le beau vers du plus italien des poètes, de ce Virgile qui semble avoir, dans sa tendresse intime, senti une plainte s'exhaler partout de cette terre où, de son temps, il y avait déjà trop d'histoire, trop de ruines, – c'est le mélancolique :

... pendent opera interrupta...

L'intérieur non plus n'a pas été enrichi comme d'habitude par la profusion d'œuvres d'art qui attestent les triomphes politiques d'une cité. Pourtant ce monument ne serait pas digne d'être en Toscane s'il n'enfermait quelque splendeur incomparable. Il s'y trouve, en effet, deux statues qui à elles seules suffiraient à la gloire d'un artiste. Elles ne sont, cependant, que les débris d'un tombeau construit, vers 1428, par Michelozzo Michelozzi, un élève de Donatello, pour Aragazzi, le secrétaire du pape Martin V. La tradition veut que le maître florentin en personne ait travaillé à cette sépulture qu'un vandalisme inexplicable a dispersée dans l'intérieur de l'église. Deux des bas-reliefs ont été brutalement encaissés dans les piliers de l'entrée. Le grand cercueil de marbre sur lequel on voit couchée la statue du mort a été placé entre les deux portes, un autre bas-relief près du maître-autel, et, aux deux côtés de ce même autel, se dressent les statues qui se faisaient pendant près du sarcophage. L'une, prétend-on, représente la Foi. C'est une femme résignée et douce qui tient un flambeau dans sa main. Elle semble sourire à la Mort, puisqu'elle sourit sur un tombeau, avec la grande paix dans le cœur dont parle le Livre : « Je vous laisse la paix, je vous donne ma paix, je ne vous la donne pas comme le monde la donne... » L'autre statue est celle d'une femme aussi, aux traits durs, à la chevelure courte et bouclée. Elle serre dans ses bras un encrier. Sans doute sa main a laissé tomber la plume avec laquelle, froidement, elle se préparait à noter une observation. Pas une ride ne défigure son visage, convulsé pourtant d'angoisse ; mais sur ce front, autour de ces lèvres encore jeunes, il n'apparaît pas non plus une seule fraîcheur de traits qui permette de croire à la possibilité d'une sensation heureuse, à l'habitude d'un laisser-aller. Toute l'irrémédiable tristesse d'une grande force impuissante se lit sur cette face dont la beauté avait pourtant vaincu la vie, et ce serait la Science, prise d'épouvante devant l'invincible énigme. Jusqu'à cette heure, on le sent, elle a si altièrement suivi sa route, qu'arrêtée en présence d'un problème à jamais insoluble elle ne se rend pas encore. Mais tout son être se crispe, ses yeux ne pleurent pas, sa bouche ne gémit pas, seulement elle ne peut plus bouger, fascinée par un spectacle qui confond sa raison sans qu'elle le nie, stupéfiée de ce qu'elle comprend et ne comprend pas. Le mélange de réalisme et d'Idéal tourmenté qui se lit sur ce visage, l'âpre sécheresse de facture avec laquelle toute la statue est traitée et son intensité d'expression transforment cette œuvre, conçue en pleine Renaissance, en une illustration anticipée d'un poème de

Poe ou de Baudelaire. Cette créature est si touchante à la fois et si sèche, si désespérément malade et brisée, et pourtant l'orgueil en elle corrompt la douleur. Cet orgueil empêche, il empêchera toujours que la tristesse ne devienne l'élément de salut et de révélation. Cette âme angoissée souffrira indéfiniment sans rien faire qu'ajouter la souffrance à la souffrance, comme les ténèbres s'ajoutent aux ténèbres et dans une nuit qui n'aura pas d'aurore... Je suis sûr que les galeries et les églises de Montepulciano recèlent bien des tableaux et bien des sculptures dignes d'être examinés après celle-là ; mais c'est un grand principe en voyage, de rester sur une sensation d'extrême beauté quand on l'a rencontrée. Aussi n'ai-je plus voulu voir aucune autre œuvre d'art, et la dernière des cités toscanes que j'aurai visitées demeurera, dans mon souvenir, comme une vision de vieux palais autour d'une cathédrale où frémit à jamais ce marbre dans lequel j'aime à reconnaître l'image de la Science impuissante, et, derrière cette cathédrale, se développe une terrasse d'où l'on voit la province de François d'Assise, du héros de la foi heureuse.

Extrait des *Sensations d'Italie.*

Anatole France

« *Primavera* »

Sur la place de la Seigneurie, où le soleil fleuri du printemps répandait ses roses jaunes, midi sonnant dissipait la foule rustique des marchands de grains et de pâtes venus pour le marché. Au pied des Lanzi, devant l'assemblée des statues, les glaciers ambulants avaient dressé, sur des tables tendues de cotonnade rouge, les petits châteaux qui portaient à leur base l'inscription *Bibite ghiacciate.* Et la joie facile descendait du ciel sur la terre. Thérèse et Jacques, revenant d'une promenade matinale aux jardins Boboli, passaient devant l'illustre loggia. Thérèse regardait la Sabine de Jean de Bologne avec cette curiosité intéressée d'une femme qui examine une autre femme. Mais Dechartre ne regardait que Thérèse. Il lui dit :

– C'est merveilleux comme la vive lumière du jour flatte votre beauté, vous aime et caresse la nacre fine de vos joues.

– Oui, dit-elle. La lumière des bougies me durcit les traits. Je l'avais remarqué. Je ne suis pas une femme de soir, malheureusement : c'est plutôt le soir que les femmes ont l'occasion de se montrer et de plaire. Le soir, la princesse Seniavine a un beau teint mat et doré ; au soleil, elle est jaune comme un citron. Il faut avouer qu'elle ne s'en inquiète guère. Elle n'est pas coquette.

– Et vous l'êtes ?

– Oh ! oui. Autrefois je l'étais pour moi, maintenant je le suis pour vous.

Elle regardait encore la Sabine qui, des bras et des reins, grande, longue et robuste, s'efforçait d'échapper à l'étreinte du Romain.

– Est-ce qu'il faut qu'une femme, pour être belle, ait cette sécheresse de forme et cette longueur de membres ? Je ne suis pas comme cela, moi.

Il prit soin de la rassurer. Mais elle n'était pas inquiète. Elle regardait maintenant le petit château du glacier ambulant dont les cuivres reluisaient sur une nappe de coton écarlate. Une envie subite lui était venue de manger une glace, là, debout, comme elle avait vu faire tout à l'heure à des ouvrières de la ville. Il dit :

– Attendez un instant.

Il se mit à courir vers la rue qui suit le côté gauche des Lanzi et disparut.

Au bout d'un moment il revint, lui tendant une petite cuiller de vermeil à demi dépouillé par le temps, et dont le manche se terminait par le lys de Florence, au calice émaillé de rouge.

– C'est pour prendre votre glace. Le glacier ne donne pas de cuiller. Il vous aurait fallu tirer la langue. Ç'aurait été très joli. Mais vous n'avez pas l'habitude.

Elle reconnut la cuiller, un petit joyau qu'elle avait remarqué la veille dans la vitrine d'un antiquaire voisin des Lanzi.

Ils étaient heureux, ils répandaient leur joie pleine et simple en paroles légères qui n'avaient point de sens. Et ils riaient quand le Florentin leur tenait, avec une mimique héréditaire, des propos renouvelés des vieux conteurs italiens. Elle s'amusait du jeu parfait de ce visage antique et jovial. Mais elle, ne comprenait pas toujours les paroles. Elle demandait à Jacques :

– Qu'est-ce qu'il a dit ?

– Vous voulez le savoir ?

Elle le voulait.

– Eh bien ! il a dit qu'il serait heureux si les puces de son lit étaient faites comme vous.

Quand elle eut mangé sa glace, il la pressa d'aller revoir Or San Michele. C'était si près ! Ils traverseraient la place en biais et découvriraient tout de suite le vieux joyau de pierre. Ils allèrent. Ils regardèrent le Saint Georges et le Saint Marc de bronze. Dechartre revit sur le mur écaillé de la maison la boîte aux lettres, et il se rappela avec une exactitude douloureuse la petite main gantée qui y avait jeté une lettre. Il la trouvait hideuse, cette gueule de cuivre qui avait avalé le secret de Thérèse. Il ne pouvait en détourner les yeux. Toute sa gaieté s'en était allée. Cependant, elle s'appliquait à aimer la rude statue de l'évangéliste.

– C'est vrai qu'il a l'air honnête et franc et que, s'il parlait, il ne sortirait de sa bouche que des paroles de vérité.

Il répliqua amèrement :

– Ce n'est pas la bouche d'une femme.

Elle comprit sa pensée et d'un ton très doux :

– Mon ami, pourquoi me parlez-vous ainsi ? Je suis franche, moi.

– Qu'appelez-vous être franche ? Vous savez qu'une femme est obligée de mentir.

Elle hésita. Puis :

– Une femme est franche quand elle ne fait pas de mensonges inutiles.

*

Thérèse glissait, vêtue de gris sombre, sous les cytises en fleurs. Les buissons d'arbouses couvraient d'étoiles argentées le bord escarpé de la terrasse et, sur le penchant des coteaux, les lauriers dardaient leur flamme odorante. La coupe de Florence était toute fleurie.

Vivian Bell allait, blanche, dans le jardin embaumé.

– Vous le voyez, darling. Florence est vraiment la ville de la fleur, et ce n'est pas à tort qu'elle porte le lys rouge pour emblème. C'est fête aujourd'hui, darling.

– Ah ! c'est fête aujourd'hui ?...

– Darling, vous ne savez pas que nous sommes au premier jour de mai, à *Primavera* ? Vous ne vous êtes pas éveillée ce matin dans une féerie charmante ? Oh ! darling, vous ne célébrez pas la fête de la Fleur ? Vous ne vous sentez pas joyeuse, vous qui aimez les fleurs ? Car vous les aimez, my love, je le sais ; vous êtes tendre pour elles. Vous m'avez dit qu'elles éprouvaient de la joie et de la douleur, qu'elles souffraient comme nous.

– Ah ! j'ai dit qu'elles souffraient comme nous ?

– Oh ! vous l'avez dit. C'est leur fête aujourd'hui. Il faut la célébrer selon la coutume des aïeux, dans les rites consacrés par les vieux peintres.

Thérèse entendait sans comprendre. Elle froissait sous son gant la lettre qu'elle venait de recevoir, une lettre portant le timbre-poste italien et ne contenant que deux lignes :

« Je suis descendu cette nuit à l'hôtel de la Grande-Bretagne, Lungarno Acciaoli. Je vous attends dans la matinée. N° 18. »

– Oh ! darling, vous ne savez pas que c'est la coutume, à Florence, de fêter le renouveau, au premier mai de chaque année ? Mais alors, vous ne compreniez pas tout à fait ce que voulait dire le tableau de Botticelli consacré à la fête de la fleur, ce *Printemps* délicieux et d'une joie rêveuse. Autrefois, darling, en ce premier jour de mai, toute la ville était en liesse. Les jeunes filles, vêtues d'habits de fête et couronnées d'aubépine, allaient en long cortège par le Corso, sous des arcs de fleurs, et formaient des chœurs sur l'herbe nouvelle, à l'abri des lauriers. Nous ferons comme elles. Nous danserons dans le jardin.

– Ah ! nous danserons dans le jardin ?

– Oui, darling, et je vous apprendrai des pas toscans du quinzième siècle, qui ont été retrouvés dans un manuscrit par monsieur Morisson, le doyen des bibliothécaires de Londres. Revenez vite, my love ; nous mettrons des chapeaux de fleurs et nous danserons.

– Oui, chérie, nous danserons.

Et, poussant la grille, elle s'enfuit par le petit chemin, qui, raviné comme un lit de torrent, cachait ses pierres sous des buissons de roses. Elle se jeta dans la première voiture qu'elle trouva. Le cocher avait des bleuets à son chapeau et au manche de son fouet.

– Hôtel de la Crande-Bretagne, Lungarno Acciaoli !

Elle savait où c'était, Lungarno Acciaoli... Elle y était allée le soir, et elle revoyait l'or déchiré du soleil sur la nappe agitée du fleuve. Puis ç'avait été la nuit, le murmure sourd des eaux dans le silence, les paroles, les regards qui l'avaient troublée, le premier baiser de l'ami, le commencement de, l'irréparable amour. Oh ! oui, elle se rappelait Lungarno Acciaoli et la rive du fleuve au delà du Pont Vieux... Hôtel de la Grande-Bretagne... Elle savait : une grande façade de pierre sur le quai. C'était encore heureux, puisqu'il devait venir, qu'il fût venu là. Il aurait tout aussi bien pu descendre à l'hôtel de la Ville, place Manin, où était Dechartre. C'était encore heureux qu'ils ne fussent pas porte à porte, dans le même corridor... Lungarno Acciaoli !... Ce mort qu'ils avaient vu passer à la course, emporté par les cagoules, il était tranquille, quelque part, dans un petit cimetière fleuri...

– Numéro 18.

C'était une chambre nue d'hôtel, avec son poêle, à la mode italienne. Un jeu de brosses minutieusement étalé sur la table et l'Indicateur des chemins de fer. Pas un livre, pas un journal. Il était là : elle vit une grande souffrance sur son visage osseux, un air de fièvre. Elle en éprouva une impression grave et pénible. Il attendit un mot, un geste ; mais elle restait étrangère, n'osant rien. Il lui offrit une chaise. Elle l'écarta et resta debout.

– Thérèse, il y a quelque chose que je ne sais pas. Parlez.

Après un moment de silence, elle répondit avec une lenteur pénible :

– Mon Dieu, quand j'étais à Paris, pourquoi êtes-vous parti ?

À la tristesse de l'accent, il crut, il voulut deviner un reproche affectueux. Son visage se colora. Il répondit ardemment :

– Ah ! si j'avais prévu ! Cette partie de chasse, au fond, vous pensez bien que je m'en souciais peu ! Mais vous, votre lettre, celle du 27 (il avait le don des dates), m'a jeté dans une inquiétude horrible. Il était arrivé quelque chose à ce moment-là. Dites-moi tout.

– Mon ami, je croyais que vous ne m'aimiez plus.

– Mais maintenant que vous savez le contraire ?

– Maintenant...

Elle resta les bras tombants et les mains jointes.

Puis, avec une tranquillité affectée :

– Mon Dieu ! mon ami, nous nous sommes pris sans savoir. On ne sait jamais. Vous êtes jeune, plus jeune que moi, puisque nous sommes à peu près du même âge. Vous avez, sans doute des projets pour l'avenir.

Il la regarda fièrement en face. Elle continua, moins assurée :

– Vos parents, eux, votre mère, vos tantes, votre oncle le général, en ont pour vous, des projets. C'est bien naturel. J'aurais pu devenir un obstacle.. Il vaut mieux que je disparaisse de votre vie. Nous garderons un bon souvenir l'un de l'autre.

Elle lui tendit sa main gantée. Il croisa les bras :

– Alors, tu ne veux plus de moi ? Tu crois que tu m'auras rendu heureux comme pas un homme ne l'a été, et puis mis de côté, et que c'est fini comme cela ! Vraiment, tu crois que tu en as fini avec moi !... Qu'est-ce que vous venez me dire ? Une liaison, cela se dénoue. On se prend, on se quitte... Eh bien, non ! vous n'êtes pas une personne qu'on quitte, vous.

– Oui, vous aviez peut-être mis en moi plus qu'on ne met d'ordinaire en pareil cas. J'étais pour vous plus qu'un amusement. Mais, si je ne suis pas la femme que vous croyiez, si je vous ai trompé, si je suis légère... Vous savez : on l'a dit... Eh bien ! si je n'ai pas été avec vous ce que je devais être...

Elle hésita, et reprit d'un ton grave et pur qui contrastait avec ses paroles :

– Si, pendant que je vous appartenais, j ai eu des entraînements, des curiosités, si je vous dis que je ne suis pas faite pour un sentiment sérieux...

Il l'interrompit :

– Tu mens.

– Oui, je mens. Et je ne mens pas bien. Je voulais gâter notre passé. J'avais tort. Il est ce que vous savez. Mais...

– Mais ?...

– Ah ! cela ! je vous l'ai toujours dit : je ne suis pas sûre. Il y a des femmes, à ce qu'on dit, qui peuvent répondre d'elles. Je vous ai averti que je n'étais pas comme elles, et que je ne répondais pas de moi.

Il donna de la tête à droite et à gauche, comme une bête qu'on irrite et qui hésite encore à foncer.

– Qu'est-ce que tu veux dire ? Je ne comprends pas. Je ne comprends rien. Parle clairement... clairement, entends-tu ? Il y a quelque chose entre nous. Je ne sais pas quoi. Je veux le savoir. Qu'est-ce qu'il y a ?

– Je vous le dis, mon ami, il y a que je ne suis pas une femme sûre d'elle-même, et que vous ne deviez pas compter sur moi. Non !

vous ne le deviez pas. Je n'avais rien promis... Et puis, si j'avais promis, qu'est-ce que des paroles ?

– Tu ne m'aimes plus. Oh ! tu ne m'aimes plus, je le vois bien. Mais, tant pis pour toi ! moi je t'aime. Il ne fallait pas te donner. N'espère pas te reprendre. Je t'aime et je te garde... Alors, tu croyais te tirer d'affaire tout tranquillement ? Écoute-moi un peu. Tu as tout fait pour que je t'aime, pour que je te sois attaché, pour que je ne puisse pas vivre sans toi. Nous avons connu ensemble des plaisirs inimaginables. Et tu n'en refusais pas ta part. Oh ! je ne te prenais pas de force. Tu voulais bien. Il y a six semaines encore, tu ne demandais pas mieux. Tu étais tout pour moi. J'étais tout pour toi. Il y avait des moments où nous ne savions plus si j'étais toi ni si tu étais moi ; et puis tu veux que tout d'un coup je ne sache plus, que je ne te connaisse plus, que tu sois pour moi une étrangère, une dame qu'on rencontre dans le monde. Ah ! tu as un bel aplomb, toi ! Voyons, est-ce que j'ai rêvé ? Tes baisers, ton souffle sur mon cou, tes cris, ce n'est donc pas vrai ? J'invente tout ça, dis ? Oh ! il n'y a pas de doute : tu m'aimais. Je le sens encore sur moi, ton amour. Eh bien ! je n'ai pas changé. Je suis ce que j'étais. Tu n'as rien à me reprocher. Je ne t'ai pas trompée avec d'autres femmes. Ce n'est pas pour m'en faire un mérite. Je n'aurais pas pu. Quand on t'a connue, on trouve aux plus jolies un goût fade. Je n'ai jamais eu l'idée de te tromper. Je me suis toujours conduit envers vous en galant homme. Pourquoi ne m'aimeriez-vous plus ? Mais réponds-moi, parle donc. Dis que tu m'aimes encore. Dis-le, puisque c'est vrai. Viens, viens ! Thérèse, tu sentiras tout de suite que tu m'aimes comme tu m'aimais autrefois, dans le petit nid de la rue Spontini, où nous avons été si heureux. Viens !

Il se jeta sur elle, ardent, les bras avides. Elle, les yeux pleins d'effroi, le repoussa avec une horreur glaciale.

Il comprit, s'arrêta et dit :

– Tu as un amant !

Elle abaissa lentement la tête, et puis la releva, grave et muette.

Alors il la frappa à la poitrine, à l'épaule, au visage. Et aussitôt, il recula de honte. Il baissait les yeux et se taisait. Les doigts aux lèvres et se rongeant les ongles, il s'aperçut que sa main s'était déchirée à une épingle du corsage et saignait. Il se jeta dans un fauteuil, tira son mouchoir pour essuyer le sang et demeura comme indifférent et sans pensée.

Elle, adossée à la porte, la tête droite, pâle, le regard vague, détachait sa voilette déchirée et dressait son chapeau avec un soin instinctif. Au petit bruit, naguère délicieux, que faisaient autour d'elle les étoffes froissées, il tressaillit, la regarda et redevint furieux.

– Qui est-ce ? Je veux le savoir.

Elle ne bougea pas. Son visage blanc portait la marque brûlante du poing qui l'avait frappé. Elle répondit, avec une fermeté douce :

– Je vous ai dit tout ce que je pouvais vous dire. Ne me demandez plus rien. Ce serait inutile.

Il la regarda d'un regard cruel qu'elle ne lui connaissait pas.

– Oh ! ne me dites pas son nom. Je n'aurai pas de peine à le trouver.

Elle se taisait, attristée pour lui, inquiète pour un autre, pleine d'angoisses et d'alarmes, et pourtant sans regrets, sans amertume, sans affliction, ayant son âme ailleurs.

Il eut comme un vague sentiment de ce qui se passait en elle. Dans sa colère de la voir si douce et si sereine, de la trouver belle autrement qu'il ne l'avait eue, et belle pour un autre, il eut envie de la tuer, et lui cria :

– Va-t'en ! va-t'en !

Puis, accablé par cet effort de haine qui ne lui était pas naturel, il se prit la tête dans les mains et se mit à sangloter.

Cette douleur la toucha, lui rendit l'espoir de le calmer, d'adoucir les adieux. Elle se fit l'illusion qu'elle pouvait peut-être le consoler d'elle. Amicale et confiante, elle vint s'asseoir près de lui.

– Mon ami, blâmez-moi. Je suis blâmable, et plus encore pitoyable. Méprisez-moi, si vous voulez et si l'on peut mépriser une malheureuse créature qui est le jouet de la vie. Enfin, jugez-moi comme vous voudrez. Mais gardez-moi un peu d'amitié dans votre colère, un souvenir aigre et doux, comme ces temps d'automne, où il y a du soleil et de la bise. C'est ce que je mérite. Ne soyez pas dur à la visiteuse agréable et frivole qui passa à travers votre existence. Faites-moi des adieux comme à une voyageuse qui s'en va on ne sait où, et qui est triste. Il y a toujours tant de tristesse à partir ! Vous étiez irrité contre moi, tout à l'heure. Oh ! je ne vous le reproche pas. J'en souffre seulement. Gardez-moi un peu de sympathie. Qui sait ? L'avenir est toujours inconnu. Il est bien vague, bien obscur devant moi. Que je puisse me dire que j'ai été bonne, simple, franche avec vous, et que vous ne l'avez pas oublié. Avec le temps, vous comprendrez, vous pardonnerez. Dès aujourd'hui ayez un peu de pitié.

Il ne l'écoutait pas, apaisé seulement par la caresse de cette voix, dont les sons coulaient limpides et clairs. Il dit en sursaut :

– Vous ne l'aimez pas. C'est moi que vous aimez. Alors ?...

Elle hésita, glissa :

– Ah ! dire ce qu'on aime ou ce qu'on n'aime pas, c'est une chose qui n'est pas facile pour une femme, au moins pour moi. Car je ne sais pas comment font les autres. Mais la vie n'est pas clémente. On est jetée, poussée, ballottée...

Il la regarda, très calme. Il lui était venu une idée ; il avait pris une résolution. C'était simple. Il pardonnait, il oubliait, pourvu qu'elle lui revînt tout de suite.

– Thérèse, vous ne l'aimez pas ? C'était un erreur, un moment d'oubli, une chose horrible et stupide que vous avez faite, par faiblesse, par surprise, peut-être de dépit. Jurez-moi que vous ne le reverrez plus.

Il lui prit le bras :

– Jurez-le-moi.

Elle se taisait, les dents serrées, le visage sombre ; il lui tordit le poignet. Elle cria :

– Vous me faites mal !

Cependant il suivait son dessein. Il la traîna jusqu'à la table, sur laquelle se trouvaient, près du jeu de brosses, une bouteille d'encre et quelques feuilles de papier à lettres avec une grande vignette bleue représentant la façade de l'hôtel, aux fenêtres innombrables.

– Écrivez ce que je vais vous dicter. Je ferai porter la lettre.

Et, comme elle résistait, il la fit tomber à genoux. Fière et tranquille, elle dit :

– Je ne peux pas, je ne veux pas.

– Pourquoi ?

– Parce que... Vous voulez le savoir ?... Parce que je l'aime.

Brusquement, il lui lâcha le bras. S'il avait eu son revolver sous la main, peut-être l'aurait-il tuée. Mais, presque aussitôt, sa fureur s'était mouillée de tristesse ; et maintenant, désespéré, c'est lui qui aurait bien voulu mourir.

– Est-ce vrai, ce que vous dites là ? Est-ce donc possible ? Est-ce donc vrai ?

– Est-ce que je sais, moi ? Est-ce que je peux dire ? Est-ce que je comprends encore ? Est-ce que j'ai encore une idée, un sentiment, une lueur de quoi que ce soit ? Est-ce que...

Avec un peu d'effort, elle ajouta :

– Est-ce que je suis dans ce moment à autre chose qu'à ma tristesse et à votre désespoir ?

– Tu l'aimes ! tu l'aimes ! Qu'est-ce qu'il a, comment est-il, pour que vous l'aimiez ?

Il était stupide de surprise, dans un abîme d'étonnement. Mais ce qu'elle avait dit les avait pourtant séparés. Il n'osait plus la manier brutalement, la saisir, la frapper, la pétrir comme sa chose mauvaise et rétive, mais sa chose à lui. Il répétait.

– Vous l'aimez ! vous l'aimez ! Mais qu'est-ce qu'il vous a dit, qu'est-ce qu'il vous a fait, pour que vous l'aimiez ? Je vous connais : je ne vous ai pas dit toutes les fois que vos idées me choquaient. Je parie que ce n'est même pas un homme du monde. Et vous croyez qu'il vous aime ? vous le croyez ? Eh bien ! vous vous trompez il ne vous aime pas. Il est flatté, tout simplement. Il vous lâchera à la première occasion. Quand il vous aura assez compromise, il vous enverra promener. Et vous roulerez dans la galanterie. L'année prochaine, on dira de vous : « Elle traîne avec tout le monde. » Cela me contrarie pour votre père, qui est un de mes amis, et qui saura votre conduite, car n'espérez pas le tromper, lui.

Elle écoutait, humiliée, mais consolée, songeant à ce qu'elle aurait souffert de le trouver généreux.

Dans sa simplicité, il la méprisait sincèrement. Ce mépris le soulageait. Il s'en mettait plein la gorge.

– Comment la chose s'est-elle faite ? Vous pouvez bien me le dire, à moi.

Elle haussa les épaules avec tant de pitié qu'il n'osa plus continuer sur ce ton. Il redevint haineux.

– Est-ce que vous vous imaginez que je vous aiderai à sauver les apparences, que je retournerai chez vous, que je continuerai à fréquenter votre mari, que je tiendrai le chandelier ?

– Je pense que vous ferez ce qu'un galant homme doit faire. Je ne vous demande rien. J'aurais voulu conserver de vous le souvenir d'un excellent ami. Je croyais que vous seriez indulgent et bon pour moi. Ce n'est pas possible. Je vois qu'on ne se quitte jamais bien. Plus tard, plus tard vous me jugerez mieux. Adieu !

Il la regarda. Son visage maintenant exprimait plus de douleur que de colère. Elle ne lui avait jamais vu ces yeux secs et cernés, ces tempes arides sous des cheveux rares. Il semblait qu'il eût vieilli en une heure.

– J'aime mieux vous avertir. Il me sera impossible de vous revoir. Vous n'êtes pas une femme qu'on peut rencontrer dans le monde quand on l'a eue et qu'on ne l'a plus. Je vous l'ai dit. Vous n'êtes pas comme les autres. Vous avez un poison à vous, que vous m'avez donné, et que je sens en moi, dans mes veines, partout. Pourquoi vous ai-je connue ?

Elle le regarda avec bonté.

– Adieu ! et dites-vous que je ne vaux pas des regrets si cuisants.

Alors, quand il vit qu'elle posait la main sur la clef de la porte, quand il sentit, à ce geste, qu'il allait la perdre, qu'il ne l'aurait plus jamais, il poussa un cri et s'élança. Il ne se rappelait plus rien. Il lui restait l'étourdissement d'un grand malheur accompli, d'un deuil irréparable. Et du fond de sa stupeur un désir montait. Il voulait la reprendre une fois encore, celle qui s'en allait et ne reviendrait plus. Il la tira à lui. Il la voulait simplement, de toute la force de sa volonté animale. Elle lui résista de toute sa volonté présente, libre et qui veillait. Elle se dégagea froissée, arrachée, déchirée, n'ayant pas même eu peur.

Il comprit que tout serait inutile ; il retrouva la suite oubliée des choses et qu'elle n'était plus à lui parce qu'elle était à un autre. Sa souffrance revenue, il lui cracha des injures, et la poussa dehors.

Elle resta un moment dans le corridor, attendant par fierté un mot, un regard digne d'être mis sur leur amour passé.

Mais il cria encore : « Va-t'en », et poussa violemment la porte.

Via Alfieri, elle revit le pavillon au fond de la cour où croissait l'herbe pâle. Elle le trouva tranquille et muet, fidèle, avec ses chèvres et ses nymphes, aux amoureux du temps de la grande duchesse Élisa. Elle se sentit dès l'abord échappée au monde douloureux et brutal et transportée dans des âges où elle n'avait pas connu la tristesse de vivre. Au pied de l'escalier, dont les degrés étaient jonchés de roses, Dechartre l'attendait. Elle se jeta dans ses bras et s'y abandonna. Il la porta inerte, comme la dépouille précieuse de celle devant qui il avait pâli et tremblé. Elle goûtait, les paupières mi-closes, l'humiliation superbe d'être une belle proie. Sa fatigue, sa tristesse, ses dégoûts de la journée, le souvenir de la violence, sa liberté reprise, le besoin d'oublier, un reste de peur, tout avivait, irritait sa tendresse. Renversée sur le lit, elle noua ses bras autour du cou de son ami.

Quand ils revinrent à eux, ils eurent des gaietés d'enfant. Ils riaient, disaient des riens, jouaient, mordaient aux limons, aux oranges, aux pastèques amassés près d'eux sur des assiettes peintes. N'ayant gardé que la fine chemise rose, qui, glissant en écharpe sur l'épaule, découvrait un sein et voilait l'autre, dont la pointe rougissait à travers, elle jouissait de sa chair offerte. Ses lèvres s'entrouvraient sur l'éclair de ses dents humides. Elle demandait, avec une coquette inquiétude, s'il n'était pas déçu après le rêve savant qu'il avait fait d'elle.

Dans les lueurs caressantes du jour qu'il avait ménagées, il la contemplait avec une joie jeune. Il lui donnait des louanges et des baisers.

Ils s'oubliaient en caresses mignardes, en querelles amicales, en regards heureux. Puis, subitement graves, les yeux assombris, les lèvres serrées, en proie à cette colère sacrée, qui fait que l'amour ressemble à la haine, ils se reprenaient, se mêlaient et cherchaient l'abîme.

Et elle rouvrait ses yeux noyés et souriait, la tête sur l'oreiller, les cheveux épars, avec une douceur de convalescente.

Il lui demanda d'où lui venait cette petite marque rouge sur la tempe. Elle répondit qu'elle ne savait plus et que ce n'était rien. Elle mentait à peine et d'un cœur ouvert. Vraiment, elle ne savait plus.

Ils se rappelaient leur belle et courte histoire, toute leur vie, qui datait du jour où ils s'étaient rencontrés.

– Vous savez, sur la terrasse, le lendemain de votre arrivée. Vous me disiez des paroles vagues et sans suite. J'ai deviné que vous m'aimiez.

– J'avais peur de vous paraître stupide.

– Vous l'étiez un peu ; c'était mon triomphe. Je commençais à m'impatienter de vous voir si peu troublé, près de moi. Je vous ai aimé avant que vous m'aimiez. Oh ! je n'en rougis pas.

Il lui versa entre les dents une goutte d'asti mousseux. Mais il y avait sur le guéridon une bouteille de vin de Trasimène. Elle voulut y goûter, en souvenir de ce lac qu'elle avait vu désolé et beau, le soir, dans sa coupe ébréchée d'opale. C'était lors de son premier voyage en Italie. Il y avait de cela six ans.

Il la querella d'avoir découvert sans lui la beauté des choses.

Elle lui dit :

– Sans toi, je ne savais rien voir. Pourquoi n'es-tu pas venu plus tôt ?

Il lui ferma la bouche d'un baiser pesant. Et quand elle revint à elle, brisée de joie, la chair heureuse et lasse, elle lui cria :

– Oui, je t'aime ! Oui, je n'ai jamais aimé que toi !

Extrait du *Lys rouge.*

Charles de Montesquieu

Florence et les Médicis

On vit à Florence avec beaucoup d'économie. Les hommes vont à pied. Le soir, on est éclairé par une petite lanterne. Les femmes vont dans de grands carrosses. Dans les maisons, lorsque l'on ne joue point, on est éclairé par une lampe ; quand il y a peu de monde, un lampion ; quand le monde entre, on allume les trois lampions : car la lampe a trois branches et pose sur une espèce de chandelier. Du reste, la noblesse de Florence est affable, et le sang y est assez beau. Elles ne savent ce que c'est que de se farder.

Aucune cheminée, et, dans le cœur de l'hiver, on ne s'y chauffe point. On dit que le feu est malsain ; mais ce pourrait bien être aussi une raison d'économie. Comme on accoutume les enfants à rester dans une chambre sans feu, on ne le souhaite point.

Généralement, l'Italie, au moins toute la Lombardie et ce qui est entre l'Apennin et la mer, manque de bois : car toutes les montagnes de l'Apennin sont nues ou ont des oliviers, qui sont de peu de ressource pour le chauffage ; et les plaines sont cultivées et n'ont que des mûriers et quelques peupliers. Cependant, on ne sent point cette privation-là, soit parce que l'hiver y dure peu, soit parce qu'on est accoutumé à ne se point chauffer. Ce qui m'a bien fait revenir des éternelles craintes de notre France, où on regorge de bois, et où l'on dit toujours qu'on en va manquer. Il est certain que les pays à bois en font une consommation bien inutile.

Il est sorti de Florence, de tous temps, de grands hommes et de grands génies. C'est eux qui contribué plus qu'aucune ville d'Italie au renouvellement des arts. Cimabué et Giotto commencèrent à faire revivre la sculpture et la peinture, et ce furent les sénats de Venise et de Florence qui appelèrent les ouvriers grecs.

Et il y a cela d'extraordinaire, c'est qu'à Florence, l'architecture gothique est d'un meilleur goût qu'ailleurs. Le Dôme et *Santa-Maria-Novella* sont de très belles églises, quoique dans le goût gothique. Elles ont un air de simplicité et de grandeur que les bâtiments gothiques n'ont pas. Il fallait que ces grands génies fussent supérieurs à l'art de ce temps-là. Aussi Michel-Ange appelait-il *Santa-Maria-Novella* son épouse, et avait-il un grand respect pour l'église du Dôme.

Le Grand-Duc peut avoir de revenu 1 million 500 000 écus florentins, qui veulent dire environ 7 millions 500 000 livres de notre monnaie et plus : car l'écu florentin vaut une piastre. Le Grand-Duc père avait des intérêts à payer à 5 pour 100. Celui-ci a sommé de venir recevoir son argent ou de souffrir la diminution des intérêts à 3 et ½. Quelques-uns ont pris leur argent ; les autres ont souffert la réduction ; ce qui fait que l'argent n'y vaut pas davantage sur la place, et que les terres ne rapportent pas même ces intérêts-là. Mais le Grand-Duc a l'entretien de sa cour, de celle de la princesse sa belle-sœur, de la princesse sa sœur, de troupes de terre et de ses galères. – M. de Sainte-Marie.

Il n'y a pas de ville où les hommes vivent avec moins de luxe qu'à Florence : avec une lanterne sourde, pour la nuit, et une ombrelle, pour la pluie, on a un équipage complet. Il est vrai que les femmes font un peu plus de dépense : car elles ont un vieux carrosse. On dit qu'ils font plus de dépense à la campagne, comme aussi aux solennités des baptêmes et des mariages. Les rues sont si bien pavées de grands pavés, qu'il est très commode d'aller à pied. On a vu le premier ministre du Grand-Duc, le marquis de Montemagno, assis sur la porte de la rue, avec son chapeau de paille, se branlant les jambes.

Les Anglais enlèvent tout d'Italie : tableaux, statues, portraits. Ils n'ont de ces choses-là que depuis quelque temps, parce que tous les meubles des maisons royales furent vendus par le Parlement, après la mort de Charles II, à tous les princes, rois et ministres étrangers. On dit que cela les amollira et leur fera perdre leur courage féroce. Je dis qu'ils ont encore beaucoup à perdre et pour bien du temps.

Cependant les Anglais enlèvent rarement du bon. Les Italiens s'en défont le moins qu'ils peuvent, et ce sont des connaisseurs qui vendent à des gens qui ne le sont pas. Un Italien vous vendrait plutôt la femme en original, qu'un original de Raphaël. (...)

Il y a à Florence une domination assez douce. Personne ne connaît et ne sent guère le Prince et la Cour. Ce petit pays a, en cela, l'air d'un grand pays.

Il n'y a que les subsides qui y sont très grands. Il y en a du temps de la République, très forts. Par exemple, on paye 7 et ¾ pour 100 des dots des filles qu'on épouse ; *idem*, des successions collatérales. Tout paye, soit qu'il entre ou sorte de Florence. Ce qu'il y a de singulier, c'est que, si vous épousez une fille qui n'a rien, on vous suppose une dot pour en tirer les 7 et ¾. Le feu Grand-Duc avait mis un impôt de ½ pour 100 sur tous les revenus et avait promis que cela ne durerait qu'un an. Cela dura toujours et augmenta. Des gens qui croyaient que cela ne durerait ni augmenterait, allaient déclarer plus de revenu qu'ils n'avaient, pour se donner plus de crédit. Mais cela dura. Ce Grand-Duc a ôté cet impôt et d'autres.

C'est un bon prince, qui a de l'esprit, mais très paresseux, et qui, d'ailleurs, aime un peu à boire, même des liqueurs. Il n'a confiance à aucun ministre et souvent les brusque bien : ce qui peut venir des quarts d'heure du vin. Du reste, le meilleur homme du monde. Un homme ayant fait des placards contre les ministres et ayant même intéressé le Grand-Duc, disant qu'il ne donnait pas d'audience, fut pris et condamné aux galères. Le Duc, qui doit confirmer la sentence, ne le fit pas. Un sénateur lui dit : « Mais, Monseigneur, il faudrait un exemple : il a maltraité rudement un sénateur. – Et moi aussi, dit le Grand-Duc ; mais il a dit la vérité, et je ne veux pas le punir pour cela. » Il est presque toujours avec ses domestiques.

Quand Charles-Quint assiégea et prit Florence avec les troupes du Pape, la capitulation fut que les Médicis seraient rétablis : Alexandre, élu duc, avec douze sénateurs pour son conseil : ce qui formait une espèce d'aristocratie. Le Duc fut assassiné par son cousin ou frère, qui lui avait promis de lui mener le soir, dans son lit, une femme, et lui mena l'assassin. Il se retira à Venise. Comme il fut élu duc fort jeune, il se fit une conjuration des Strozzi, qu'il découvrit et éteignit. Il bâtit des citadelles, mit des impôts et, depuis ce temps rien n'a remué. – Santa-Maria. – Examiner l'histoire. (…)

Les raretés, richesses et curiosités des Médicis leur viennent non seulement de ce qu'ils ont acquis, mais aussi de la confiscation des biens de plusieurs familles de Florence, qui avaient conspiré contre eux.

Le Grand-Duc ne donne guère de lettres de noblesse. On a seulement la faculté de fonder, pour 10 000 écus, une commanderie de l'ordre de Saint-Étienne : elle passe aux enfants après. Dans certains cas, elle retourne à l'ordre. Cela fait noblesse. Ceci a perdu le commerce de Florence : un riche marchand ayant d'abord fondé la commanderie ; après quoi, il n'est plus permis de faire le commerce.

Il y a une maison que vingt gentilshommes louent à leurs frais, qui est le *Casin*, où l'on s'assemble. Là, il n'y a que des gentilshommes qui y peuvent entrer, et cela est si rigoureusement observé qu'ils supplièrent le Grand-Duc, qui leur parla pour quelqu'un, de ne les point gêner là-dessus.

Autrefois, il y avait un jeu, où l'on se donnait bien des coups de poings, qui a été aboli depuis quelque temps, et se faisait une fois l'an. Cela était usité du temps de la République, parce que, lorsqu'on avait quelque inimitié, on la gardait pour le jour du jeu. On frottait bien son adversaire ; après quoi, l'honneur ordonnait d'oublier l'injure reçue, parce qu'on s'en était vengé.

Il n'y a point de famille noble qui n'ait quelque petit emploi, qui lui donnera 15, 20, 30 écus, 50 écus par mois. Les emplois les plus vils en France, comme un emploi à la douane, sont exercés par les nobles, et il n'y a ordinairement qu'eux. La raison en est que cela se faisait ainsi du temps de la République. – Santa-Maria.

Le Père de la Patrie, riche marchand, avait plus de deux ou trois cents personnes employées dans toute l'Europe, dans ses différents comptoirs, et il avait eu l'attention d'employer des gens des principales familles de la Ville, qui étaient autant de gens à lui. Cela donna de la jalousie. Il fut pris et allait être mis à mort, lorsqu'il gagna le geôlier, se retira à Venise, et il trouva le secret de faire tomber presque tout le commerce de Florence. Cela le fit rappeler. Il perdit ses ennemis. Immenses richesses. Bâtiments publics qu'il éleva pour des sommes incroyables. – Santa-Maria.

Il ne laisse pas d'y avoir des familles riches à Florence : le marquis Riccardi a plus de 200 000 livres de rente de notre monnaie ; les Renucini, Corsini, Corci, 20 000 écus ou 100 000 francs de notre monnaie ; *idem*, Salviati et Strozzi, *principe di forano* : mais ces deux derniers sont dans l'État du Pape ; les marquis Incantri, Tempi, Niccolini, le baron Franceschi, 12 à 15 ; les marquis Ximenès et Gherini, un peu moins, aussi bien que les marquis Féroni et Capponi : ces Féroni étaient autrefois prodigieusement riches. – Tout ceci est exagération populaire. Retranchez-en la moitié et plus.

Les Médicis étaient originaires de Mugello, petite province de Toscane. Les Ubaldini en étaient seigneurs. Il y en a eu de ducs d'Urbin, et il y en a deux branches à Florence, d'une fortune médiocre. – Santa-Maria.

Ce Grand-Duc, indéterminé et paresseux. Quelques-uns de ces gens, à son retour d'Allemagne, firent mettre leurs habits dans ses ballots. Ils n'ont pas encore été défaits depuis dix ou douze ans, et ils sont pourris. Tout ce qu'on lui donne, il l'enferme – fût-ce gibier, fruits – après l'avoir fait estimer et donné une manche du prix, et là il se pourrit. Cependant, c'est un bon prince. Un des marquis Gherini a une charge qui vaut 2 000 écus, que le Grand-Duc père lui donna malgré celui-ci, qui le haïssait, et il en fut si outré qu'il se retira de la Cour. Il est devenu Grand-Duc, et il ne lui a pas ôté la charge. (...)

Charles-Quint n'avait point en vue de donner la souveraineté aux Médicis ; il ne voulait qu'établir une aristocratie, et avoir pour chef ou gonfalonier un Médicis. On donna au premier, pour son entretien, 12 000 écus : les Florentins disaient qu'il aurait bien là de quoi faire une bonne vie. Quand les Empereurs se furent retirés d'Italie, que les Médicis se virent utiles aux uns et aux autres, ils s'emparèrent de l'autorité et des revenus publics.

Le grand-duc Cosme III, voyant que, depuis Jean de Bologne et Francavilla, la sculpture était totalement tombée à Florence (comme il paraît par les ouvrages des sculpteurs de ce temps-là), il envoya de jeunes élèves à Rome, comme Foggini et Marcellini, lesquels y étudièrent longtemps, firent eux-mêmes des élèves, qui allèrent ensuite à Rome, comme Piémontini et autres aujourd'hui. Ainsi, c'est au feu Grand-Duc et au prince Ferdinand, son fils, que l'on doit le rétablissement de la sculpture à Florence. Marcellini vécut dans la crapule et fut abandonné du Grand-Duc.

J'ai ouï dire au sénateur Capponi que l'État de Florence a 750 000 habitants. Ils n'y sont (je crois) pas. L'État de Sienne, qui est plus grand que le reste, n'a pas plus de 75 000 habitants, m'a dit le comte Caimo, qui dit le bien savoir, et il soutient, contre le sénateur, qu'il n'y en a pas plus de 600.

La ville de Florence peut avoir 80 000 âmes, 800 moines, autant de religieuses, sans compter les prêtres.

J'ai ouï dire au comte Caimo qu'il n'y avait pas 100 000 âmes dans le Mantouan, et je le crois.

Je crois que l'État de Venise est, de tous les États d'Italie, celui qui a le plus de peuple. Le Bressan a 400 000 âmes ; Venise et les îles 180 000 âmes. J'ai vu faire le compte que le Pays vénitien en

Italie avait 2 millions d'hommes. Je ne le crois pas, si on ne compte que l'Italie.

L'État du Pape, en comprenant l'État ecclésiastique, Avignon et Bénévent, ne fait pas 900 000 âmes.

Le Parmesan est beaucoup peuplé jusques aux montagnes, et peut faire 150 000 âmes.

Le Modénois, 100 000.

J'ai ouï disputer 1 million d'âmes au Piémont, et je crois qu'on a raison.

Le royaume de Naples, 1 million.

La Sicile, 500 000 âmes.

La Corse, 80 000 âmes.

Le Génovesat, 350 à 360 000 âmes.

Le Milanois, 700 000 âmes.

Le sénateur... m'a dit...

J'ai ouï dire à Florence que le Pays de Lucques avait 100 000 habitants. Effectivement c'est une pépinière, d'où il sort un nombre infini de gens, que le Pays de Lucques : toute l'Italie fourmille de Lucquois. Mais je ne crois pas que Lucques ait 50 000 habitants.

Pistoie n'a que 5 ou 6 000 habitants.

Pise, qui en a 10 000 ou environ, se remet : Livourne lui fournit de l'argent, et les Lucquois, du monde.

Voici donc comme je mettrais le nombre du peuple qui est en Italie :

Le Piémont	900 000
Le Milanois	700 000
Le Génovesat	350 000
Florence, Lucques et le Pays de Massa	750 000

– Le Pays de Florence n'a (je crois) que 600 000 ; le Pays de Massa, 6 ou 7 000 Lucquois.

Le Parmesan	150 000
Modénois	120 000
Mantouan	100 000
Venise	1 500 000
États du Pape, en Italie	80 000
Royaume de Naples	1 000 000
Sicile	500 000

Sardaigne	150 000
Corse	80 000
Pays des Suisses, en Italie	100 000
Toute l'Italie et les îles	7 200 000 âmes

(…) Le feu Grand-Duc voulut disposer de sa succession en faveur d'un Bourbon ; le communiqua à l'Empereur, qui s'y opposa, puis fit la Quadruple-Alliance. Le vieillard Cosme n'a jamais pardonné à l'Empereur de l'avoir signée. (…)

Les Lucquois ont trois principes : point d'Inquisition ; point de Jésuites ; point de Juifs.

Les familles italiennes dépensent beaucoup en canonisations. La famille Corsini, à Florence, a dépensé plus de 180 000 écus romains dans la canonisation d'un saint Corsini. Le marquis Corsini père disait : « Mes enfants, soyez honnêtes gens ; mais ne soyez pas saints. » Il sont une chapelle, où repose le saint, qui leur a coûté plus de 50 000 écus. Peu de fripons ont tant coûté à leur famille, que ce saint.

Elles dépensent aussi beaucoup en sépultures dans les églises.

Enfin, tout ce qui est magnificence délie plus aisément la bourse d'un Italien, que ce qui est commodité ; tout Italien aime d'être flatté.

Le bois, bon revenu dans Florence. L'économie générale a introduit le principe qu'il est nuisible à la santé de se chauffer en hiver ; mais c'est le feu de chez soi qui est nuisible, non le feu qu'ils trouvent ailleurs. (…)

À Florence, dans la maison du marquis Riccardi qui est l'ancienne maison des Médicis augmentée, et qui est un vrai palais, la marquise est obligée de s'habiller dans sa chambre et de mettre ses habits dans son lit. (…)

L'État de Florence doit 14 millions et 1/2 d'écus de ce pays-là. À la mort du feu Grand-Duc, on en devait partie à 6 pour 100 ; c'était des rentes qui n'étaient perpétuelles, ni viagères : car elles s'éteignaient dans de certains cas, et on pouvait les transporter à d'autres, mais elles s'éteignaient rarement. D'autres étaient à 5 pour 100 ; d'autres à 4 et ½. Quand ce Grand-Duc a succédé, on a érigé un nouveau mont ; on a remboursé toutes les rentes à 6 pour 100, et on a offert à tout le monde son argent, si mieux on n'aimait le convertir en rentes à 3 et ½ pour 100. Presque tout le monde a accepté. Ils n'avaient pas 100 000 écus en caisse, quand ils ont fait cette conversion. Par là, l'État a gagné 90 000 écus et on a tiré pour autant d'impôts ; de façon que le peuple a été soulagé de 90 000 écus d'impôts, et de ce qu'il en coûtait pour les lever, qui allait à 7 pour 100, sans compter les exactions. Cela a fait crier les gros particuliers de Florence et a fait un grand bien au peuple en général.

J'ai vu les tableaux du Palais Pitti. Le mal de ce palais, c'est que la salle qui sépare les deux appartements est très petite. L'appartement à droite est peint par Pierre de Cortone ; il y a aussi quelques tableaux. Celui qui est à gauche est plein de tableaux des premiers maîtres de toute espèce ; mais le tableau qui m'a paru le plus admirable, c'est une *Vierge* de Raphaël, qui efface, à mon gré, tout ce que j'ai vu de *Vierges.* Vous y avez quantité de tableaux d'André del Sarto, beaucoup du Titien, plusieurs de Raphaël, du Corrège, du Carrache, du Parmesan, du Guerchin, de Rubens et d'une infinité d'autres auteurs. Au-dessus est l'appartement du feu prince Ferdinand, qui est garni aussi de tableaux, et il y en a une galerie toute pleine. (...)

Le marquis Albisi : grand amateur des actrices de l'Opéra.

Signor Stromaso Bonaventuri : il a été à la tête de ceux qui ont diminué les rentes des monts à 3 ½ pour 100, afin d'ôter des impôts qu'avait mis le feu Cosme III ; les Florentins y ont perdu ; le reste de l'État y a gagné à cause de cela, les Florentins l'ont appelé *le petit Law.*

Le Juif Dathias, qui est de Livourne, mais était venu à Florence, et est homme de lettres.

Le 15 janvier 1729, je partis de Florence pour Rome.

J'arrivai le même jour à Sienne.

Le lendemain, j'allai voir l'église cathédrale, et je vis le fameux pavé de clair-obscur fait par Dominique Beccafumi, et le tout est si bien dessiné et fait avec tant d'art qu'il semble que le pavé soit peint. Il n'y en a que quelles morceaux de conservés : car, en marchant, on l'a beaucoup gâté ; outre que toute l'église n'est pas faite par Beccafumi, mais divers auteurs, avant et après lui, y ont travaillé, mais sans succès.

Le dôme ne s'accorde pas avec le dessin de la nef, et il y a une colonne qui répond au milieu des ailes, et qui est du nombre de celles sur lesquelles le dôme appuie, qui font bien voir que, dans le dessin, le dôme devait être plus grand.

Il y a une chapelle du dessin du cavalier Bernin, d'ordre composite, qui est d'un très bon goût. Elle est revêtue de marbre. Il y a deux statues du même maître, qui sont admirables. Le cavalier Bernin avait un art que personne n'a imité, de faire paraître du marbre comme de la chair et de lui donner de la vie. On voit dans ces deux statues, cette *morbidezza* au souverain degré.

La voûte de l'église est un ciel bleu, semé d'étoiles : ce qui fait un bel effet et est plus raisonnable que ces peintures de la terre, qu'on met souvent dans ces voûtes.

La place est une chose assez belle ; il y a une fontaine très belle, et, comme elle est creuse, en forme de coquille, on y peut mettre l'eau quand on veut.

Tout le pays, depuis Sienne jusques aux frontière, est montagneux et mauvais : c'est l'Apennin ; généralement tout le Siennois est stérile et produit peu.

Extrait du *Voyage de Gratz à La Haye.*

CORZIO MALAPARTE

Jeux devant l'enfer

Le jour où Agénor disparut, en laissant son chapeau et sa veste à l'entrée d'une grotte, en pleine pinède de Galceti, une obscure fantaisie naquit dans mon cœur. Oh ! pouvoir descendre vivant aux enfers, comme Agénor.

Nous habitions alors à Coiano, dans une villa qui dormait sur la grand-route, et, de tous les charretiers de la vallée du Bisenzio, Agénor était le plus jeune, le plus gai, notre ami le plus cher. Quand il passait devant la villa, il nous saluait en faisant claquer son fouet, du haut de sa charrette chargée de pièces de laine, de balles de chiffons, de dames-jeannes d'acide sulfurique. Un jour, une dame-jeanne se brisa et inonda la croupe du cheval, qui s'appelait Panthère, le brûlant d'une façon atroce. Agénor, suspendu au cou de Panthère, se mit à hurler et à pleurer si fort que nous l'entendîmes du fond de notre jardin. On dut l'enlever de force, en criant dans ses oreilles pour qu'il n'entendît pas les hennissements du cheval mourant. Depuis ce jour Agénor disparut, et le peuple raconta qu'il était descendu vivant en enfer, pour suivre son cheval mort, et qu'il était passé par la même grotte que Dante descendant sous terre. Aujourd'hui encore, le dimanche, les habitants de Prato vont goûter devant cette grotte, et, assis sur l'herbe autour des paquets de saucisson et de mortadelle au fenouil et des fiasques de vin de Filèttole, ils récitent à qui mieux mieux les vers de Dante, mais en toscan, comme Dante les écrivit.

Un matin, je ne sais comment, nous nous retrouvâmes tous trois sur les bords du fossé de la Bardena, devant la grotte de Dante et d'Agénor. Parmi les pins, dans la forêt verte, les petits moines du couvent voisin de Galceti marchaient l'un derrière l'autre, solitaires et muets. Les uns descendaient au bord de la Bardena puiser de l'eau dans des cruchons de cuivre tout resplendissants, d'autres cueillaient dans les buissons des baies de genévrier et des herbes parfumées, d'autres des fleurs pour l'autel, d'autres encore marchaient la tête renversée, comme s'ils contemplaient dans le ciel une apparition miraculeuse, observant en fait, à travers les branches, les nids des oiseaux. Ils imitaient les verdiers, les pinsons, les appelant, leur répondant, et en même temps répandaient dans l'herbe des grains de millet blond qui, en coulant entre leurs doigts, tombaient comme une pluie d'or, tandis que le vent du matin les éparpillait alentour. On entendait çà et là, à travers la forêt, comme venant de très loin, la chute des serpes sur les branches et sur les troncs que les bûcherons abattaient pour éclaircir le maquis et donner de l'air aux jeunes pins. À chaque coup, les petits moineaux baissaient la tête, comme s'ils souffraient dans leur chair des blessures que le fer creusait dans le bois vivant. Sur les veines de marbre vert qui émergeaient de l'herbe, tout un peuple de fourmis allait en procession, brandissant des grains de blé comme des étendards d'or, et des graines, des brins de paille, des bribes de feuilles. Une rose innocente resplendissait dans l'air, faite non seulement de lumière, mais de sons, de parfums, de saveurs.

Nous nous trouvâmes tout à coup devant l'entrée de l'enfer et nous nous arrêtâmes, anxieux et effrayés.

– Agénoooor ! cria mon frère Sandro sur le seuil de la grotte.

Un écho profond et lointain lui répondit.

– Agénoooor ! répétâmes-nous en chœur.

La grotte s'abîmait dans l'ombre dense et secrète des viscères terrestres. Peu à peu, les yeux s'habituaient à l'obscurité et voyaient surgir du fond d'étranges lueurs : c'était le reflet du soleil qui, heurtant les troncs et rejaillissant sur le tapis des aiguilles de pins, faisait resplendir sur les parois de marbre vert des écailles d'argent comparables à celles de poissons frétillants dans une eau sombre. Mon frère pénétra le premier dans la caverne, et nous le suivîmes. À l'intérieur de la grotte l'air était froid, on entendait au loin de l'eau qui coulait goutte à goutte, un murmure fermé.

– Agénoooor ! cria Sandro.

Mais, effrayé par sa propre voix qui retentit terrible, il se retourna pour fuir, nous heurta, et nous roulâmes tous trois, l'un sur l'autre, hors de la caverne.

Sur la rive de la Bardena, à quelques pas de la bouche de l'antre, se trouvait un groupe d'enfants qui, au bruit de notre fuite, se retournèrent et se mirent à nous regarder avec surprise. Mon frère qui avait honte se mit en colère, il commença à nous gourmander, disant que nous avions peur de l'enfer, et se moquant de nous. Les autres enfants firent chorus et se mirent à rire. Ma sœur Marie, qui était la plus petite d'entre nous, se mit à pleurer, et l'un des gamins, qui tenait dans sa main un de ces couteaux qui servent à couper l'osier pour lier les vignes, se dirigea vers nous. Il était grand et maigre, il avait des lèvres pâles, des yeux noirs et moqueurs. Quand il fut près de nous, Sandro lui demanda gentiment ce qu'ils faisaient là au bord du fleuve, et s'il voulait jouer avec nous. L'autre répondit en riant :

– Nous attrapons des crabes.

C'étaient des enfants de paysans et de bûcherons des environs, leurs maisons étaient éparpillées sur les flancs des collines, de l'autre côté de la Bardena. Ils étaient déchaussés, à demi nus, les cheveux ébouriffés, les yeux très grands, pleins de petites taches blanches et la bouche large. Nous nous mîmes aussi à attraper des crabes, et jamais aucun jeu ne me parut plus amusant.

On entrait dans l'eau jusqu'aux genoux, aux endroits où le courant, à l'abri des grosses roches se reposait dans de petites nappes transparentes. On soulevait les cailloux, surtout ceux qui étaient plats et lisses, et l'on voyait s'enfuir en marchant de travers de petits crabes au dos noir et rougeâtre. Une autre partie d'entre nous faisait la chasse aux lézards : allongés par terre au soleil, ils se tenaient immobiles et muets, la main tendue, prêts à saisir la proie. Les petits lézards émergeaient de l'arête des rochers, s'arrêtaient pour regarder autour d'eux, plus curieux que méfiants. Tout d'abord on voyait poindre la petite tête triangulaire, briller les petits yeux de verre noirs et ronds. Ils bougeaient la tête, çà et là, par à-coups, puis tout à coup apparaissait une petite patte de crocodile, fine et monstrueuse. Par bonheur, le regard était aussitôt distrait par quelque chose de blanc et de moelleux, c'était le ventre qui surgissait comme un quartier de lune de derrière le bord du bloc de marbre vert, et il palpitait en respirant, en battant comme une grosse veine gonflée de lait. Le petit lézard feignait, peu à peu, de prendre confiance avec le chasseur, il s'approchait de lui tout doucement, puis tout à coup il bondissait, foudroyant comme l'éclair, en se précipitant vers lui : mais la main aux aguets le saisissait, la petite bête se débattait entre les doigts, ouvrait la bouche, jetait des regards effrayés autour d'elle.

Quand nous eûmes pris une douzaine de crabes et quelques lézards, le tribunal se réunit pour décider du sort des prisonniers. Les lézards furent condamnés à perdre leur queue. Et les queues se détachaient avant même d'être effleurées par nos doigts, elles tombaient dans l'herbe où elles se mettaient à frétiller, et en frétillant elles s'enfuyaient, comme si elles voulaient donner l'alerte au peuple des lézards éparpillés dans la forêt. Puis ce jeu nous lassa et nous laissâmes les pauvres petites bêtes libres de s'enfuir. Mais elles restaient sur les pierres et sur les troncs, où nous les avions déposées, et elles nous regardaient, elles ne semblaient même pas avoir quelque chose à nous reprocher. À la fin, elles s'en allèrent à la recherche de leurs queues, et disparurent dans l'herbe. Alors l'enfant qui avait le couteau décréta que ma sœur Marie était condamnée à manger un lézard vivant. Marie se mit à pleurer, Sandro protesta en disant qu'il fallait respecter notre pacte.

– Quel pacte ? dit le garçon. Il n'y a pas de pacte entre nous.

– Je croyais, répondit mon frère, que l'on jouait, que c'était pour rire.

– Non, répondit l'autre, méchant et têtu, non, c'est sérieux.

Et, serrant un lézard entre ses doigts, il s'approcha de ma sœur.

– Mange-le, ordonna-t-il.

Marie poussa un cri mais, à mon grand étonnement, elle n'essaya pas de s'enfuir, ses yeux restèrent fixés sur le visage du garçon avec une attention obscure.

– Mange au moins la queue, dit le garçon.

Et il détacha d'un petit coup la queue de la bestiole. Dans la paume de sa main souillée de terre, la queue frétillait comme un petit poisson.

– Ça suffit ! cria mon frère en serrant les poings et en bousculant le garçon.

Celui-ci se mit à rire.

– Ne vois-tu pas que ma sœur a peur ? dit Sandro.

– Peur ? s'exclama l'autre. Est-il vrai que tu as peur ? demanda-t-il en se tournant vers ma sœur.

– Non, dit Marie en souriant étrangement, je n'ai pas peur.

Et, prenant entre ses doigts la queue du lézard, elle allait l'approcher de ses lèvres, quand la queue lui échappa et tomba dans l'herbe.

– Veux-tu goûter un crabe ? dit le garçon à voix basse, avec un sourire timide et triste.

Et, arrachant une patte à un crabe, il la mit entre ses dents. On entendit un léger craquement. Tous ses camarades se mirent à manger des crabes.

– Goûte-la, dit l'enfant en offrant une patte à mon frère, c'est bon. Les crabes sont meilleurs crus que frits.

Sandro glissa un petit crabe entre ses dents, ma sœur et moi nous en mangeâmes aussi, ils étaient doux, ils avaient un goût d'herbe.

– Voulez-vous que nous nous baignions ? proposa l'enfant.

Et il partit en courant, alla se déshabiller derrière un buisson, et en un instant il fut dans l'eau. Ses camarades l'imitèrent, mais nous trois nous restâmes assis sur la berge et les regardions. Ils couraient entre les pins, le long de la rive, tout nus, et leur peau bronzée brillait au soleil. Ils plongeaient dans le courant, ils se cramponnaient aux rochers, se laissaient glisser en criant et en riant sur le lit d'herbes aquatiques. Le soleil était déjà haut, il commençait à faire chaud.

– J'ai faim, dit Marie.

Cependant les enfants étaient revenus sur la rive et furent vite habillés.

– Rentrons, maman nous attend, disait ma sœur.

– Non, nous allons manger au couvent, proposa Sandro.

Et nous nous dirigeâmes en courant vers le couvent. Les frères ne voulaient pas nous laisser entrer, puis ils nous reconnurent, et ils nous donnèrent un peu de pain, du fromage de chèvre, et à chacun un verre de vin rosé et pétillant.

– Comment va papa ? Et maman va bien ? demanda à mon frère un moine à grande barbe.

C'était celui qui venait toujours chez nous, et maman lui donnait de l'huile, de la farine, de la conserve de tomates. Après le repas, nous revînmes devant la caverne, et l'enfant qui avait le couteau proposa de faire une sieste sur l'herbe.

– Moi, je vais dormir en enfer, dit Sandro qui avait bu aussi le verre de vin de ma sœur.

Nous nous étendîmes sur la rive du fleuve et Sandro alla dans la grotte, en disant qu'il prendrait le diable par les cornes.

– Vous le savez aussi ? demanda l'enfant d'un air mystérieux. C'est la porte de l'enfer. La nuit on y entend marcher et pleurer.

Ma sœur dormait déjà, moi, les yeux ouverts, j'admirais les nuages blancs dans le ciel bleu qui, sans cesse, naissaient et disparaissaient là-haut sur les vertes frondaisons des pins. Puis, de la rive opposée, nous vîmes descendre un paysan qui tenait un cheval attaché par une corde. Le cheval était boiteux, tout couvert de croûtes, et il avait un énorme bubon sur une cuisse.

– Hue ! disait le paysan d'une voix douce, en tirant sur la corde.

Le cheval entra dans l'eau jusqu'aux genoux, il but quelques gorgées, levant la tête en secouant sa crinière toute luisante de pailles de foin, il roulait des yeux tristes, puis regardait l'eau verte couler entre ses pattes malades, et avait l'air heureux.

Tout à coup nous entendîmes la voix de mon frère qui, du fond de la caverne, appelait :

– Agénoor !

Le cheval leva son museau, poussa un hennissement prolongé, douloureux, qui ressemblait à un cri de femme. À ce moment-là Sandro sortit en courant de l'enfer, il était pâle comme un mort, et dit qu'il avait été réveillé par un bruit de voix, il avait reconnu la voix d'Agénor, l'avait appelé, mais c'est un long hennissement prolongé qui lui avait répondu des profondeurs de la terre, le hennissement de Panthère qui appelait son maître. Alors nous nous enfuîmes tous épouvantés en nous éparpillant à travers bois. En me retournant j'aperçus l'enfant qui, resté seul, debout au milieu des pins devant l'entrée de l'enfer, agitait ses bras en signe de salut et, dans sa main, la lame du couteau miroitait au soleil.

Extrait de *Sang.*
Traduit de l'italien par René Novella.

Carlo Fruttero et Franco Lucentini

Je te trouve un peu pâle

Moi, pauvre de moi, je me rappelle seulement, et c'est déjà un miracle, que le bateau de ces Anglais, des amis si charmants de Fabrizia, s'appelle le *Rasselas II*, et je perds un temps fou pour le trouver, après en avoir déjà perdu énormément pour me garer à deux cent cinquante kilomètres du port. Là, une fois passé la guérite du gardien, on trouve la foule hargneuse de tous les ports artificiels, c'est-à-dire de tout ce qui a été conçu rationnellement et qui ensuite contre toute attente tourne au bordel sans nom. Je fais des kilomètres le long de quais qui ressemblent à des couloirs d'hôpital pendant une épidémie de peste, et, sur des indications scandinaves, des gestes grecs et d'éclatants sourires espagnols, je me traîne jusqu'au lit 718, où l'on a installé le *Rasselas II*, un machin blanc avec deux mâts.

Je ne vois personne, je monte à bord, je descends à l'intérieur, guidée par un filet de piano, et là je trouve les deux charmants, qui écoutent une cassette de Bach ou de Vivaldi, elle en croquant une pomme, lui arqué sur son siège comme un homard, dont il a aussi la couleur. Ils tombent et retombent avec entêtement des nuages, ils ne savent pas, ils ne comprennent pas, ils haussent les sourcils, moi je vais déjà tout plaquer et m'en aller furibonde, quand arrive toute une série de « oh » pour saluer le Saint-Esprit descendu les éclairer : oh so you are Gea, oh yes, oh sorry, oh well, oh please, et de creuser, et de la fouille il ressort qu'eux ne sont pas du tout eux, mais deux amis, deux hôtes du *Rasselas II,* dont les propriétaires (un nommé Jeff, à ce qu'il paraît, et une nommée Harriett) sont descendus à terre et sont allés à Port'Ercole acheter des, euh, *zucchini,* en italien dans le texte.

Mais est-ce qu'ils ne devaient pas m'attendre, moi, ne devais-je pas les conduire tous à Montepulciano, n'est-ce pas de cela qu'ils étaient convenus hier soir avec Fabrizia, pour profiter de mon grand break, et cætera ?

Oh yes, oh no, oh dear, oh God, il y a eu un malentendu, eux avaient compris qu'à Montepulciano Gazzelloni donnait un concert, mais ensuite ils ont su que non, que Gazzelloni joue ce soir à Massa Marittima, alors ils ont téléphoné à Fabrizia, mais Fabrizia était sortie, alors ils ont laissé tomber...

Oh merde. Elle me tend, et moi je repousse, une misérable pomme, tandis que le homard s'informe sur Gazzelloni, c'est lui le passionné, le fan, il a tous ses disques, seulement il n'a jamais eu la chance de l'entendre en chair et en os, il l'a toujours manqué d'un poil, l'année dernière et cætera, l'année d'avant et cætera. Moi, j'explique que j'ai toujours eu du mal à le manquer, ça fait des années que l'été, en Italie centrale, on ne peut arriver dans le moindre hameau, dans la plus petite basilique, dans le plus microscopique café-glacier en plein air, sans y trouver, quoi ? Gazzelloni qui joue de sa flûte. Oh yes, oh I see, oh really.

Je quitte le *Rasselas II* en pensant que, si je les assassinais à coups de hache, personne ne me découvrirait jamais, je refais les couloirs d'hôpital, je retrouve ma voiture, qui est devenue une fournaise, je repars dans ma jolie petite robe rayée trempée de sueur et malgré cette dent qui recommence à me gêner.

Je ralentis. Je décide presque de rentrer à la maison, à l'ombre, au frais, avec un thé froid et l'un des sept cent dix-huit livres que je devrais lire.

Oui, mais Fabrizia a tellement insisté : à Montepulciano, on donne le *Tamerlan* de Haydn, un délice baroque, un petit joyau rarissime, jamais représenté depuis quatre cents ans (hum, n'y aurait-il pas *un bon motif*[1] ?), et puis il vient là des gens tellement sympathiques, Obo et Malvina de Punta Ala, les Janner de Castiglione, les Berluschi ont promis eux aussi, de Sienne devrait venir Giorgio avec deux cinéastes français de génie, puis naturellement Ascanio, Gabriele, Isa, qui est revenue hier d'Afrique du Sud, les Valdo avec un psychanalyste argentin de leurs amis, l'inévitable Micheletti, le lugubre marquis Gabbiani, qui dit toujours ensuite qu'il s'est tellement amusé...

Selon Fabrizia, voir tous ces gens devrait me faire du bien, me distraire, m'aider à surmonter ma crise conjugale : pour elle comme pour tous les égocentriques, le temps ne passe pas, elle continue à me traiter comme il y a deux ans, quand nous nous sommes mal quittés, avec Roby, que je persiste à considérer comme une sinistre vermine, mais qui me laisse parfaitement froide à présent, sur le plan des sentiments et cætera. En réalité, ce n'est même pas cela, la vérité est qu'elle aime organiser ces choses : une longue chaîne d'ancêtres généraux lui a transmis la passion des concentrations, dislocations, marches forcées, avances et retraites, rassemblements et reconnaissances sur le difficile terrain de la Toscane, de l'Ombrie et du haut Latium. Les grandes manœuvres.

À Dieu vat, mon peloton, réduit à un seul soldat par la défection de la marine britannique, se met en mouvement avec son mal de dents vers le point de rassemblement général : les ruines de Roselle, ainsi finalement nous les verrons, voilà des siècles que nous nous répétons qu'il faut y aller, à Roselle, Machin dit qu'elles sont superbes, encore mieux que l'Acropole, la fille de Chose y a fait des fouilles avec l'université de Florence ou Harvard.

À quelques kilomètres de la bifurcation, à la sortie d'un virage en descente, je me trouve au milieu de l'habituel accident de la circulation, je freine en y laissant presque mon talon, je passe les yeux fermés comme je le fais toujours dans ces cas-là, c'est-à-dire que je cherche à me concentrer sur le mètre de route que j'ai devant moi, sur la plaque minéralogique de celui qui me précède,

1. En français dans le texte.

sur le disque du carabinier qui me fait signe d'attendre ou de filer. J'abrège, je sous-entends, j'ignore.

Je censure.

Non que je sois du genre particulièrement impressionnable : je passe au contraire en général pour une femme « forte ». J'ai dû m'évanouir trois fois dans toute ma vie, une fois pour être restée trente-six heures sans manger sur le bateau de malheur (il s'appelait *Tease* : je hais les noms de bateaux) de mon mari, de mon ex-mari, en somme : de Roby ; et une autre fois pour avoir héroïquement avalé un œuf noir chinois lors d'un dîner chez un éleveur de chevaux (je hais les noms de chevaux) dans le duché de Bade ou en Bavière, je ne me souviens plus. Quant à pleurer, ma moyenne est d'un cri strident par an ; deux au maximum. Les souris, les araignées, les serpents ne provoquent chez moi rien de plus qu'une saine horreur, et j'ai plusieurs fois assisté sans ciller à de terribles agonies, aussi bien de parents que d'amis. Naturellement, je ne sais pas comment je réagirais sur l'un de ces champs de bataille où volent escalopes et ragoûts humains, mais je peux dire que, en présence des plaies, écorchures, fractures, abcès et autres, dont ont souffert à différents âges mes enfants, je n'ai jamais eu besoin de sels ou de cognac, que d'ailleurs je n'aime pas.

Ce ne sont donc pas les éventuelles visions d'horreur et de carnage sur lesquelles je m'efforce de faire le black-out quand je rencontre un accident. Du reste, cet accident-ci ne semble avoir rien de spectaculaire : des voitures de témoins ou de curieux arrêtées sur le bas-côté à droite et à gauche, deux gendarmes qui gesticulent avec leurs disques, d'autres, agenouillés sur la chaussée, en train de tirer des lignes à la craie et de mesurer les longues traces noires de freinage, un saupoudrage de verre brisé qui scintille, une ambulance blanche : nuptiale.

Du coin de l'œil, derrière mes lunettes de soleil, je ne peux pas ne pas apercevoir deux voitures en travers de la route, défoncées au point que leur consistance n'est plus celle du métal mais de la cire molle, celle qu'ont les objets dans certains tableaux surréalistes et que moi, un an après mon mariage, j'associais déjà au caractère à la fois fuyant et collant de Roby. Au fond c'est pour cela, pas du tout pour son aventure – toute blessante qu'elle fût – avec Ippolita, que je me suis finalement désengluée de lui.

Quoi qu'il en soit, je passe sur la pointe des roues entre ces ruines qui ne sont pas précisément historiques et je vois plus loin la cause probable de toute l'affaire : un mouton qui a coupé la route à quelqu'un gît à présent, gris et sanguinolent, sur l'asphalte. Pour l'éviter, un break bleu est allé s'écraser contre un olivier, portières arrachées, l'avant en piteux état, tel un mouchoir après une dispute, avec une coulée d'entrailles mécaniques qui fume encore. Juste au-dessus, un panneau touristique évocateur représente quatre cavaliers en file sur une plage toscane au coucher du soleil, à contre-jour (se rendent-ils à un concert de Gazzelloni ?). De l'autre côté de la route, un vieillard appâté, en survêtement rouge, immobile à côté de sa bicyclette, enregistre chaque détail pour le raconter plus tard à ses petits-enfants, autour du repas familial.

Je suis en retard, j'accélère, je m'engage sur une route en terre battue, je grimpe dans le maquis jusqu'à ce que je rencontre barrières, grilles et interdictions, je me gare du mieux que je peux derrière la Rolls des Valdo, dont le chauffeur-gorille Raffaele ne lève même pas la tête, plongé dans une BD – un western –, et je m'arrête indécise entre deux flèches qui indiquent l'une la montée vers les ruines proprement dites, l'autre le tour des remparts cyclopéens, traduisez, dans cette partie du monde : les remparts étrusques.

C'est alors que l'idée que j'ai oublié quelque chose me transperce : comme une crampe. Panique. Oublié quoi ? De prendre le bateau des Freidel pour aller à l'île d'Elbe ? De fermer la porte, chez moi ? Ou bien que ma mère est venue de Lausanne et m'attend depuis deux heures à la gare d'Orbetello ? Panique. Angoisse et effarement.

Ascanio me sauve en dévalant le petit sentier des remparts, il ne me voit même pas tant il se hâte, je lui crie « Hé ! », il se tourne à peine, continue sa course jusqu'à sa Range Rover, en sort une caméra, remonte en haletant vers moi.

– Ciao, Gea, comment va ? je ne t'avais pas vue, comment va ta dent ? dit-il sans reprendre son souffle.

L'année passée, à Giannutri, un jour que j'étais restée seule en topless avec lui, il m'est tombé dessus comme un polyvalent et j'ai dû le foudroyer d'un jet de spray solaire dans les yeux. Depuis, il tend à la concision, avec moi.

– Mieux, merci. Les autres sont tous déjà là ?

– Boh.

Il commence à filmer l'enfilade des murs cyclopéens, pour lesquels il n'éprouve pas le moindre intérêt. Mais c'est l'un de ces hommes qui, littéralement, ne croient pas en leurs propres yeux : seules les images reproduites lui semblent douées de réalité. Nous suivons le chemin qui court au pied des blocs entassés, nous arrivons à un étroit passage, trois marches très hautes dans le tuf, Ascanio monte et se retourne comme pour me tendre la main, mais d'un saut j'ai déjà atteint le haut, je vois une colline ronde et jaune, couverte de chaumes et de chardons desséchés, et toute l'armée, là, réunie à l'ombre d'un chêne énorme. J'en reconnais à peine la moitié, comme d'habitude des troupes fraîches se sont adjointes, des amis d'amis de passage, et rien qu'à la façon dont ils se tiennent j'ai les nerfs à vif : je devine que personne n'a plus envie de monter jusqu'aux fouilles. Certains se sont assis avec méfiance sur les chardons, d'autres flânent par petits groupes, Carlos, le valet de chambre des Berluschi, s'affaire avec un sac isothermique, offrant du vin blanc dans des verres en carton.

Énervement mis à part, reconnaissons que je dois toujours faire un notable effort pour « entrer » physiquement dans le cercle des autres, connus ou inconnus : mon analyste (si j'en avais un) dirait que mon subconscient (si j'en avais un aussi) connaît la terreur d'être refusé, repoussé, nié.

Ascanio, ou plutôt sa caméra, attire heureusement ce qu'il reste d'attention générale, et moi je peux me faufiler en douce, passer derrière Susi (qui s'est peut-être retournée pour ne pas me dire bonjour, elle doit être encore fâchée pour l'affaire du jardinier), et m'approcher de Fabrizia, lui raconter l'histoire de la Royal Navy et de Gazzelloni, qui – je dois le dire – me reste encore sur l'estomac. Elle, elle m'écoute à peine, elle répond par de distraits : Ah oui, imagine un peu, elle hoche la tête de droite à gauche comme un lézard, il est évident qu'elle se fiche totalement de ces

Anglais, des amis si charmants, s'ils étaient là elle se mettrait en quatre, ce serait une cascade d'exclamations, de mines et de oh darling, mais les absents ont toujours tort, loin des yeux loin du cœur, nous sommes tous des pions interchangeables sur son éternel échiquier mondain.

Je reste là complètement coincée, pis : je ne me sens en quelque sorte pas à ma place, je ne sais pas, toute la scène a quelque chose d'inerte, de statique, peut-être mon subconscient s'attendait-il à rencontrer plus de vivacité, une animation en rapport avec la grande course que j'ai faite.

– Je te trouve un peu pâle, tu arrives de Milan ? demande, l'air sévère, Malvina, qui croit au bronzage comme Hitler croyait en la supériorité de la race aryenne.

– Non, mais je ne suis pas beaucoup sortie, j'ai une dent qui me gêne, si ça continue il faudra que je me décide à...

– Poor thing. Tu pourras quand même venir à la maison après-demain soir ? Nous préparons la même chose que d'habitude pour l'anniversaire d'Obo.

Serait-ce ça, la « chose » que j'ai oubliée ? M'aurait-elle déjà téléphoné, invitée ? Je ne crois pas, elle aurait tourné sa phrase un peu autrement ; mais comment faire pour le lui demander ?

– Après-demain... laisse-moi réfléchir... en principe oui, volontiers, quoi qu'il en soit, je te confirmerai, il me semble que j'ai une espèce d'engagement, je ne sais plus bien. De toute façon merci, si j'arrive à me libérer je viendrai, sûr.

Son visage couleur acajou a pris une expression soupçonneuse : on dirait l'une de ses domestiques philippines devant une assiette de ravioli.

– Les Janner t'ont invitée ?

Panique. Si je réponds que je ne sais pas, c'est comme si je lui disais que je me fiche de leur invitation, et par conséquent de la sienne. Je mens :

– Non, c'est pour quelque chose avec des Anglais, mais nous en avons parlé comme ça, très vaguement.

Elle est rassurée, ça fait déjà deux fois que les Janner lui sabotent une party en en donnant une le même soir, ces gens-là sont plus dangereux que les Brigades rouges. Bon, mais à présent il me faut trouver les Janner et tenter à tout prix de savoir s'ils m'ont ou non invitée.

– Les Janner sont ici ?

– Oui, non, c'est-à-dire : je les ai vus qui montaient visiter les ruines, moi je n'ai pas eu ce courage, il fait trop chaud, j'ai une soif à devenir folle.

Son verre de carton est vide et elle va se le faire remplir par Carlos, cinq pas plus loin.

– Kommt herunter ! crie Fabrizia de sa voix de général. Kommt sofort herunter !

Des enfants blonds comme on n'en fait pas essaient vainement de grimper sur le chêne, ce sont les enfants de quelqu'un, mon Dieu on va les avoir dans les jambes toute la journée, ils auront faim, soif, sommeil, de nouveau faim, soif, envie de faire pipi, mal au cœur, jusqu'à trois heures du matin, tu frissonnes rien qu'à repenser aux tiens à cet âge-là, après heureusement ils grandissent et passent l'été en Angleterre, ou avec leur père en Sardaigne, en Yougoslavie, mais toi tu t'inquiètes tout de même parce que tu voudrais en réalité savoir s'ils ont ou non faim, soif, froid, chaud, sommeil, jusqu'à trois heures du matin.

Carlos fait semblant de ne pas me voir pour s'épargner les cinq pas de chardons qui nous séparent, mais de toute façon moi je n'ai pas soif, et puis je dois trouver les Janner et voir les ruines, du moment que je suis là. J'annonce alors que Bon, je monte, personne ne me suit sauf le lugubre marquis.

– Vingt mille ! explique Isa, en soulevant sur sa poitrine un banal collier de coton tressé. Si j'avais marchandé, je l'avais pour dix-huit.

Suit un chœur hypocrite de : Mais non, ce n'est pas possible, je ne peux pas le croire, mais j'y cours demain, c'est vraiment donné. Et moi, j'éprouve une brève, fulgurante sensation de je ne sais pas bien quoi : ennui, hostilité, gêne ? Non, peut-être « différence ». Moi qui mille fois ai été la protagoniste de scènes semblables.

Nous montons en silence : Gabbiani s'est consacré au mutisme comme d'autres se consacrent à faire collection de timbres ou de monnaies anciennes. On dit que, jeune, il a été très beau et très brillant ; maintenant, il est sec comme une trique, voûté, chauve, et il porte des chemises à carreaux de toute évidence mises au rancart par son fermier. L'avarice suinte jusque de sa moustache, aux poils rares, qu'on peut compter un par un.

Au bout d'un moment, je le laisse sans pitié en arrière, je me sens, en comparaison, franche et légère, je regrette seulement d'avoir bêtement oublié mes lunettes de soleil dans la voiture, cette lumière très forte me blesse ; par une sorte de compensation, je ne sens plus ma dent : espérons que ça va durer.

J'arrive enfin sur le plateau où se dressa jadis la ville, d'abord étrusque puis romaine, et c'est alors que les superbes ruines sont gâchées pour moi par la découverte que je n'ai plus mon bracelet early Victorian, d'argent incrusté d'émaux.

Coup de poignard en plein cœur. Chauffé à blanc.

Le fermoir a dû lâcher (tu savais qu'il allait céder, mais tu as sans cesse repoussé le moment de le faire réparer), il aura glissé, il sera tombé Dieu sait où.

Une rage folle.

Qu'est-ce que tu fais, toi, dans un cas semblable ? Tu obliges le pauvre marquis à revenir en arrière et à chercher pas à pas dans les chaumes ? Et les autres crétins à chercher sous le chêne ? Et ce grand bêta d'Ascanio à chercher au pied des murs cyclopéens ? Cette conne de Fabrizia le ferait, elle mobiliserait même les carabiniers, et la police de la route ; mais toi non, tu es trop bien élevée, trop délicate, trop résignée, tu respires profondément, tu encaisses, tu te promènes malgré tout parmi les fouilles, les tranchées à *opus reticulatum,* les fragments de mosaïque rescapés, les restes de colonnes et de conduites souterraines, les portes qu'il faut deviner, les couloirs émouvants où il y a deux mille ans une femme comme toi a peut-être laissé tomber un bracelet mal attaché (à ceci près que ses esclaves l'auraient aussitôt retrouvé).

D'une voie romaine aux pierres disjointes qui grimpe à gauche, descend Giorgio précédé par sa brioche, suivi de ses cinéastes français, deux blondinets frêles dans les vingt-cinq ans, pieds en fuseau serrés dans de mini-sandales. Il se fait de sa main un écran, me salue, me présente les deux jeunes gens (en réalité ils sont allemands, mais ils parlent bien le français), il demande ce qui diable m'arrive : il me trouve étrange, pâle, émaciée.

Je lui raconte et, dite en français, la chose semble déjà moins tragique.

– *C'est agaçant* [1], décident-ils en frissonnant par sympathie. Mais où cela a-t-il pu se produire ?

Moi, il me vient à l'esprit : dans ma chambre à coucher, peut-être, ou dans les escaliers, ou même pendant que je conduisais. *Voilà. Voilà* [1]. L'un des cinéastes raconte comment la même aventure lui est arrivée avec sa montre, miraculeusement retrouvée plus tard dans un soulier.

Tu t'éloignes vaguement agacée par cette solidarité de surface, mais que prétendais-tu ? qu'ils se missent à sangloter sur tes mésaventures ? Tu ne regrettes plus seulement le bracelet et les lunettes noires, mais aussi le chapeau de paille que tu dois avoir bêtement oublié sur le siège arrière : en haut, la lumière est aveuglante, la chaleur voile comme d'ambiguïté toute la plaine de la Maremme, jusqu'à l'horizon. Tu te consoles en te disant que toi du moins, frileuse comme tu l'es, tu n'en souffres presque pas, et si tu titubes un peu sur les vieilles pierres, c'est à cause de ce talon à moitié arraché par le coup de frein. Au reste, pour l'instant, il tient.

– Les Étrusques construisaient toujours sur les hauteurs, commente d'en bas la voix de l'inévitable Micheletti, ainsi qualifié soit parce qu'il est impossible de l'éviter où que l'on aille, soit parce qu'il n'a jamais prononcé une phrase, même une seule, que l'on ne pût prévoir : c'est comme l'horloge parlante, onze heures sept minutes vingt secondes, onze heures sept minutes trente secondes, onze heures sept minutes quarante secondes...

Tu t'accoudes à un garde-fou et tu le vois, un ou deux niveaux archéologiques plus bas, il est avec Gabriele et une mulâtresse sensationnelle d'un mètre quatre-vingt-cinq.

Et alors, tu n'en as pas encore assez vu ? Gabriele en change tous les mois, personne n'a jamais compris où il va les pêcher (certains prétendent que c'est une agence parisienne de relations publiques qui les lui procure, et qu'il n'en fait rien, qu'il les promène uniquement pour son standing), mais c'est tout de même un coup

1. En français dans le texte.

dur pour une femme de trente-sept ans, qui mesure un mètre soixante-cinq (soixante-trois, ne trichons pas), et n'a jamais rien eu de félin, un faible pour le steak tartare mis à part. Pour nous en tenir au plus probable, Gabriele est un misogyne qui traîne en laisse ces panthères dans le seul but de nous humilier, nous autres toutes, pauvres cellulitiques dont les capillaires affleurent aux chevilles.

Et quand tu la vois avancer majestueuse dans sa robe de soie vert vif sur fond de murs cyclopéens, tu as beau te dire que ces filles-là ont une vie des plus dures, que d'habitude elles finissent tragiquement, droguées, revolvérisées, alcooliques, et qu'en tout cas le temps, le temps poussiéreux de Roselle, les broiera elles aussi, que les rides et les plis arriveront inexorablement. Tu as beau te le dire...

Laisse tomber, retire-toi, toute félinité à part, en compagnie d'un groupe de touristes hollandais (clic clic clic), puis derrière un groupe de touristes suédois (clic clic clic clic clic), monte, toi aussi, jusqu'aux ruines du cirque, un petit, émouvant, ovale, un mini-Colisée surmonté de chênes verts et d'oliviers où l'on entre par quatre galeries encore intactes à *opus incertum*. Tu en fais lentement le tour, tu t'assieds dans un coin d'ombre, tu médites, comme l'inévitable Micheletti, sur les gladiateurs, les chrétiens et les lions, et peu à peu la ouate des siècles absorbe tout : ta ridicule jalousie à l'égard de la panthère, ton désespoir pour le bracelet, ton irritation généralisée devant une journée qui va un peu de travers.

Paix, silence.

Tu as oublié quelque chose : quelqu'un devait te donner une importante confirmation ce matin, ou c'est toi qui devais absolument rendre un châle que tu as emprunté, ou tu avais promis de faire un bridge ce soir mais chez qui ?

Peu importe, Gea s'en fiche.

Un mouton solitaire la fixe du haut d'un monticule de pierres étrusques ou romaines, et Gea se rappelle (voilà, c'était ça ?) une route très étroite dans le nord pelé de l'Écosse et un agnelet noir qui bêlait à côté de la carcasse de sa mère écrasée par une voiture, et elle se rappelle avoir pensé, alors (il y a trois ans, ou cinq peut-être ?) : la vie est quelque chose d'absolument atroce, intolérable absolument.

Qui sait si maintenant, avec les ordinateurs, on réussirait à établir combien de douleur, combien de peine il y a chaque jour dans le monde ? Tant, pour un poisson pris à l'hameçon ; tant, pour un adieu à l'aéroport de Los Angeles ; tant, pour une tumeur au sein ; tant, pour une assiette cassée, les plus petites choses, une brûlure, une bombe dans un cinéma, un match de basket perdu dans un village tchèque. Peut-être le calcul a-t-il déjà été fait et garde-t-on secrets les résultats. Seuls le savent le président des États-Unis, le Politburo, le pape, la maîtresse du rédacteur en chef du *Spiegel* et un professeur myope qui travaille la terre dans un kibboutz. Ils ne parleront pas, ils ne le révéleront jamais ; mais beaucoup ont des soupçons, cherchent à savoir, il y a eu des crimes étranges, des enlèvements inexplicables, des actes de terrorisme apparemment dénués de sens, et l'on murmure dans certains milieux, on plaisante même, sur cette effrayante extrapolation, sur cet ordinateur de la souffrance universelle.

Giovannino Valdo fait irruption dans le cirque, il est poilu, musclé et grêlé, comme ne le sont pas les gardes du corps chargés d'empêcher qu'on l'enlève, et il a tout à fait l'air d'un mari jaloux à la recherche de sa femme.

C'est le cas, d'ailleurs, et l'on dit que s'il a des gorilles, c'est surtout pour la surveiller, elle ; il choisit dans ce but d'anciens carabiniers ayant passé la cinquantaine, portant lunettes, au souffle court, pour ne pas courir de risques au moins de leur côté.

L'air féroce, il scrute dans ma direction, mettant sa main en visière, et finalement me reconnaît à contrecœur (il aurait tant aimé trouver Beba en méditation solitaire). Il s'approche, d'un pas décidé.

– As-tu vu Beba ?

– Non.

Ses petits yeux intelligents évaluent mon degré d'hypocrisie.

– Tu es pâle. Tu ne te sens pas bien ?

Pâleur = mensonge.

– Non, je suis seulement un peu fatiguée, j'ai eu une matinée difficile.

– Ah.

Fatigue = adultère consommé.

– Écoute, si tu la vois, dis-lui que tu m'as vu, il faut que nous redescendions tous, on s'en va.

Il s'engouffre en courant dans un autre des passages souterrains, espérant et craignant surprendre Beba dans une étreinte à *opus pornographicum*.

De la galerie opposée, débouche dans l'arène Ascanio, qui a abandonné le rôle du photographe pour celui du berger : Fabrizia doit l'avoir expédié jusqu'ici pour rassembler le troupeau ; après divers appels, gesticulations et signaux, nous nous rangeons peu à peu les uns derrière les autres, tournant de temps en temps la tête en arrière avec la sensation, un simple souffle sur la peau, d'avoir oublié une chose d'importance vitale, de ne pas avoir su voir l'essentiel : toutes les ruines produisent cet effet.

– Les Étrusques, remarque Micheletti, avaient un sens aigu de la mort.

– De la fornication aussi, rétorque Ascanio, qui évoque complaisamment les fresques de certaines tombes, certaines positions bizarres. Ah, mais la fornication étrusque avait un tout autre sens, elle était hautement religieuse, délicieusement sacrée.

– Avec une telle religion, conclut Ascanio en fixant son regard sur le postérieur soyeux de la mûlatresse, j'irais à la messe à six heures tous les matins.

Le marquis et Gabriele ricanent.

Je reste en arrière pour ne pas entendre leurs inévitables digressions sur l'érotisme, la pornographie, le sexe, la morale, le féminisme et cætera, auxquelles moi-même j'ai si souvent participé avec une fougueuse futilité. Derrière moi, descendent Giorgio et ses cinéastes, ils parlent du Palio de Sienne, où il est admis qu'on soudoie les quartiers rivaux, cela fait partie du jeu, et au départ on voit les jockeys s'écarter tout en caracolant, comploter à coups de gestes secs codifiés, échanger des offres portant sur plusieurs millions, faire des promesses d'alliance en course.

Étant donné que chacun soudoie chacun, conclut Giorgio, finalement ça ne change rien : *ça revient au même*[1].

1. En français dans le texte.

Les deux cinéastes admirent la cynique sagesse des Toscans.

– *C'est curieux*[1], observe l'un d'eux : le taoïsme à sa façon tourne autour d'un concept analogue, considérant comme illusoire tout avantage sur les autres, et stupide toute démarche entreprise pour l'obtenir. *C'est curieux*[1] que deux civilisations aussi éloignées, par des voies aussi différentes...

L'envie mortelle que j'ai toujours éprouvée pour les gens capables de tenir des propos de ce genre, de faire ces rapprochements subtils, de sautiller avec la grâce d'une fauvette sur les prés de la culture. Moi, je me suis toujours sentie gauche. Gauche et bien entendu ignorante. Mais même si j'avais lu des bibliothèques entières, vu tous les films, les monuments, les musées et les tragédies en cinq actes, ça ne me servirait à rien, avec la mémoire que j'ai.

Haendel ! Pas de Haydn : de Haendel ! Le *Tamerlan*, je veux dire. Voilà ce qui me tourmente depuis une heure, voilà pourquoi mon subconscient se donnait tant de mal. Reconnaissante, je lui caresse les cheveux, je descends rapidement, orgueilleuse comme de l'eau fraîche, me faufilant entre des groupes en sueur qui montent, le sentier est en grande partie dans l'ombre, encaissé dans le tuf, mais ici en été il ne pleut jamais, la touffeur d'aujourd'hui s'ajoute à celle d'hier en couches qu'on peut presque voir.

Nous descendons dans la petite clairière où les voitures sont garées pêle-mêle, et moi je ne vois plus la mienne.

Voilà, bon, c'était ça : j'ai oublié les clefs sur le tableau de bord et on me l'a volée. La chose, c'était ça.

Détresse, pendant que tous les autres s'interpellent dans le plus grand désordre : Alors tu vas avec eux, moi je vais avec lui, nous nous allons avec elle, vous vous venez avec moi, mais alors ils n'allaient pas avec toi ?

La Rolls est déjà repartie ; et moi, retrouvant un minimum de lucidité, je reconstitue ce qui pourrait bien s'être produit : Raffaele, bloqué par mon break, l'aura déplacé quelque part. Je me faufile dans la poussière des marches arrière, j'évite des roues, des pare-

1. En français dans le texte.

chocs, des ailes, des phares, des feux, je n'écoute pas ce que l'on me dit, je ne m'inquiète pas de ce que je ferai si je ne retrouve pas l'auto.

Je trouve, appuyé à un haut genêt, un vélo de course, la selle pointue comme le museau d'une taupe, le guidon prêt à charger comme un bélier, et du maquis surgit un vieil homme en survêtement, en train de remonter ses pantalons. Il ouvre tout grands ses yeux stupéfaits. Nous nous fixons un instant, il a des yeux bleus, des cheveux courts, blancs, un visage cuit par le soleil, et je suis tellement hors de moi que me voici sur le point de lui demander : Écoutez, excusez-moi, n'avez-vous pas vu ma voiture ? Qu'est-ce qu'il en sait, lui, il a pédalé jusqu'ici pour maigrir, pour transpirer, pour s'occuper, c'est peut-être un ancien coureur, un ex-champion de la pédale, et cætera.

J'erre comme une âme en peine.

Alors que je m'apprête à tout plaquer, à renoncer, à m'accroupir résignée dans les orties, je découvre mon vieux break, jamais lavé : il était pratiquement sous mon nez, c'est-à-dire sous un de ces oliviers dont Micheletti ne manque jamais de proclamer que ce sont des « sculptures naturelles ».

Je saute dans le break en poussant un râle de joie : la clef est là.

Explosion de soupirs de soulagement, suivie de petits rires névrotiques.

Après quoi, soyons sérieux, tu fermes les yeux et commences à te dire qu'aujourd'hui vraiment quelque chose ne va pas, tu es trop agitée, trop irritable, tu es en train de faire une montagne d'une série de contretemps tout à fait normaux.

Raisonner. Reconstituer.

Tout d'abord, vérifier que le bracelet n'a pas, par hasard, glissé sous le tapis ou entre les deux sièges.

Non, rien.

Puis mettre les lunettes de soleil, laissées là avec le chapeau.

Ni les unes ni l'autre n'y sont : ça, c'est sûrement un vol, une fenêtre ouverte est une invitation pour les guêpes et les voleurs occasionnels, patience, c'est bien ta faute, même si ce crétin, ce bon à rien de Raffaele aurait pu surveiller d'un œil, qu'est-ce que ça lui coûtait ?

Jette, au moins, toi, un coup d'œil dans le rétroviseur, tu dois être dans un état, allons bon, tes mains tremblent encore, tu ne réussis même pas à le placer dans la bonne position, l'angle est toujours mauvais, mieux vaut te glisser sur le siège à côté, tu abaisses le pare-soleil, il y a un autre miroir incorporé à son dos : à ce moment, du coin de l'œil, tu vois un fantôme assis au volant.

Ça va comme ça, il y a des limites, vraiment.

Je hurle. En silence, parfaitement. Mais je hurle.

Je vois les constellations se désagréger, les atomes cesser de faire ce qu'ils devraient faire, toute l'histoire (la chose ?) ne tient plus debout, ne se tient plus, j'ai oublié de chercher les Janner, de saluer Obo, de passer prendre les Anglais, de mettre la glace au coco dans le réfrigérateur, de faire descendre les enfants du chêne, de rejoindre les autres à Pienza dans cette trattoria où l'on mange merveilleusement pour presque rien, chez Guccio qui nous attend tous dans sa ferme du Val di Chiana, chez Margaret qui nous attend tous dans sa tour antisarrasine, antiflorentine, près de Volterra.

La vie est naturellement inexacte, mais cette fois-ci il y a trop de manques, trop d'approximations, trop de fragments épars : le chaos, le bordel sans nom.

Pelotonnée à côté du spectre, je hurle.

Lui fait jouer tranquillement la clef, et le moteur tourne régulièrement.

La crise s'est arrêtée d'un coup :

– But this is my car !

Au moment même où je le crie, je comprends que ce n'est pas du tout ma voiture, mais une autre du même modèle, et de la même couleur bleue, et un instant après je comprends pourquoi j'ai parlé anglais : le spectre est l'un des deux cinéastes de Giorgio, c'est bon, j'aurais dû m'adresser à lui en allemand ou en français, mais en somme ce n'est pas si mal pour quelqu'un qui en est au point où tu en es.

Voilà ce qui sera arrivé. Ton break gênait, et celui qui l'a déplacé y a ensuite fait monter d'autres gens, laissant à ce type le soin de te récupérer. Tout est normal, tout est simple, tout est en ordre, et toi à présent tu ris (en silence toujours) de ton erreur, due en grande partie au fait que ce garçon est vêtu, comme toi, entièrement de blanc vaporeux et transparent et qu'il a quelque chose de languide, d'éthéré : comme tout ami de Giorgio, natürlich. Il conduit sans dire un mot, d'une seule main, et en souriant tout seul, t'épargnant ainsi de faire la conversation, dans l'état où tu es tu ne pourrais même pas parler en italien, émue et honteuse comme tu te sens encore.

Des kilomètres et des kilomètres d'oliviers, de ciel chromé, de cyprès alignés sur les arêtes des collines, et toi finalement tu te rejettes en arrière, tu laisses tout doucement couler loin de toi les innombrables imprécisions du monde.

Il manque toujours quelque chose, rien jamais ne semble aller comme il devrait, mais sais-tu ce que je te dis *mon cher*[1], mein Lieber ? Gea s'en fiche, Gea prend ses distances, Gea commence même à s'amuser, son vieux sens de l'humour fonctionne encore, voyons un peu comment va tourner cette toupie de journée tout à fait folle, tout à fait ordinaire, qui s'est jetée dans ses jambes, dans ce qu'en laisse deviner l'étoffe lâche de coton indien.

L'air qui pénètre par la portière est torride mais bienvenu, jamais trop chaud pour moi, même si je ne voudrais pas être sur la colline ocre, là-bas, ces trois, non, quatre cavaliers en file indienne, qui doivent crever, les malheureux, ces promenades à cheval finissent régulièrement ainsi, on jure de partir à l'aube et de rentrer à dix heures, et au lieu de cela, à la suite de retards et d'erreurs de route, tu te retrouves sous le soleil le plus écrasant, l'estomac vide, en train de peupler un fond de fresques à demi effacées, du Bartolomeo di Tomaso, Lorentino d'Arezzo, Deodato di Bicci, Baccio da Settignano, c'est un mystère comment Giorgio fait pour se rappeler et distinguer ces peintres : toi, ignorante, tu arrives au grand maximum à Raphaël, à Botticelli.

Un ralentissement. Un carrefour. Un second ralentissement. Un second carrefour avec bar-glaces-tabac. Les flèches suggèrent d'autres noms d'artistes, écaillés et tachés d'humidité : Arcidosso, Buonconvento, Poggiolungo, Montalcino, San Quirico d'Orcia.

1. En français dans le texte.

C'est là, à présent, je m'en souviens, c'est là qu'on va, c'est là que se trouve cette fameuse trattoria dont la tonnelle surplombe spectaculairement la vallée.

La Rolls domine la petite place devant la trattoria, mais parmi les voitures du groupe je ne vois pas la mienne : sans doute l'auront-ils garée dans l'une des pittoresques ruelles moyenâgeuses qui convergent là. Le beau taciturne s'arrête, me fait descendre, va chercher une place, moi je traverse un essaim de serveurs abrutis et j'arrive sur la terrasse si richement fleurie, bondée de masticateurs.

Ippolita me fixe du haut de son long cou nu.

Un instant tout s'évanouit, le cliquetis des assiettes s'éteint, verres et couverts demeurent suspendus en l'air, l'eau et le vin cessent de couler des bouteilles.

Un instant. Elle n'ébauche même pas un salut, et toi non plus.

Un instant, puis des denses tablées recommencent à monter rires et vociférations, et tu découvres avec une mélancolie inattendue que plus rien ne t'importe, rien, la plaie s'est définitivement refermée, l'impardonnable trahison (impardonnable, parce que tellement banale, tellement... bureaucratique) de ton mari avec ta meilleure amie te paraît plus lointaine que ce clocher qu'on aperçoit entre deux collines, là-bas.

Pas une chaise libre, personne n'a pensé à t'en garder une, et tous sont tellement occupés à échanger des impressions sur le jambon de sanglier ou la soupe paysanne, des avis sur les croûtons rôtis, des renseignements sur le lapin aux olives ou les *tortelli* aux épinards, à troquer des idées, à se passer le sel et le pain, à prendre la décision d'abandonner pour cette fois leur régime, à regretter de ne pas avoir choisi les pâtes à la *ricotta*, tous prennent tellement à cœur leurs affaires physiologiques, que pas un bras ne se lève pour te faire signe, pas un derrière pour te faire place ; si ce n'était que tu n'as absolument pas faim, la chose serait franchement difficile à avaler, franchement mufle.

– Le fromage de Pienza, dit Micheletti tout en tournant le dos aux dévoreurs, est le meilleur de toute la Toscane.

Sur la vitre de la porte est collée une affiche annonçant un concert de Gazzelloni, par-dessus laquelle tu aperçois un visage effectivement blême, effectivement maladif, il suffit de trois jours pour faire partir la couleur, question de peau, heureusement que cette dent se tient tranquille enfin.

Pienza est, ne l'oublions pas, aussi un joyau du baroque tardif, early Victorian, gothico-étrusque, une ville que fit construire Enea Silvio Piccolomini, humaniste, romancier, metteur en scène et pape, dans laquelle tu déambules en admirant façades et cours solennelles, ombragées, où stationnent des petites voitures autochtones et des bandes de touristes barbares : clic clic clic. De féroces animaux de pierre s'enlacent depuis des siècles devant le porche de la cathédrale, basilique et collégiale, tandis que sur les marches montent et descendent des enfants blonds comme on n'en fait pas. Ont-ils bu ? Mangé ?

– Kommt herunter ! crie une Allemande au pair. Kommt sofort herunter !

Assise sur un banc, dans la nef claire et dépouillée (seul s'y trouve un triptyque de Pietro di Sano, Fredi di Bartolo, Andreuccio di Lapo), Gea se rappelle une Gaélique au pair, du nord de l'Écosse, une fille qui mesurait un mètre quatre-vingt-cinq, gigantesque, un himalaya de paresse, d'inefficacité et d'hystérie larmoyante, Fiona, elle s'appelait Fiona, et une fois que, comme d'habitude, elle sortait de son bain après des heures et des heures, pomponnée et souriante pour son jour de liberté, Gea se souvient d'avoir pensé (une révélation, une intuition aveuglante, mais de quoi ?) : c'est bien ça, pour Fiona, pour la pauvre, lourde, pustuleuse, ridicule Fiona, il n'y a rien au monde de plus important que Fiona elle-même, tout incroyable, tout fantastique que ce soit.

Dans la travée de gauche gît en son armure de marbre Henri de Nassau, mort de la peste à San Quirico d'Orcia, alors qu'il s'en revenait de Rome. Lit 718, oh Gott.

Voici venir les autres, pleins de calories, de sucs gastriques, des fragments de lapin entre les dents, leurs voix amplifiées par les arcs et les voûtes.

– *Il faut absolument voir San Galgano* [1].

1. En français dans le texte.

– Sant'Antimo : la plus belle église de toute la Toscane.

– *Vous connaissez Vézelay*[1] ?

– Ne me dis pas que tu n'es jamais allée à Monte Oliveto !

La beauté, la perfection, le chef-d'œuvre absolu sont toujours ailleurs, à quelques kilomètres, juste après cette fourche, passé ce virage en descente.

Du maître-autel, Guccio regarde intensément vers moi, il hésite, s'avance, s'arrête de nouveau, perplexe, puis laisse paraître un large sourire.

– C'est bien toi !

– À ce qu'il semble.

Grisonnant, il se penche pour me baiser la main avec suavité et s'assied sur mon banc.

– Je ne te reconnaissais pas ; tu as laissé pousser tes cheveux.

Il les effleure.

– Oui.

– Tu es vraiment superbe ; ce mauve est d'une douceur...

Il soulève entre pouce et index un pan de ma manche, tandis que, moi, je hausse les épaules.

– Je l'ai acheté à un marocain.

– Une véritable caresse...

Il me frôle le bras. Aucune sensation.

Aussitôt après la grande rupture avec Roby, nous avons passé ensemble une semaine à Londres : mais Guccio est un de ces hommes qui disent toujours toutes les choses qu'une femme rêve de s'entendre dire, et dont au fond elle a honte. Dès le quatrième jour, il s'était établi entre nous une irréalité totale, j'avais l'impression de coucher avec le journal que je tenais à quatorze ans.

– Je ne savais pas que tu étais là, toi aussi ; je ne t'ai pas vue avec les autres.

– Je suis arrivée en retard, il y a eu tout un embrouillamini, puis je n'avais pas faim.

– Je te trouve très, comment dire... très énigmatique, très troublante.

1. En français dans le texte.

Ce n'est pas qu'il fasse des compliments, il dit la vérité, il est toujours sincère, toujours de bonne foi, c'est même au fond l'ennui. Mais, comme autrefois, il est reposant de se laisser aller, de s'abandonner sur ce moelleux coussin de sollicitude, de sortir avec lui dans la lumière qui s'est entre-temps adoucie, de confier à ses belles mains la tâche d'éclaircir et de résoudre le problème de la voiture, de marcher jusqu'à la sienne entre des murs de miel, de se laisser ouvrir la portière, de s'asseoir dans une odeur de cuir et de tabac.

Sur le siège arrière, il y a déjà Klaus Janner qui fume un cigare et qui s'est installé là par hasard, ou à la suite de qui sait quelle intervention tactique de Fabrizia. Tu devais lui dire quelque chose, mais c'est sans importance. Tu t'aperçois que de toute la journée tu n'as pas fumé une seule cigarette, mais tu n'en as pas envie, même à présent. Du coin de l'œil, tu remarques Malvina qui monte dans une voiture conduite par Ippolita, Giorgio qui passe de l'auto des Berluschi à la Rolls des Valdo, Micheletti qui poursuit la Range Rover d'Ascanio, puis tu te retrouves au milieu des collines et des champs quadrillés de brun ou d'or, parmi les cyprès, les oliviers, les haies de lauriers-roses.

Un carrefour, une ferme abandonnée, à la cour envahie par les mauvaises herbes. Un autre carrefour, avec un cimetière de voitures, de la ferraille qui semble devenue de la cire molle, comme sur certains tableaux. Tu as déjà eu cette pensée, tu as déjà regardé le vieillard en survêtement, à côté de son vélo de course, tu as déjà vu ces moutons éparpillés parmi les genêts, tu as déjà entendu Klaus et Guccio discuter du communisme.

– Moi je te comprends pas, comment tu peux être communiste, toi, je saisis pas.

– C'est qu'en Italie le communisme...

– Communisme le même partout, en Russie, en Allemagne de l'Est, à Cuba, en Bulgarie. D'abord grandes promesses, plans ambitieux, hein ? Ensuite, plan fonctionne pas, alors lui cherche des traîtres, hein ? cherche des ennemis du peuple, vient chez Guccio, et Guccio couic...

Avec son cigare, il a fait le geste de se couper la gorge.

Guccio rit, à l'égard du communisme aussi il sait avoir un comportement prévenant, galant, il l'inviterait à dîner dans sa villa au fameux jardin mauresque, et il lui dirait : Tu es beau, tu es fort, tu es intelligent, tu es juste, ce rouge te va admirablement, ton plan est d'un chic.

– Le point fondamental, c'est qu'en Italie il y a encore trop de pauvres, trop de différences de...

– Où sont le pauvre ? Moi, je vais restaurant, toujours plein, plages pleines, belles boutiques toujours pleines, le monde tout très bien habillé, mon jardinier a deux voitures, hein ? moi, je trouve pas maçon pour petits travaux, rien, ça l'intéresse pas, lui, trop riche, tu m'expliques le ça, hein ? où sont le pauvre ? au musée ?

Les vacances italiennes de Klaus sécrètent l'indignation, l'amer soupçon que tout son travail, et celui de ses compatriotes allemands, pourrait bien être écrémé par nous, cigales rusées de l'Europe. Guccio rit gentiment, il parle d'émigrants, de terres abandonnées, d'usines fermées ; Klaus fume, l'air sarcastique, il parle de grèves, d'absentéisme, d'impôts.

Des discours immuables, comme le paysage. Le soleil décline, de longues franges d'eau tournent mécaniquement et arrosent les champs cultivés, des collines bleutées ferment de tous côtés l'horizon, condescendant à s'abaisser peu à peu jusqu'à ces mamelons terreux où les Étrusques creusaient leurs nécropoles. Toujours sur les hauteurs.

Tout semble avoir déjà été dit, pensé, vu, ces quatre cavaliers qui avancent, là-bas, en se découpant sur le ciel, sont peut-être les mêmes que tout à l'heure, ils auront traversé des siècles de Toscane pour venir voir le *Tamerlan* de Haendel.

Sous Montepulciano, arrêt général, et débat hystérique à coups de klaxon pour décider si l'on doit ou ne doit pas visiter aussi l'église de San Biagio, puisque nous y sommes, un joyau de l'architecture Renaissance, œuvre du Politien, du Sangallo, du Sodoma, du Micheletti.

Pour finir, non, il est trop tard, mieux vaut aller s'occuper des billets et voir un peu où l'on pourrait manger (encore une fois !) après le théâtre.

Je descends avec Klaus tandis que Guccio va chercher où se garer (encore une fois !), et je commence à remonter la grand-rue vers la partie haute de la ville, là se trouvent la cathédrale et la place où se donnent les représentations musicales en plein air. Entre les palais à moitié éclairés, rouges comme des abricots mûrs, et à moitié dans l'ombre, cendreux comme des grilles de cheminée, va et vient la foule vaguement excitée des festivals, en robes longues ou courtes, en pantalons, en chemises, avec ou sans bijoux, avec ou sans châle, mantille, poncho, cardigan. Des vieilles édentées et des boutiquiers pâles assistent au défilé ; des motocyclettes serpentent en pétaradant parmi les envahisseurs.

Toi aussi, à ce que te dit ton reflet dans une vitrine pleine de formes de fromage (le meilleur de toute la Toscane), toi aussi tu es pâle, décidément, et décolorée, tu n'as pas mangé depuis le Moyen Âge, et cette journée d'émotions, de transbordements, commence à se lire sur ton visage, sans compter que ce mauve, qui d'ailleurs est pratiquement violet, ne t'arrange pas, c'est une couleur qui te va bien seulement quand tu es au mieux de ta forme, l'ennui c'est que tu as laissé ton sac à main dans la voiture de Guccio, ou peut-être dans celle du cinéaste, ça fait depuis la Renaissance que tu ne fumes pas et que tu ne t'es pas remis de rouge à lèvres, Dieu sait si tu en aurais besoin, à l'heure qu'il est.

Patience, peu importe, Gea marche sans effort, elle voit le soleil tour à tour abandonner la plus haute rangée de fenêtres, s'arrêter un instant sur les toits de l'interminable rue, disparaître. La place de la cathédrale est déjà tout entière dans l'ombre et Gea frissonne. Sur des gradins en bois dressés autour de la scène en plein air, des enfants blonds comme on n'en fait pas montent et descendent en courant sans jamais s'arrêter. S'ils tombaient, s'ils allaient se faire mal ?

– Oh, hello !

Gea reste pétrifiée, la journée, l'univers semblent se retourner sur eux-mêmes comme si le cours des choses défilait à l'envers.

Oh you, oh yes, oh well, oh dear !

Ce sont eux, oui, les Anglais de ce matin, plus les deux autres, les amateurs de courgettes, l'équipage du *Rasselas II* au complet, et Gea se sent défaillir, elle se débat, claque des dents, c'est un doute effroyable, un soupçon glacial qui court dans ses veines.

Qu'as-tu fait, qu'as-tu compris, qu'as-tu oublié, qu'est-il arrivé ?

Fabrizia arrive, énergique.

– Gea, mais où étais-tu passée ? Tu disparais toute la journée, tu y es et tu n'y es pas, mais qu'est-ce que tu fais, qu'est-ce qui t'arrive ?

Une erreur, une méprise, une distorsion fatale est sur le point d'être révélée, une vérité trop longtemps étouffée va jaillir, et changer tout le sens de ces heures rafistolées, étrangement fluides.

– Gazzelloni, balbutie Gea.

Oh yes, oh indeed, oh my goodness, oh noooo !

C'est ça. Les Anglais ont découvert par hasard, au dernier moment, que ce soir Gazzelloni jouait sur la place de Monte-pulciano, et pas sur celle de Massa Marittima, il a dû y avoir un quiproquo, un changement de programme, une confusion de dates, une erreur d'organisation. Mais *Tamerlan*, alors, où diable le donne-t-on ?

– *Tamerlan*, expliquent, l'air supérieur, les Anglais, on le donne dans les ruines d'un couvent, à Batignano, à deux pas des ruines de Roselle.

Non, mais c'est impossible, ce n'est pas vrai, je ne peux pas le croire, *ça n'existe pas* [1].

C'est seulement maintenant que tous ont l'impression de l'avoir su, pensé, lu sur les affiches jaunes répandues dans chaque village tout au long du trajet, à chaque carrefour, tant et si bien que je me suis dit, que j'ai dit à Beba, que je me suis demandé avec Ascanio...

– Nous sommes en Italie, fait remarquer Micheletti avec un sourire philosophe.

L'Italie des chefs-d'œuvre absolus et des bordels tout aussi absolus.

Fabrizia est atterrée, comme l'amiral battu par Nelson à Trafalgar, mais elle se reprend, indomptée, consulte le ciel, sa montre, tout n'est pas perdu, Haendel expects that every man will do his duty, vite, vite, on peut encore arriver à temps, allons, secouons-nous, retournons en courant aux voitures, sautons-y pêle-mêle, écrasons l'accélérateur, la nuit n'est pas encore tombée, Tamerlan chevauche encore sur de lointaines plages violettes.

Guccio et ses compagnons d'armes font retraite vers leurs territoires, Ippolita et son groupe resteront pour Gazzelloni, il se

1. En français dans le texte.

crée un réseau d'au revoir, d'invitations, de promesses de se retrouver que Fabrizia interrompt, résolue, vite, vite, descendons, kommt sofort herunter.

De son coin dans la voiture (de qui ?), Gea voit la première étoile, les premiers phares qui surgissent des virages en S, et elle a une crampe d'inquiétude, une aiguille chauffée à blanc transperce fatigue et amnésie, ici quelqu'un roule trop vite, ici on peut perdre le contrôle, faire une embardée, se tuer contre une sculpture, contre un olivier. En fait, tu t'en soucies et tu ne t'en soucies pas, tu y es et tu n'y es pas, quelque chose s'éclaircit, quelque chose est en train de se décanter, personne n'ouvre la bouche dans la voiture qui ronfle et crisse, tous doivent avoir comme toi une grande envie d'aller dormir, de laisser tomber, d'abandonner.

Gea se pelotonne, elle a un peu froid, elle se console en pensant que du moins il n'y a plus le tourment du soleil.

Virages, carrefours, flèches phosphorescentes, chenilles de feux rouges dans les lignes droites, de nombres qui décroissent sur les panneaux indicateurs, Batignano est proche, Batignano c'est ce groupe de lumières sur la colline, là, le grand roi tartare ou étrusque descend de cheval et s'enfonce dans les couloirs de son lugubre palais.

Juste à temps.

Tous se précipitent hors des voitures comme des fourmis sous une inondation, embouteillant le cloître en ruine du vieux couvent tandis que s'élèvent déjà les premiers accords des violoncelles et des violes. Par là, non, par ici, non, là-bas au fond des arcades, vite, vite, on commence !

Deux filles décoiffées, derrière un guéridon, te laissent passer, Fabrizia doit avoir pris les billets pour tout le monde, et après une porte, un couloir, une petite salle, une autre porte, voici enfin les rangées de chaises branlantes entre deux murs décrépits, la voûte étoilée, l'échafaudage de tubes et de gradins adossé au couvent et éclairé par de puissants projecteurs.

Un petit orchestre de jeunes femmes, vêtues comme toi de mousseline de soie noire, accompagne le chant d'une fillette et d'un vieillard enchaînés. Qui sont-ils ? Qu'arrive-t-il ? Briquets et allumettes s'efforcent d'éclairer le programme en trois langues, des chuchotements explicatifs courent de Giorgio à Malvina, à Obo, à Beba, à Berluschi.

Personne ne t'explique rien, personne ne se tourne vers toi qui te tiens seule dans la rangée de derrière, mais ton intérêt a faibli, de toute façon, il est tombé, peu t'importe cette autre histoire, cette autre intrigue, cette autre combinaison de sentiments et de destins, toute énigme en vaut une autre, *ça revient au même* [1].

Il fait froid, décidément.

Une voix très aiguë, de fausset, tombe du ciel.

Tous lèvent la tête.

Au sommet d'une tour, faite de tubes maintenus ensemble par de gros boulons, vient d'apparaître Tamerlan : magnifique, terrible dans son grand manteau royal de damas, avec son casque à longues cornes recourbées et ses longues moustaches tombantes.

C'est lui, la voix de fausset.

– Non mais qu'est-ce que c'est que ça ? explose Berluschi. Mais c'est une femme !

– Chut !

– Mais ils se foutent de notre gueule, il faut être cinglé pour faire chanter un rôle d'homme par une femme ! Je fais trois cents kilomètres, et ils n'ont même pas une basse, un baryton ici ? Ça ressemble à quoi ?

Des renseignements historiques courent le long de la rangée, le chant est celui d'un ténor qui imite une voix de haute-contre, du temps de Haendel c'étaient des hautes-contre qui chantaient ces rôles, tu as compris, ignare, c'étaient des castrats, on les castrait exprès, tu ne sais pas ça ?

Un rire incoercible secoue Berluschi, se propage à Valdo, Beba, Klaus, Micheletti, Gabriele, agite tous les dos qui se trouvent devant Gea.

Un castrat ! C'est pour ça qu'il a des cornes ?

Là, le fil se casse sans bruit.

Là, Gea se lève, là, elle s'esquive.

Ce n'est pas la bêtise qui la chasse : elle-même, que de fois elle a ri

1. En français dans le texte.

de fadaises comme celle-là ! Ce n'est pas l'ignorance : elle aussi ne sait que peu ou rien de Haendel, des hautes-contre, de Tamerlan. Mais il y a dans cette vague de rires une chose que Gea ne partage plus, n'a plus, qu'elle a perdue en un point mystérieux de cette journée : peut-être en revoyant Ippolita, ou Guccio, ou en contemplant le tombeau d'Henri de Nassau, ou en pensant à son mari, à Fiona, ou en enviant la trop belle mulâtresse verte, ou quand sa voiture a disparu dans la clairière sous les murs cyclopéens.

Elle la retrouve à présent, parmi les grillons, qui ici, au pied du couvent, chantent plus fort que Tamerlan, et elle se retrouve elle-même au volant, tenaillée par la hâte, par l'angoisse de conclure, par quelque chose qui la pousse ou l'aspire vers l'ordre naturel des choses.

Elle a des réflexes vifs, aisés, tandis qu'elle roule et descend la colline, en elle croît un sentiment de soulagement, comme si un effort immense, une tentative gigantesque et impossible était sur le point de s'achever, comme si un poids allait être retiré de ses mains qui serrent le volant.

Au soleil, qui est remonté dans un ciel chromé, Gea oppose ses lunettes noires et le bord de son chapeau de paille, son sac est sur le siège à côté d'elle avec les cigarettes et le rouge à lèvres.

À la sortie d'un mauvais virage en descente, un mouton solitaire lui coupe la route en trottinant. Oh yes, oh God, c'était le point, la « chose » insaisissable. Il y a d'autres voitures qui viennent vers elle, il y a un panneau publicitaire avec quatre cavaliers à contre-jour, elle entrevoit du coin de l'œil un vieux cycliste en survêtement, immobile, effaré à côté de son vélo de course, il y a un olivier qui se précipite à sa rencontre en diagonale à une vitesse folle, avec son tronc tordu, noueux, sculpté.

Tout se recompose, tout s'explique en un foudroyant, spasmodique replay. Gea freine, en écrasant le talon de sa sandale, elle ferme les yeux, mais elle n'ignore plus, ne censure plus, et la dernière chose dont elle a conscience, c'est le bracelet d'argent incrusté d'émail jamais réparé, qui s'ouvre et glisse de son poignet, introuvable entre les tôles du break bleu.

Extrait de *La Couleur du destin.*
Traduit de l'italien par Gérard Hug.

Somerset Maugham

Une femme de cinquante ans

Mon ami Wyman Holt était professeur de littérature anglaise dans l'une des petites universités du Middle West. Apprenant que je devais prendre la parole dans une ville voisine – voisine, tout relativement, si l'on considère l'immensité de l'Amérique –, il m'écrivit pour me demander de venir faire une conférence dans son cours. Il me proposait de rester chez lui pendant quelques jours, afin de pouvoir me montrer la région. J'acceptai l'invitation, mais en le prévenant que certains engagements m'empêcheraient de demeurer plus de deux jours chez lui. Il vint me chercher en auto à la gare et me conduisit dans sa maison ; après avoir pris un rafraîchissement, nous allâmes en nous promenant à l'université. Je fus assez surpris de voir un auditoire aussi considérable dans la salle où je devais prendre la parole ; je ne m'attendais pas à plus d'une vingtaine de personnes, et j'avais préparé, non une véritable conférence, mais une simple causerie. Je fus assez intimidé de constater la présence d'un certain nombre de gens d'âge moyen et même d'âge mûr, dont quelques-uns devaient être des membres du corps enseignant ; je craignais qu'ils ne me trouvassent bien superficiel. Pourtant, il était trop tard pour reculer, et, après que Wyman m'eut présenté en des termes propres à augmenter encore mon inquiétude, je fis ma conférence. Je dis ce que j'avais à dire, je répondis de mon mieux à un certain nombre de questions, puis je me retirai avec Wyman dans une petite pièce située derrière l'estrade sur laquelle j'avais parlé.

Plusieurs personnes entrèrent. Elles me dirent les choses aimables qu'il est d'usage de dire en pareille circonstance, et je leur répondis ce qu'il est d'usage de répondre. Je sentais vivement le besoin de prendre un rafraîchissement. À ce moment, une femme entra en me tendant la main.

– Comme je suis heureuse de vous retrouver, dit-elle. Il y a des années que nous ne nous sommes vus.

En toute honnêteté, je ne me souvenais pas de l'avoir jamais rencontrée. Je forçai mes lèvres fatiguées et desséchées à esquisser un sourire cordial. Je serrai avec effusion sa main tendue, tout en me demandant qui elle pouvait bien être. Mon ami dut voir sur mon visage les efforts que je faisais pour la remettre, car il me dit :

– Mrs. Greene est mariée à un membre de notre université et elle fait un cours sur la Renaissance et la littérature italiennes.

– Vraiment ? répondis-je. Fort intéressant.

Cela ne m'avançait guère.

– Est-ce que Wyman vous a dit que vous dîniez avec nous demain soir ? me demanda-t-elle.

– J'en suis enchanté, répliquai-je aussitôt.

– Oh ! ce n'est pas une grande réception. Il y aura simplement mon mari, son frère et ma belle-sœur. Je suppose que Florence a beaucoup changé depuis le temps.

« Florence ? me dis-je. Florence ? »

C'était évidemment là que j'avais fait sa connaissance. C'était une femme d'une cinquantaine d'années, aux cheveux gris, coiffés simplement, et ondulés sans exagération. Elle était un peu trop grosse ; gentiment habillée, mais sans distinction, elle portait une robe qu'elle avait dû acheter toute faite dans la succursale d'un grand magasin. Elle avait d'assez grands yeux bleu pâle et un vilain teint ; elle ne portait pas de rouge aux joues et ses lèvres étaient à peine marquées d'un trait rouge. Elle avait l'air engageant. Il y avait quelque chose de maternel dans son attitude, quelque chose de paisible, d'épanoui, qui me parut agréable. Je l'avais sans doute rencontrée, pensai-je, lors d'un de mes fréquents séjours à Florence et, comme c'était probablement la seule fois qu'elle y était allée, notre rencontre l'avait frappée plus vivement que moi. Je dois avouer que je fréquente assez peu les épouses d'universitaires, mais je n'imaginais pas autrement la femme d'un professeur. Et songeant à la vie pleine mais monotone qu'elle devait mener avec ses maigres ressources, ses réceptions, ses intrigues, ses commérages et son utilité fastidieuse, je ne doutais pas que son voyage à Florence ne fût resté dans son esprit comme un événement sensationnel et inoubliable.

En revenant chez lui, Wyman me dit :

– Jasper Greene vous plaira certainement. Il est très intelligent.

– Il est professeur de quoi ?

– Ce n'est pas un professeur ; c'est un chargé de cours. Un fin lettré. Elle l'a épousé en secondes noces. Elle était mariée à un Italien auparavant.

Voilà qui s'accordait fort bien à mes pensées.

– Comment s'appelait-elle ?

– Je n'en ai aucune idée. Je ne crois pas que son premier mariage ait été un succès, dit Wyman avec un petit sourire. C'est du moins ce que je pense, car elle n'a pas le moindre objet chez elle qui rappellerait son séjour en Italie. Je me serais attendu à y voir au moins une vieille table de réfectoire, une ou deux commodes anciennes, ou une chape brodée suspendue au mur.

Je me mis à rire. Je connaissais ces sinistres objets que l'on achète en Italie : les chandeliers de bois doré, les miroirs de Venise et les chaises qu'un haut dossier rend si incommodes. Tout cela ne fait pas aussi mauvais effet lorsqu'on les voit dans l'encombrement des boutiques d'antiquités, mais une fois transportés dans un autre pays, on est généralement profondément déçu. Même si ces objets sont authentiques, ce qui est rare, ils semblent déplacés et incongrus.

– Laura a de l'argent, poursuivit Wyman. Lorsqu'ils se sont mariés, elle a meublé leur maison de Chicago de la cave au grenier. C'est une véritable exposition, un petit chef-d'œuvre de mauvais goût et de vulgarité. Je ne pénètre jamais dans le salon sans admirer le flair infaillible avec lequel elle a choisi exactement ce qu'on s'attend à trouver dans la chambre que tout hôtel de deuxième ordre d'Atlantic City réserve aux nouveaux mariés en voyage de noces.

Je dois expliquer l'ironie de ces paroles : le salon de Wyman n'était en effet que chrome et verre, les tentures étaient réalisées dans d'épais tissus modernes, le tapis présentait un dessin d'un cubisme agressif ; quant aux murs, on n'y voyait que des gravures de Picasso et des dessins de Tchelitchev. Pourtant, Wyman me fit faire un excellent dîner. Nous passâmes la soirée à parler agréablement de sujets qui nous intéressaient l'un et l'autre, et nous la terminâmes en buvant deux bouteilles de bière. Je montai ensuite me coucher dans une chambre d'un modernisme assez tapageur. Après avoir lu pendant un petit moment, j'éteignis et me préparai à dormir.

« Laura, me dis-je. Laura... quoi ? »

J'essayai de me souvenir. Je passai en revue tous les gens que j'avais connus à Florence, en espérant que, par association d'idées, je pourrais me rappeler où et quand j'étais entré en relation avec Mrs. Greene. Comme j'allais dîner chez elle, j'aurais voulu me souvenir d'un détail qui prouverait que je ne l'avais pas oubliée. Les gens sont vexés quand on ne les reconnaît pas. Je crois que nous attachons tous une certaine importance à notre personnalité et que nous sommes humiliés lorsque nous réalisons que nous n'avons fait aucune impression sur les personnes que nous avons fréquentées. Je m'assoupissais, mais avant que la félicité du sommeil se fût emparée de moi, mon subconscient, libéré de la contrainte que lui avait sans doute imposée l'effort du souvenir, se mit à travailler et soudain, je me trouvai tout éveillé, sachant parfaitement qui était Laura Greene. Rien d'étonnant que je l'eusse oubliée, car vingt-cinq ans s'étaient écoulés depuis que je l'avais vue pour la dernière fois ; encore ne l'avais-je rencontrée que par hasard au cours d'un mois passé à Florence.

La Première Guerre mondiale venait de se terminer. Laura était fiancée à un homme qui avait été tué au front ; sa mère et elle partirent de San Francisco pour aller en France se recueillir sur sa tombe. Après avoir accompli leur triste pèlerinage, elles étaient venues en Italie dans l'intention de passer l'hiver à Florence. À cette époque, nombreux étaient les Anglais et les Américains qui s'y trouvaient. J'avais là quelques amis américains, notamment un certain colonel Harding et sa femme – colonel, parce qu'il avait occupé un poste important dans la Croix-Rouge. Ils avaient une jolie villa dans la Via Bolognese et ils m'invitèrent à passer un moment avec eux. Je faisais des promenades presque tous les matins et, vers midi, je retrouvais mes amis chez Doney, Via Tornabuoni, où nous prenions un cocktail. C'était chez Doney que se rassemblaient Américains et Anglais, ainsi que les Italiens qui les fréquentaient. On y apprenait tous les potins de la ville. Ensuite, on allait déjeuner, soit au restaurant, soit dans l'une des villas des environs de Florence, aux antiques jardins pleins de charme, à deux ou trois kilomètres de la ville. J'avais reçu une carte du Club de Florence, et, l'après-midi, Charley Harding et moi allions généralement y faire une partie de bridge, ou jouer à un redoutable jeu de poker de trente-deux cartes. Dans la soirée, nous étions invités à dîner, après quoi nous faisions un bridge ou nous dansions. C'étaient toujours les mêmes personnes qui se rencontraient, mais le groupe était assez nombreux, et les gens qui le composaient suffisamment divers pour que cela ne devînt pas fastidieux. Tout le monde s'intéressait plus ou moins aux beaux-arts, comme il est naturel à Florence, et notre vie d'oisiveté n'était pas absolument dépourvue d'intérêt.

Laura et sa mère, Mrs. Clayton, qui était veuve, vivaient dans l'une des meilleures pensions. Elles semblaient disposer d'amples ressources. Elles étaient venues à Florence avec des lettres d'introduction ; aussi eurent-elles bientôt beaucoup d'amis. Le deuil de Laura leur gagnait toutes les sympathies ; les gens étaient heureux de faire ce qu'ils pouvaient pour aider les deux femmes, mais comme en outre elles étaient agréables on les aima très vite pour elles-mêmes. Très accueillantes, elles invitaient fréquemment à déjeuner dans l'un ou l'autre des restaurants où l'on mange des macaroni et les inévitables scallopini en buvant du chianti. Mrs. Clayton se sentait peut-être un peu perdue dans cette société cosmopolite, où l'on discutait, sérieusement ou plaisamment, de questions qui lui étaient tout à fait étrangères, mais Laura semblait se trouver dans son véritable élément. Elle prit à son service une

Italienne afin d'apprendre la langue du pays et elle fut bientôt capable de lire l'*Inferno.* Elle dévora des livres sur les arts au temps de la Renaissance et sur l'histoire de Florence. Quelquefois, je la rencontrais, Baedeker en main, aux Uffizi, ou examinant avec attention les œuvres d'art de quelque vieille église. Elle avait vingt-quatre ou vingt-cinq ans à l'époque, et j'avais largement dépassé la quarantaine, de sorte que, malgré nos fréquentes rencontres, nos rapports devinrent cordiaux plutôt qu'intimes. On ne pouvait dire qu'elle fût d'une grande beauté, mais elle était étrangement séduisante avec son visage d'un ovale parfait, ses yeux bleu clair, et ses cheveux noirs très simplement coiffés : deux bandeaux couvrant ses oreilles formaient un chignon qui retombait sur sa nuque. Elle avait une jolie peau et un teint naturellement coloré ; ses traits, sans être remarquables, étaient réguliers et ses dents étaient petites, très blanches et bien rangées ; mais ce qui charmait surtout en elle, c'étaient la grâce et l'aisance de ses mouvements ; aussi n'éprouvai-je aucune surprise lorsqu'on me dit qu'elle dansait merveilleusement. Sa silhouette était très élégante, bien que ses formes fussent un peu plus pleines qu'il n'était de mode en ce temps-là. Mais ce qui donnait tant de charme à son visage, c'était cet étrange mélange de sensualité et de pureté que l'on trouve chez les Madones des maîtres tardifs de la Renaissance italienne. Cela la rendait particulièrement séduisante pour les Italiens qui se réunissaient chez Doney tous les matins ou qui étaient de temps en temps invités à déjeuner ou à dîner dans les villas des Américains et des Anglais. Elle était évidemment habituée à se voir entourée de jeunes soupirants et, bien qu'elle fût toujours charmante, gracieuse et aimable avec eux, elle savait les tenir à distance. Elle s'était aperçue bien vite, qu'ils étaient tous à la recherche d'une héritière américaine qui pût redorer leur blason familial et, avec une gravité un peu narquoise qui forçait mon admiration, elle leur donnait délicatement à entendre qu'elle était loin d'être riche. Ils poussaient alors un léger soupir et se mettaient à la recherche d'un autre gibier sur ce joyeux terrain de chasse que constituait pour eux le Doney. Ils continuaient à danser et à flirter avec elle, pour se faire la main, mais leurs désirs n'avaient plus rien de matrimonial.

Pourtant, l'un de ces jeunes gens persista. Je le connaissais un peu, parce qu'il était l'un de ceux qui jouaient régulièrement au poker l'après-midi, au club.

J'y jouais moi-même de temps en temps. Il était impossible de gagner et les étrangers, mécontents, finissaient par soupçonner les Italiens de s'entendre pour les détrousser, mais peut-être pratiquaient-ils ce jeu particulier beaucoup mieux que nous. Le soupirant de Laura, Tito di San Pietro, était un joueur audacieux, et même téméraire ; souvent il perdait des sommes hors de proportion avec ses ressources. (Je ne le désigne pas sous son vrai nom, qui est célèbre dans l'histoire de la cité de Florence.) C'était un garçon de belle prestance, quoiqu'il fût de taille moyenne, avec de beaux yeux sombres, des cheveux noirs, épais et brillants, soigneusement peignés en arrière, une peau olivâtre et des traits d'une classique régularité. Pauvre, il se livrait à quelque vague occupation qui ne semblait guère le gêner dans ses distractions, mais il était toujours impeccablement habillé. Personne ne savait exactement où il habitait, dans quelque chambre meublée peut-être, ou dans la mansarde de quelque parent éloigné. Il ne restait plus des immenses propriétés de ses ancêtres qu'une villa du XVe siècle, à une cinquantaine de kilomètres de la ville. Je n'ai jamais vu cette demeure, mais on m'a dit qu'elle était d'une étonnante beauté, avec son grand jardin abandonné, planté de cyprès et de chênes verts, ses bordures de buis redevenu sauvage, ses terrasses, ses grottes artificielles et ses statues rongées par le temps. Le comte, son père, qui était veuf, habitait là, tout seul, et tirait ses ressources d'une vigne et d'un champ d'oliviers qu'il possédait encore. Il venait rarement à Florence, de sorte que je ne le vis jamais, mais Charley Harding le connaissait assez bien.

– C'est le type parfait du gentilhomme toscan de la vieille école, me dit-il. Il est entré tout jeune dans la carrière diplomatique, et il connaît le monde. Ses manières sont absolument charmantes et il a si grand air que, lorsqu'il vous demande des nouvelles de votre santé, vous vous sentez presque son obligé. C'est un brillant causeur. Naturellement, il n'a pas un sou ; il a gaspillé le peu dont il a hérité au jeu et avec les femmes, mais il porte sa pauvreté avec une grande dignité. Il se conduit en tout point comme si l'argent ne méritait pas qu'on s'y attache.

– Quel âge peut-il avoir ? demandai-je.

– Une cinquantaine d'années, mais c'est encore l'homme le plus séduisant que j'aie jamais connu.

– Est-ce possible ?

– Demandez plutôt à Bessie. Quand il est venu ici, il lui a fait un brin de cour, et je n'ai jamais bien su jusqu'où ils étaient allés.

– Ne dis pas de bêtises, Charley, dit en riant Mrs. Harding.

Elle lui lança le regard d'une femme parfaitement satisfaite de son mari après de nombreuses années de mariage.

– Il plaît beaucoup aux femmes, et il le sait, dit-elle. Quand il vous parle, il vous donne l'impression d'être la seule femme au monde et, naturellement, c'est flatteur. Mais ce n'est qu'un jeu, et il faudrait être bien bête pour s'y laisser prendre. Cela n'empêche pas que c'est un très bel homme. Il est grand, mince, et son port de tête est magnifique. Il a, comme son fils, de grands yeux sombres ; sa chevelure est blanche comme neige, mais très épaisse encore, et le contraste avec son visage bronzé, demeuré jeune, est réellement saisissant. Il a un air ravagé, comme meurtri, mais en même temps une telle distinction qu'il donne une impression incroyablement romantique.

– Avec ses grands yeux sombres, il ne perd pas non plus de vue ses intérêts, dit sèchement Charley Harding. Et il ne laissera jamais Tito épouser une femme qui n'a pas plus d'argent que Laura.

– Elle a à peu près cinq mille dollars par an de revenus personnels, dit Bessie. Et elle en aura autant quand sa mère mourra.

– Sa mère risque de vivre encore trente ans. Et avec cinq mille dollars par an, on ne va pas loin lorsqu'il s'agit d'entretenir un mari, un père, deux ou trois enfants, et de restaurer une villa en ruine qui ne contient pour ainsi dire plus un meuble.

– Je crois que ce garçon est éperdument amoureux de Laura.

– Quel âge a-t-il ? demandai-je.

– Vingt-six ans.

Quelques jours plus tard, Charley m'annonça qu'il venait de rencontrer Mrs. Clayton dans la Via Tornabuoni ; il avait appris ainsi qu'accompagnée de Laura elle allait en voiture cet après-midi avec Tito pour faire la connaissance de son père et voir la villa.

– Qu'est-ce que cela signifie, d'après toi ? demanda Bessie.

– Je suppose que Tito désire que son père se fasse une opinion sur Laura et, si elle est favorable, Tito la demandera en mariage.

– Crois-tu que le comte autorisera ce mariage ?

– Certainement pas.

Mais Charley se trompait. Après avoir visité la maison, les deux femmes firent une promenade dans le jardin, et, sans savoir exactement comment, Mrs. Clayton se trouva tout à coup seule dans une allée avec le vieux comte. Elle ne parlait pas italien, mais lui, ayant été autrefois attaché d'ambassade à Londres, parlait assez bien l'anglais.

– Votre fille est charmante, Mrs. Clayton, dit-il. Je ne suis pas surpris que Tito en soit tombé amoureux.

Mrs. Clayton n'était pas sotte et elle avait certainement deviné pourquoi le jeune homme les avait amenées dans la villa ancestrale.

– Les jeunes Italiens s'enthousiasment facilement. Laura est assez raisonnable pour ne pas prendre leurs hommages trop au sérieux.

– J'espérais qu'elle ne serait pas tout à fait insensible à ceux de mon fils.

– Je n'ai aucune raison de croire qu'elle l'apprécie davantage qu'aucun des autres jeunes gens qui dansent avec elle, répondit Mrs. Clayton assez froidement. Je dois d'ailleurs vous dire tout de suite que ma fille a des revenus très modestes et qu'elle n'aura rien de plus jusqu'à ma mort.

– Je veux être franc avec vous. Je n'ai rien au monde que cette maison et les quelques terres qui l'entourent. Mon fils ne peut pas se permettre d'épouser une jeune fille qui n'a absolument rien, mais ce n'est pas un coureur de dot et il aime votre fille.

Le comte n'avait pas seulement des manières exquises, il avait aussi beaucoup de charme, et Mrs. Clayton n'y était pas insensible. Elle se radoucit un peu.

– Tout cela, au fond, importe peu. En Amérique, ce ne sont pas les parents qui font les mariages. Si Tito veut l'épouser, qu'il lui en parle et, si elle est d'accord, il est probable qu'elle le lui dira.

– Ou je me trompe fort, ou c'est précisément ce que mon fils est en train de faire en ce moment. Je souhaite de tout mon cœur qu'il réussisse à la convaincre.

Ils continuèrent à marcher lentement et bientôt, ils virent venir à eux les deux jeunes gens, la main dans la main. Il était facile de deviner ce qui s'était passé. Tito baisa la main de Mrs. Clayton et embrassa son père sur les deux joues.

– Mrs. Clayton, papa... Laura consent à devenir ma femme.

L'annonce des fiançailles causa quelque sensation dans la société florentine et l'on donna un certain nombre de réceptions en l'honneur du jeune couple. Il était tout à fait évident que Tito était très amoureux ; il n'en était pas tout à fait de même pour Laura. Il était probable qu'elle aimait ce garçon magnifique, prévenant, d'une humeur charmante et gaie ; mais elle était d'un tempérament peu expansif et elle demeurait ce qu'elle avait toujours été : assez placide, aimable, sérieuse tout en restant amicale et d'un commerce agréable. Je me demandais dans quelle mesure elle avait été influencée dans sa décision par le grand nom que portait Tito, par le passé historique de son illustre famille, par la vue de cette belle demeure si bien située dans son jardin romantique.

– En tout cas, il est certain que, pour Tito, c'est un mariage d'amour, dit Bessie Harding lorsque nous en parlâmes. Mrs. Clayton m'a dit que ni Tito ni son père ne se sont souciés de savoir à combien se montait la fortune de Laura.

– Je parierais bien un million de dollars qu'ils la connaissent jusqu'au dernier cent et qu'ils ont calculé exactement ce que cela faisait en lires, grommela Harding.

– Tu n'es qu'un vieux grognon, mon chéri, répondit-elle.

Il soupira bruyamment.

Peu de temps après, je quittai Florence. Le mariage eut lieu dans la maison des Harding ; il réunit une nombreuse assistance ; tout le monde fit honneur à leur repas et but joyeusement leur champagne. Tito et sa femme prirent un appartement sur le Lungarno et le vieux comte retourna dans sa villa solitaire, perdue dans les collines. Je ne retournai à Florence que trois années plus tard, et seulement pour une semaine. Je descendis de nouveau chez les Harding. En leur demandant des nouvelles de mes vieux amis, je me rappelai soudain Laura et sa mère.

– Mrs. Clayton est repartie pour San Francisco, dit Bessie. Quant à Laura et Tito, ils habitent la villa, avec le comte. Ils sont très heureux.

– Des enfants ?

– Non.

– Continue, dit Harding.

Bessie jeta un coup d'œil à son mari.

– Je me demande comment j'ai pu vivre pendant trente ans avec un homme que je déteste à ce point s'écria-t-elle.

Mais elle poursuivit :

– Ils ont abandonné leur appartement sur le Lungarno. Laura a dépensé beaucoup pour restaurer la villa, qui n'avait même pas de salle de bains ; elle a fait installer le chauffage central et elle a acheté de nombreux meubles pour la rendre habitable. Puis Tito a perdu une petite fortune en jouant au poker, et la pauvre Laura a dû payer ses dettes.

– N'avait-il pas une situation ?

– Insignifiante, et ça n'a pas duré.

– Ce que Bessie veut dire par là, c'est qu'il a été renvoyé, rectifia Harding.

– Bref, ils ont pensé qu'il serait plus économique pour eux de vivre dans la villa et Laura espérait en outre que cela empêcherait Tito de faire des bêtises. Elle aime les jardins et elle en a fait quelque chose de charmant. Tito adore vraiment sa femme et le vieux comte l'a prise en affection. Tout est pour le mieux maintenant.

– Il n'est pas sans intérêt d'ajouter que, jeudi dernier, Tito a remis ça, dit Harding. Il a joué comme un insensé et je me demande combien il a perdu.

– Oh ! Charley, il a promis à Laura qu'il ne jouerait jamais plus.

– Comme si un joueur pouvait tenir une promesse pareille ! Ce sera comme la dernière fois. Il éclatera en sanglots et lui jurera qu'il l'aime ; il lui dira qu'il a contracté une dette d'honneur et que, s'il ne peut la payer, il se fera sauter la cervelle. Et Laura paiera, comme elle a toujours payé jusqu'à présent.

– Il est faible, le pauvre ; c'est là sa seule faute. De tous les Italiens, c'est l'un des rares qui soient absolument fidèles à leur femme et c'est la bonté même.

Elle regarda Harding avec une sorte de sévérité amusée.

– Je n'ai pas encore trouvé le mari idéal.

– Tu devrais te dépêcher de regarder autour de toi, ma chérie, sans quoi il sera trop tard, répliqua-t-il avec un léger sourire.

Ayant quitté les Harding, je revins à Londres. Charley et moi, nous nous écrivions de temps à autre, et, un an après, je reçus un mot de lui où il me disait ce qu'il avait fait depuis sa dernière lettre : il était allé aux bains de Montecatini ; il avait rendu visite à des amis à Rome, accompagné de Bessie ; il parlait des gens de Florence que je connaissais ; un tel avait acheté un Bellini et Mrs. X... était allée en Amérique pour divorcer. Puis, il poursuivait ainsi : « Je suppose que vous avez entendu parler des San Pietro. Nous avons tous été bouleversés de ce qui leur est arrivé, et nous ne pouvons parler de rien d'autre. Pour Laura, le coup a été terrible, d'autant plus qu'elle va bientôt avoir un enfant. La police continue de l'interroger, ce qui ne facilite pas les choses. Naturellement, nous l'avons prise avec nous. Tito sera jugé dans un mois. »

Je n'avais pas la moindre idée de ce que tout cela voulait dire. J'écrivis donc immédiatement à Harding pour lui demander quelques explications. Il me répondit par une longue lettre. Ce qu'il me racontait était épouvantable. Je vais me contenter de rapporter, aussi brièvement que possible, et dans toute leur brutalité, les événements qui s'étaient déroulés. Je les ai appris, en partie par la lettre de Harding, en partie par ce que m'en dirent, deux ans après, Bessie et son mari, lorsque je leur rendis de nouveau visite.

Le comte et Laura se plurent presque immédiatement et Tito se félicita de voir avec quelle rapidité un lien d'amitié s'était formé entre eux car il était aussi attaché à son père qu'il était amoureux de sa femme. Il se réjouissait de voir le comte venir à Florence plus souvent qu'autrefois. Dans leur appartement, les deux époux disposaient d'une chambre d'amis, et le comte en profitait pour passer de temps en temps deux ou trois jours avec eux. Il allait avec Laura faire la tournée des boutiques d'antiquités, et il achetait des objets anciens pour la villa. Il avait du goût et connaissait les belles pièces. Petit à petit, la maison, avec ses grands dallages de marbre, perdit son air abandonné et devint une agréable demeure. Laura avait la passion du jardinage ; elle passait avec le comte de longues heures à faire des projets et à surveiller les ouvriers qui s'employaient à redonner au parc son ancienne et imposante beauté.

Laura se fit facilement une raison lorsque les difficultés financières de Tito les obligèrent à quitter leur appartement de Florence ; à ce moment, elle était lasse de la société de la ville, et il ne lui déplaisait pas de vivre dans la magnifique maison qui avait appartenu aux ancêtres de son mari. Tito aimait la vie florentine, et la perspective d'en être séparé ne lui souriait guère, mais il eût été malvenu de se plaindre, car c'étaient ses propres folies qui les obligeaient à réduire leurs dépenses. Il aimait à faire de longues promenades en auto ; pendant ce temps, son père et Laura s'occupaient dans la maison, et s'ils s'apercevaient que, de temps à autre, Tito se rendait à Florence pour jouer un peu au club, ils fermaient les yeux. Un an se passa ainsi. Soudain, sans qu'il comprît pourquoi, Tito eut un vague pressentiment. Il n'avait rien remarqué de précis ; mais il avait le sentiment pénible que, peut-être, Laura ne l'aimait pas autant qu'au début ; d'autre part, il avait remarqué que son père avait tendance à s'emporter contre lui. Le comte et Laura semblaient avoir beaucoup de choses à se dire et le tenaient à l'écart de la conversation comme un enfant qui doit rester tranquille et ne pas interrompre les grandes personnes lorsqu'elles sont en train de parler d'affaires sérieuses. Il avait malgré lui l'impression que souvent sa présence leur causait une certaine gêne et qu'ils devaient être plus à l'aise lorsqu'ils étaient seuls. Il connaissait son père, et sa réputation ; mais le soupçon qui s'éveillait en lui était si horrible qu'il se refusait à l'admettre. Et pourtant, il surprenait parfois entre sa femme et lui un regard furtif qui le bouleversait ; il y avait dans les yeux de son père une tendresse protectrice, et dans ceux de Laura, une sensualité satisfaite ; s'il les eût constatées chez d'autres, il en aurait conclu qu'il se trouvait en présence de deux amants. Mais il ne pouvait pas, il ne voulait pas croire qu'un tel lien pût exister entre eux. Le comte ne pouvait s'empêcher de faire la cour à une femme, et il était assez probable que Laura subissait son extraordinaire fascination ; mais il était scandaleux de penser un instant que ces deux êtres qu'il aimait pussent avoir des rapports criminels et presque incestueux. Sans aucun doute, Laura considérait son affection pour le comte comme le sentiment tout naturel qu'une jeune femme heureusement mariée peut éprouver pour son beau-père. Cependant Tito estima qu'il valait mieux ne pas la laisser en contact quotidien avec son père et il lui proposa un jour d'habiter de nouveau Florence. Laura et le comte, tout à fait surpris à cette idée, ne voulurent rien entendre. Laura lui expliqua qu'ayant dépensé tant d'argent pour la villa, elle ne pouvait se permettre de faire les frais d'une autre installation, et le comte insista en disant qu'il serait ridicule de quitter la villa, maintenant que Laura l'avait rendue si confortable, pour aller vivre dans un misérable appartement de la ville. Une discussion s'ensuivit et Tito perdit quelque peu son sang-froid. Il déduisit de certaines paroles de Laura que, si elle tenait tant à habiter la villa, c'était pour le mettre à l'abri des tentations. Cette allusion à ses pertes au poker excita sa colère.

– Tu me jettes toujours ton argent à la figure ! s'écria-t-il hors de lui. Si j'avais voulu me marier pour de l'argent, j'aurais eu assez de bon sens pour choisir quelqu'un de plus riche que toi.

Laura pâlit affreusement et regarda le comte.

– Tu n'as pas le droit de parler à Laura sur ce ton, dit ce dernier. Tu te conduis comme un gamin mal élevé.

– Je parlerai à ma femme comme je l'entends.

– Tu te trompes. Étant donné que tu es sous mon toit, tu lui parleras avec le respect qu'elle est en droit d'attendre de toi et que tu as le devoir de lui témoigner.

– Quand je voudrai des leçons de morale, père, je te le dirai.

– Tu es de la dernière impertinence, Tito. Je te prie de quitter cette pièce.

Le comte était si grave et si digne que Tito, la rage au cœur mais quelque peu intimidé, se dressa d'un bond et sortit de la pièce en claquant la porte. Il prit l'auto et se rendit à Florence. Il gagna beaucoup d'argent ce jour-là (heureux au jeu, malheureux en amour !) et, pour célébrer sa bonne fortune, il but plus que de raison. Ce ne fut que le lendemain matin qu'il revint à la villa. Laura était aussi aimable et placide que d'habitude, mais son père fut assez froid. Nul ne fit allusion à la scène de la veille. Toutefois, à partir de ce moment les choses allèrent de mal en pis. Tito était morose et irritable ; le comte se montrait sévère et, de temps en temps, ils échangeaient de dures paroles. Laura n'intervenait pas, mais Tito eut bientôt l'impression qu'après une grave discussion

Laura avait dû plaider sa cause auprès de son père, car le comte, renonçant à se mettre en colère, le traita désormais avec la patience indulgente dont on use à l'égard d'un enfant capricieux. Tito était persuadé qu'ils agissaient de concert et ses soupçons redoublèrent. Ils augmentèrent encore lorsque Laura, toujours aimable, lui déclara un jour que la vie à la campagne devait être bien monotone pour lui et qu'il pourrait peut-être aller voir plus souvent ses amis à Florence. Il sentit immédiatement qu'elle voulait se débarrasser de lui. Il se mit alors à les surveiller. Il entrait brusquement dans la pièce où ils se tenaient, espérant les surprendre dans une attitude compromettante ; ou bien, il les suivait silencieusement jusque dans une partie écartée du jardin. Ils bavardaient d'une manière insouciante de choses et d'autres. Laura l'accueillait d'un sourire aimable. Il n'arrivait pas à découvrir le moindre indice qui pût confirmer les soupçons qui le torturaient. Il se mit à boire. Il devint nerveux et irritable. Il n'avait pas la moindre preuve qu'il y eût quelque chose entre eux, et pourtant, au fond de lui-même, il avait la certitude qu'ils le trompaient affreusement, scandaleusement. Il ressassait toujours les mêmes idées, à en perdre la raison. Un feu sombre et douloureux semblait consumer tout son être. Au cours d'une de ses visites à Florence, il acheta un pistolet. Il était décidé à les tuer tous les deux s'il parvenait à avoir la preuve de ce dont il ne doutait plus au fond de son cœur.

J'ignore ce qui déclencha la catastrophe finale. L'instruction révéla simplement que Tito, à bout de patience, se rendit certain soir dans la chambre de son père pour avoir avec lui une explication décisive. Le comte rit et se moqua de lui. Ils eurent alors une violente querelle, au cours de laquelle Tito sortit son pistolet et tua le comte. Puis le jeune homme s'écroula, en proie à une crise nerveuse, et se mit à pleurer désespérément sur le corps de son père. Les coups de feu répétés avaient alerté Laura et les serviteurs, qui se précipitèrent dans la chambre. Tito, se redressant d'un bond, saisit son pistolet ; il déclara par la suite qu'il avait voulu se tuer, mais il hésita, ou ne fut pas assez prompt ; toujours est-il qu'on le désarma. Prévenue, la police arriva bientôt. En prison, Tito passa presque toutes ses journées à pleurer, il refusa de se nourrir, et on dut l'alimenter de force. Il déclara au juge d'instruction qu'il avait tué son père parce qu'il était l'amant de sa femme. Laura, interrogée mainte et mainte fois, jura qu'il n'y avait entre le comte et elle rien d'autre qu'une affection toute naturelle. Ce meurtre souleva d'horreur tous les Florentins. Les Italiens étaient convaincus de la faute de Laura, mais les amis de cette dernière, Anglais et Américains, la jugeaient incapable d'avoir commis le forfait dont elle était accusée. Ils n'hésitaient pas à dire ouvertement que Tito était un névrosé dont la jalousie tenait de la folie et que, dans sa sottise, il avait pris pour une passion criminelle ce qui n'était que la liberté de manières coutumière aux Américains. À première vue, l'accusation portée par Tito était absurde. Carlo di San Pietro avait presque trente ans de plus qu'elle ; c'était un homme d'âge mûr aux cheveux blancs. Comment pouvait-on supposer qu'elle pût avoir pour lui la moindre attirance, alors que son propre mari était jeune, beau et amoureux d'elle ?

Ce fut en présence de Harding qu'elle vit le juge d'instruction et les avocats chargés de la défense de Tito. Ceux-ci avaient décidé de plaider la folie. Les experts de la défense examinèrent Tito et conclurent à son irresponsabilité ; les experts de l'accusation l'examinèrent à leur tour et conclurent à sa responsabilité. Le fait qu'il eût acheté un pistolet trois mois avant de commettre ce crime affreux tendait à prouver qu'il avait prémédité son acte. On découvrit qu'il était criblé de dettes et que ses créanciers le pressaient de s'en acquitter ; il ne pouvait les satisfaire qu'en vendant la villa ; or, la mort de son père l'en rendait précisément propriétaire. La peine de mort est abolie en Italie, mais le meurtre avec préméditation est puni de la réclusion à perpétuité. Peu avant l'ouverture du procès, les avocats vinrent trouver Laura et lui exposèrent qu'elle seule pouvait le sauver d'un châtiment aussi épouvantable : elle n'avait qu'à déclarer devant la cour de justice qu'elle avait été la maîtresse du comte. Laura devint très pâle. Harding protesta violemment, prétendant qu'on n'avait pas le droit de demander à cette femme de revenir sur une déposition faite sous la foi du serment et de ruiner au surplus sa réputation pour sauver un joueur, un ivrogne et un paresseux qu'elle avait eu le malheur d'épouser. Laura demeura silencieuse pendant quelques instants.

– Très bien, dit-elle enfin, s'il n'y a pas d'autre moyen de le sauver, je ferai ce que vous me demandez.

Harding s'efforça de l'en dissuader, mais elle y était fermement résolue.

– Je n'aurai plus un moment de repos si je sais que Tito doit passer le reste de sa vie dans une cellule.

Tout se déroula donc comme il avait été prévu. Les débats judiciaires s'ouvrirent. Elle fut appelée comme témoin et, sous la foi du serment, déposa que, pendant plus d'une année, son beau-père avait été son amant. Tito fut déclaré irresponsable et envoyé dans un asile d'aliénés. Laura voulait quitter Florence immédiatement, mais en Italie l'instruction d'un procès est d'une lenteur inouïe et elle était alors sur le point d'accoucher. Les Harding insistèrent pour qu'elle restât chez eux. Elle mit au monde un garçon, mais il ne vécut que vingt-quatre heures. Elle avait l'intention de revenir à San Francisco et d'y vivre avec sa mère jusqu'à ce qu'elle pût trouver un emploi, car les dépenses de Tito, la restauration de la villa et les frais du procès avaient sérieusement entamé ses ressources.

C'est Harding qui m'avait raconté la plupart de ces événements ; mais un jour, alors qu'il était au club et que je prenais une tasse de thé avec Bessie, elle me dit tout à coup, alors que nous parlions de nouveau de cette tragique histoire :

– Charley, voyez-vous, ne vous a pas tout raconté, parce qu'il ne sait pas tout. Je ne le lui ai jamais dit. Les hommes sont quelquefois drôles ; ils s'effarouchent de certaines choses beaucoup plus facilement que les femmes.

Je levai les sourcils sans rien dire.

– Juste avant le départ de Laura, nous avons parlé toutes les deux. Elle était très déprimée et je pensais qu'elle était triste d'avoir perdu son enfant. Je cherchais quelques paroles de réconfort. “ Il ne faut pas avoir trop de chagrin pour la perte de votre bébé, lui dis-je. Étant donné votre situation, peut-être vaut-il mieux qu'il soit mort. – Pourquoi ? me demanda-t-elle. – Quel aurait pu être l'avenir de cet enfant, dont le père est un assassin ? ”

« Elle me regarda pendant quelques instants, de son air étrange et tranquille. Savez-vous ce qu'elle me répondit alors ?

– Je n'en ai aucune idée.

– Elle me dit : " Qu'est-ce qui vous fait penser que son père est un assassin ? " Je me suis alors sentie devenir rouge comme une pivoine. J'en croyais à peine mes oreilles. " Laura, que voulez-vous dire ? – Vous étiez au procès, me répondit-elle. Vous m'avez entendue déclarer que Carlo était mon amant. "

Bessie Harding me regardait du même air qu'elle avait dû regarder Laura.

– Et que lui avez-vous dit ?

– Qu'aurais-je bien pu dire ? Je n'ai pas soufflé mot. Ce n'est pas que j'étais tellement épouvantée ; j'étais plutôt déconcertée. Laura avait les yeux fixés sur moi, et vous ne le croirez peut-être pas, mais je suis convaincue d'y avoir vu un éclair de malice. J'avais l'impression d'être une parfaite imbécile.

– Pauvre Bessie, lui dis-je en souriant.

« Pauvre Bessie », me répétai-je maintenant, en me remémorant cette étrange histoire. Elle et Charley étaient morts depuis longtemps et j'avais perdu ainsi deux bons amis. C'est alors que je m'endormis, et le lendemain Wyman Holt m'emmena faire une grande promenade en auto.

Nous devions dîner chez les Greene à 7 heures et nous y fûmes à l'heure dite. Maintenant que je me rappelais qui était Laura, j'attendais avec la plus vive curiosité le moment de la revoir. Wyman n'avait rien exagéré. Le salon dans lequel nous pénétrâmes représentait la quintessence de la banalité. Il était assez confortable, mais on ne pouvait y découvrir la moindre trace de personnalité. L'ameublement avait été commandé en bloc, semblait-il, à une maison de vente par correspondance. Il avait la sévérité d'un bureau. On me présenta d'abord au maître de céans, Jasper Greene, puis à son frère, Emery, enfin à la femme de son frère, Fanny. Jasper Greene était un grand gaillard bedonnant, avec une figure ronde surmontée d'une épaisse tignasse de cheveux noirs en bataille. Il portait de grosses lunettes en celluloïd. Je fus frappé par sa jeunesse ; il ne pouvait guère avoir plus d'une trentaine d'années, c'est-à-dire à peu près vingt de moins que Laura. Son frère, Emery, compositeur et professeur dans une école de musique de New York, avait vingt-sept ou vingt-huit ans. Sa femme, une jolie petite brunette, était actrice, et se trouvait momentanément sans emploi. Jasper Greene nous prépara quelques cocktails très convenables, quoiqu'il y mît trop de vermouth, et nous nous mîmes à table. La conversation fut joyeuse et même un peu bruyante. Jasper et son frère avaient le verbe sonore et tous trois, Jasper, Emery et sa femme, Fanny, ne s'arrêtaient pas de parler. Ils se taquinaient l'un l'autre, disaient des plaisanteries et riaient à gorge déployée ; ils parlèrent d'art, de littérature, de musique et de théâtre. Wyman et moi-même, nous risquions parfois un mot lorsqu'on nous en laissait le temps, ce qui était rare ; Laura ne s'y essayait même pas. Assise au bout de la table, elle écoutait tranquillement leurs stupidités sans queue ni tête en souriant d'un air amusé et indulgent ; ce n'étaient d'ailleurs pas, en fait, des stupidités sans queue ni tête car le ton était intelligent et moderne, mais c'étaient des stupidités tout de même. L'attitude de Laura avait quelque chose de maternel ; elle évoquait curieusement pour moi le souvenir d'une chienne allemande, un teckel au poil luisant, allongée au soleil, observant d'un œil paresseux, mais pourtant attentif, les évolutions turbulentes de ses chiots. Je me demandais si l'idée ne lui venait pas que tout ce bavardage sur l'art était bien peu de chose en comparaison du roman d'amour qu'elle avait vécu. Mais s'en souvenait-elle ? Il y avait si longtemps que tout cela s'était passé ! Il se pouvait que ce ne fût maintenant qu'un simple cauchemar ! Peut-être la banalité de ce cadre représentait-elle un effort délibéré pour oublier et la présence de ces jeunes gens apaisait-elle son esprit. Peut-être la stupidité distinguée de Jasper était-elle un soulagement. Après la tragédie déchirante qu'elle avait vécue, elle ne désirait peut-être rien d'autre que cette monotonie rassurante.

Comme Wyman faisait autorité dans le domaine du théâtre élisabéthain, la conversation porta à un moment sur ce thème. Je m'étais déjà aperçu que Jasper Greene ne manquait jamais d'exprimer une opinion définitive sur tous les sujets. Il émit donc sur ce point l'avis suivant :

– Notre théâtre ne vaut plus rien parce que les dramaturges d'aujourd'hui répugnent à traiter les émotions violentes qui constituent par excellence les sujets de tragédie, tonna-t-il. Au XVIe

siècle, les thèmes tragiques et sanglants ne manquaient pas et les auteurs pouvaient s'en inspirer pour produire leurs chefs-d'œuvre. Mais à l'heure actuelle, où donc nos modernes écrivains pourraient-ils en puiser de semblables ? Notre sang anglo-saxon est trop flegmatique, trop indolent, pour leur fournir la matière dont ils ont besoin, et ils sont condamnés aux banalités de la vie mondaine.

Je me demandai ce qu'en pensait Laura, mais j'évitai soigneusement de rencontrer son regard. Elle aurait pu leur raconter une histoire d'amour défendu, de jalousie et de parricide propre à inspirer une belle tragédie à l'un des successeurs de Shakespeare, mais je suppose qu'il aurait cru devoir la terminer en jetant au moins un cadavre de plus sur la scène. La fin de l'histoire de Laura, telle que je l'avais maintenant sous les yeux, était certainement inattendue, mais elle était tristement prosaïque, peut-être même un peu grotesque. Dans la vie réelle, tout s'achève le plus souvent par des gémissements plutôt que sur un coup de théâtre. Je me demandais aussi pourquoi elle avait pris la peine de renouer des relations avec moi. Elle n'avait évidemment aucune raison de penser que j'étais aussi bien renseigné ; peut-être aussi était-elle convaincue, par la sûreté de son instinct, que je ne révélerais rien de ce que je savais ; peut-être en fin de compte ne s'en souciait-elle guère. De temps en temps je jetais un coup d'œil de son côté pendant qu'elle écoutait tranquillement le bavardage animé des trois autres jeunes convives, mais son visage aimable et doux ne trahissait aucune émotion. Si je n'avais rien su d'elle, j'aurais pu jurer qu'aucun incident fâcheux n'avait jamais troublé le cours régulier de sa calme existence.

La fin de cette soirée marque également la fin de mon histoire, mais il me semble piquant de relater un petit incident qui survint au moment où Wyman et moi, de retour à la maison, nous nous disposions à aller nous coucher. Nous avions décidé de prendre une dernière bouteille de bière, et nous nous rendîmes à la cuisine pour la chercher. Dans le hall, la pendule sonnait onze heures lorsque la sonnerie du téléphone retentit. Wyman alla répondre et revint bientôt en riant de bon cœur.

– Une plaisanterie ? lui demandai-je.

– C'est un de mes étudiants. Ils ne nous appellent généralement pas après 10 h 30, mais quelque chose le tracassait. Il me demandait comment le mal s'était introduit dans le monde.

– Et que lui avez-vous dit ?

– Je lui ai répondu que cette question avait également tracassé saint Thomas d'Aquin et qu'il ferait mieux de s'efforcer de la résoudre lui-même. J'ai ajouté que, lorsqu'il aurait trouvé la solution, il pouvait m'appeler au téléphone, quelle que soit l'heure. À 2 heures du matin s'il voulait.

– Je crois que vous dormirez tranquille pendant de longues nuits, lui dis-je.

– Je ne vous cacherai pas que, sur ce point, je partage votre avis, ajouta-t-il en souriant.

Extrait de *Rencontres et hasards.*
Traduit de l'anglais par Maxime Ouvrard
et Jacky Martin.

Boccace

Le Magnifique

Dans la ville de Pistoia, peu éloignée de Florence, il y eut autrefois un chevalier, d'une famille ancienne et illustre, nommé François Vergelesi. Il était extrêmement riche, mais fort avare, d'ailleurs homme de bien, rempli d'esprit et de connaissances. Ayant été nommé podestat de Milan, il monta sa maison sur un grand ton, et se fit un équipage magnifique pour figurer honorablement dans cette ville, où il était sur le point de se rendre. Il ne lui manquait plus qu'un cheval de main, et comme il voulait qu'il fût beau, il n'en pouvait trouver aucun à son gré.

Or, il y avait alors dans la même ville de Pistoia un jeune homme nommé Richard, d'une naissance obscure, mais immensément riche. Il s'habillait avec tant de propreté, de goût et d'élégance, qu'il fut surnommé *le Magnifique,* et on ne le désignait plus que sous ce beau nom. Il était éperdument amoureux de la femme de François Vergelesi. Il l'avait vue une seule fois ; mais sa beauté, ses charmes, l'avaient tellement frappé, qu'il aurait sacrifié sa fortune au seul plaisir d'en être aimé. Il avait mis tout en usage pour se rendre agréable à cette belle, mais inutilement : le mari la tenait si fort de court, qu'il ne put seulement pas parvenir à lui parler. François n'ignorait point l'amour de Richard, et le plaisantait à ce sujet toutes les fois qu'il le rencontrait. Celui-ci le badinait à son tour sur son extrême jalousie ; et ces railleries réciproques n'empêchaient pas qu'ils ne fussent bons amis.

Comme le Magnifique avait le plus beau cheval de toute la Toscane, on conseilla au mari de le lui demander, en lui faisant entendre que le galant était homme à lui en faire présent par estime pour sa femme. François, gourmandé par son avarice, se laissa persuader, et envoya prier le Magnifique de vouloir bien passer chez lui. Il lui demande s'il veut lui vendre son cheval, moins par envie de le lui acheter, que pour l'engager à lui en faire un don. Le Magnifique, charmé de la proposition, lui répond qu'il ne le vendrait pas pour tout l'or du monde ; mais quelque attaché que j'y sois, ajouta-t-il, je vous en ferai présent, si vous voulez me permettre d'avoir un entretien avec madame votre épouse, en votre présence, pourvu que vous soyez assez éloigné pour ne pas entendre ce que je lui dirai. Cet homme fut assez vil pour se laisser dominer par l'intérêt. Il répondit qu'il y consentait volontiers, étant assuré de la vertu de sa femme, et comptant se moquer ensuite du Magnifique. Il le laisse dans le salon, et va trouver incontinent sa chère moitié. Il lui conte ce qui venait de se passer, et la prie de vouloir bien lui faire gagner le beau cheval de Richard. Cette complaisance, lui dit-il, ne doit pas vous faire de la peine ; je serai présent ; je vous défends, sur toutes choses, de lui rien répondre ; venez entendre ce qu'il a à vous dire. Madame Vergelesi était trop honnête, pour ne pas blâmer le procédé de son mari. Elle refusa de se prêter à son désir ; mais il insista tellement, qu'elle se vit forcée de lui obéir. Elle le suivit donc dans le salon, en murmurant contre sa sordide avarice. Le Magnifique ne l'eut pas plutôt saluée, qu'il renouvela aussitôt sa promesse ; et après avoir fait retirer le mari à l'autre extrémité du salon, il s'assit auprès de la dame, et voici le discours qu'il lui tint :

Vous avez trop d'esprit, madame, pour ne vous être pas aperçue, depuis longtemps, que je brûle d'amour pour vous : je vous en demande pardon ; mais je n'ai pu me défendre des charmes de votre beauté, elle l'emporte sur celle de toutes les femmes que je connais. Je ne vous parlerai point des autres qualités dont vous êtes ornée et qui vous soumettent tous les cœurs : vous me rendez assez de justice pour croire que personne au monde n'en sent le prix autant que moi. Je ne chercherai pas non plus à vous peindre la violence du feu que vous avez allumé dans mon cœur : je me contenterai de vous assurer qu'il ne s'éteindra qu'avec ma vie, et qu'il durera même éternellement, s'il est encore permis d'aimer après le trépas. Vous pouvez croire, d'après cela, madame, que je n'ai rien au monde dont vous ne puissiez disposer librement : mes biens, ma personne, ma vie, tout ce que je possède est à votre disposition ; et je me regarderais comme le mortel le plus heureux, si je pouvais faire pour vous quelque chose qui vous fût agréables. Je me flatte que, d'après ces dispositions, vous voudrez bien, madame, vous montrer un peu plus sensible, que vous ne l'avez fait jusqu'à présent, à l'amour que vous m'avez inspiré dès le premier jour que j'eus le bonheur de vous voir. De vous dépend ma tranquillité, ma conservation, mon bonheur. Oui, je ne vis que pour vous, et mon âme s'éteindrait tout à l'heure, si elle n'avait l'espoir de vous rendre sensible à ma tendresse. Laissez-vous fléchir par le plus amoureux des hommes ; ayez pitié d'un cœur que vous remplissez tout entier ; payez l'amour par l'amour ; que je puisse dire que si vos charmes m'ont rendu le plus passionné et le plus à plaindre des amants, ils m'ont aussi conservé la vie et rendu le plus heureux des mortels ! Que ne pouvez-vous lire dans mon âme ! vous seriez touchée des tourments qu'elle souffre. Apprenez que je ne puis plus les supporter, et que vous aurez à vous reprocher ma mort, si vous persistez dans votre insensibilité. Outre que la perte d'un homme qui vous aime, qui vous adore, qui sèche d'amour pour vous, ne vous fera point d'honneur dans le monde, soyez sûre que vous ne pourrez vous en rappeler le souvenir, sans vous dire à vous-même : Hélas ! que je suis barbare d'avoir fait mourir sans pitié ce pauvre jeune homme qui m'aimait tant ! Mais, madame, ce repentir, alors inutile, ne fera qu'accroître votre peine et votre douleur. Pour ne pas vous exposer à un pareil remords, laissez-vous attendrir sur les maux que votre indifférence me fait souffrir ; que ce soit par pitié, si ce n'est par amour. Oui, vous êtes trop humaine pour vouloir la mort d'un jeune homme qui brûle depuis si longtemps d'amour pour vous, qui n'aime que vous, qui n'en aimera jamais d'autre que vous, qui ne vit et veut ne vivre que pour vous. Oui, vous vous laisserez toucher par la constance de sa tendresse ; oui, vous aurez compassion de son sort, et vous le rendrez aussi heureux qu'il est à plaindre, en lui faisant connaître, par votre réponse, que vous le payez d'un tendre retour.

Après ces mots, prononcés du ton le plus pathétique et le plus touchant, le Magnifique se tut, pour attendre la réponse de la dame, et pour essuyer quelques larmes qu'il ne put retenir.

La dame, qui jusqu'alors s'était montrée insensible à tout ce que cet amant passionné avait fait pour elle, qui avait dédaigné les hommages qu'il lui avait rendus dans des tournois, des joutes et d'autres fêtes qu'il avait données en son honneur ; qui n'avait même jamais voulu consentir à lui accorder un quart d'heure d'entretien, ne put entendre ce discours sans émotion ; elle en fut vivement affectée, et elle sentit son cœur s'ouvrir insensiblement aux douces impressions de la tendresse. Sa sensibilité s'accrut à tel point, qu'elle ne fut bientôt plus maîtresse de la cacher ; et quoique, pour obéir aux ordres formels de son mari, elle gardât le silence, les soupirs qu'elle laissait échapper exprimaient bien éloquemment ce qu'elle eût déclaré peut-être ouvertement au Magnifique, si elle eût eu la liberté de parler.

Celui-ci, surpris de son silence, en connut bientôt la cause, en voyant le mari qui riait sous cape. Je comprends qu'il vous a défendu de parler : le barbare !... N'imitez pas son exemple, madame ; un mot suffit pour me rendre heureux.

Elle ne lui dit point ce mot qu'il demandait ; mais ses yeux, les mouvements de son visage, les soupirs qui s'échappaient à tout instant de son cœur, faisaient à merveille l'office de sa bouche. Le Magnifique s'en aperçut aisément ; il conçut dès lors quelque espérance, et prit courage. Eh bien ! dit-il, puisque votre mari vous a défendu de me répondre, je répondrai pour vous, je serai l'interprète de vos sentiments ; et aussitôt de tenir le langage qu'il désirait qu'elle lui tint. Mon cher Richard, dit-il, en prenant un ton plein de douceur, il y a longtemps que je me suis aperçue de ton amour pour moi ; ce que tu viens de me dire me prouve combien il est tendre et sincère. Je t'avoue que j'en suis flattée, que j'en ai un vrai plaisir. Je t'ai paru insensible, cruelle ; je ne veux plus que tu croies que cette insensibilité soit dans mon cœur : oui, je t'aimais ;

mais la prudence m'empêchait d'en rien témoigner : je suis trop jalouse de ma réputation et de l'estime du public pour avoir agi autrement ; mais comme je te connais prudent et discret, sois tranquille, je suis toute disposée à te donner des preuves de mon tendre attachement. Encore quelques jours de patience, et sois sûr que je tiendrai la promesse que je te fais. Je sens que ce n'est que pour l'amour de moi que tu fais présent de ton beau cheval à mon mari ; il est juste que tu sois dédommagé de ce sacrifice. Tu sais qu'il est à la veille de partir pour Milan : je te jure qu'aussitôt après son départ, tu pourras me voir à ton aise ; et pour que je ne sois pas dans le cas de te parler encore, pour t'apprendre le temps auquel nous pourrons nous réunir, je te préviens que le jour que je serai libre et que j'aurai tout disposé pour te recevoir, je suspendrai deux bonnets à la fenêtre de ma chambre qui donne sur le jardin. Tu viendras m'y trouver, en prenant bien garde que personne ne te voie ; je t'y attendrai, et nous passerons le reste de la nuit ensemble.

Après avoir ainsi parlé pour la belle muette, il parla ensuite pour lui-même en ces termes :

Ma belle, ma chère, mon adorable dame, je suis si pénétré de vos bontés, elles me causent une si vive joie, que je n'ai pas d'expressions pour vous peindre ma reconnaissance ; et quand les expressions ne me manqueraient pas, le temps le plus long ne suffirait pas pour vous témoigner toute ma sensibilité. Je vous prie donc de vouloir bien suppléer vous-même à tout ce que je pourrais vous dire pour vous remercier dignement. Je vous assurerai seulement que j'aimerais mieux mourir mille fois, que de vous compromettre en aucune manière, et que je me conduirai toujours de façon à me rendre digne de votre amour. Je n'ai maintenant plus rien à vous dire, si ce n'est que Dieu vous rende aussi constante et aussi heureuse que je le désire et que vous le méritez.

La dame n'ouvrit point la bouche, mais laissa connaître au Magnifique qu'elle n'était pas aussi insensible qu'elle l'avait paru d'abord. L'amoureux passionné, voyant qu'il n'en pouvait tirer aucun mot, se leva et courut vers le mari, qui lui dit en souriant : Eh bien, monsieur le galant, ne vous ai-je pas bien tenu ma promesse ? – Mais non, lui répondit-il froidement ; vous m'aviez promis un entretien avec madame votre épouse, et vous ne m'avez présenté qu'une belle statue. Cette réponse du Magnifique plut extrêmement à messire François, parce qu'elle ne fit que lui donner une plus grande opinion de la vertu de sa femme. Le cheval qui vous appartenait n'en est pas moins à moi, répliqua-t-il. – J'en conviens ; mais si j'eusse pourtant imaginé ne retirer qu'un pareil avantage de la grâce que vous m'avez faite, je vous avoue que j'aurais beaucoup mieux aimé vous en faire cadeau, sans y mettre de condition : j'aurais eu du moins la satisfaction de vous en avoir fait la galanterie en entier, au lieu que je n'ai fait en quelque sorte que vous le vendre. Le mari souriait malignement en l'écoutant, et se moquait de lui tant qu'il pouvait. Parvenu ainsi au comble de ses désirs, il partit deux jours après pour se rendre à Milan.

Quand la dame se vit en liberté dans sa maison, le discours que le Magnifique lui avait tenu, l'amour dont il brûlait pour elle, la générosité avec laquelle il avait fait le sacrifice d'un cheval auquel il était attaché, toutes ces choses s'offraient continuellement à son esprit ; son amour-propre prenait même plaisir à s'en occuper. Ce qui contribuait surtout à l'entretenir de ces idées, c'était de voir le passionné Richard passer et repasser plusieurs fois le jour devant sa fenêtre. Elle disait en elle-même, lorsqu'elle l'apercevait : Le pauvre jeune homme, comme il m'aime ! ne dois-je pas avoir compassion de lui, puisque c'est pour moi qu'il souffre ? Que ferai-je ici toute seule, pendant six mois de veuvage ; c'est bien du temps pour une femme de mon âge. Comment mon mari pourra-t-il me payer ces arrérages ? Qui sait s'il ne fera pas une maîtresse à Milan ? D'ailleurs, quand trouverai-je un amant aussi tendre, aussi aimable que le Magnifique ? Ces réflexions, qui revenaient sans cesse à son esprit, la déterminèrent enfin à pendre les deux bonnets à la fenêtre de sa chambre. Richard ne les eut pas plutôt aperçus, que, transporté de la plus vive joie, il se crut le plus heureux des hommes. Il attendit la nuit avec beaucoup d'impatience ; et quand elle fut venue, il se rendit à la porte du jardin, qui n'était que poussée, et courut, après l'avoir fermée, à la porte du corps de logis où la dame l'attendait. Il la suivit dans sa chambre, et n'y fut pas plutôt entré, qu'il s'empressa de l'embrasser et de la couvrir de mille baisers. Ils se mirent au lit, où ils goûtèrent des plaisirs d'autant plus délicieux, qu'ils étaient le fruit de l'amour le plus tendre. On imagine bien que ce ne fut pas la seule nuit qu'ils passèrent ensemble : leur commerce dura tout le temps de l'absence du mari. La chronique prétend même qu'ils trouvèrent le moyen de se réunir plusieurs fois depuis le retour du cocu.

Extrait du *Décaméron.*
Traduit de l'italien par A. Sabatier de Castres.

Maurice Barrès

Pise et Sienne

Cette douce Pise n'a que peu de choses à montrer, mais exquises. Elle les présente avec une complaisance charmante, sur sa petite prairie où les pieds poudreux des voyageurs n'empêchent point que fleurisse un magique trèfle à quatre feuilles (le Dôme, le Baptistère, le Campanile et le Campo Santo), divinement doré, ce matin, par les premiers soleils de l'année. Ce ne sont point les gens vulgaires qui nuisent aux chefs-d'œuvre. Ils passent comme des troupeaux innocents. Mais les délicats corrompent peu à peu l'atmosphère des lieux célèbres, en y laissant quelque chose de leur personnalité.

Cet art florentin où rien n'est mièvre ni affecté, mais qui suit la nature avec minutie et simplicité, peu à peu devant notre imagination s'est modifié au contact de tant de jeunes filles et de poètes (les meilleurs comme les pires) qui l'ont célébré en termes recherchés et précieux. Ces types toscans, jamais vulgaires mais de vie populaire, malicieux parfois et souvent déformés par les métiers et les privations, on a voulu les voir comme une aristocratie, comme une élite dont tous les liens seraient coupés avec la réalité. Pauvres petites gens que j'admirais tout à l'heure faisant vos besognes familières dans les fresques de Benozzo Gozzoli (au Campo Santo), à vouloir vous anoblir, peu à peu on vous enlève vos mérites. Vous êtes des êtres qui riez, peinez, pleurez, tremblez, dépérissez ; vous faites partie d'une civilisation ; vous ne la résumez ni ne la dominez. Vous n'avez pas une qualité de beauté pour qu'on vous hausse impunément aux rôles de demi-dieux ; laissez cela aux enfants de Michel-Ange. Vous êtes une gentille plèbe, telle qu'en produit, aux époques artistiques, chaque métier dans chaque pays, mais à vouloir vous déclasser, à vous tirer de la catégorie des figures réalistes pour vous introduire parmi les types du génie humain, les poètes, d'accord avec les demoiselles anglaises, ont mis à la mode je ne sais quelle simplicité élégante, dont la fadeur dégoûtera bientôt les esprits sincères, au point que vous, pauvres artistes innocents de cet engouement, vous tous et surtout Botticelli, vous tomberez pour un certain temps dans la plus triste défaveur.

Pour retrouver l'atmosphère sincère de l'art toscan (et puisque aussi bien Pise est trop connue pour qu'on la décrive encore), je suis allé à travers une belle forêt de pins jusqu'à la Méditerranée. Sur l'horizon, des montagnes fines et précises, crêtées de neige ; dans la plaine, çà et là, des cyprès décoratifs. Sur la plage, à une heure et demie de la ville, j'ai visité Il Gombo, où les flots rejetèrent le cadavre de Shelley, que Byron fit brûler. Byron put tenir dans sa main les cendres de Shelley, mais il ne possédait plus son cœur. Shelley, quand il mourut, était sur le point de se brouiller avec son impérieux ami. Les motifs de cette séparation constituent un admirable témoignage sur les caractères d'exception. Dans ce dossier du génie on trouverait l'histoire d'Allegra, la fille naturelle de Byron, romanesque et mystérieuse comme l'*Euphorion* du second *Faust*. Elle mourut à quinze ans ; elle était la nièce de Shelley, et celui-ci ne put excuser le manque de cœur de Byron qui, en effet, assume une grande part de responsabilité dans la mort de la pauvre petite... Croirait-on que cette belle-sœur de Shelley, qui fut la maîtresse de Byron et la mère d'Allegra, ne mourut qu'en 1879 ! Les plus jeunes d'entre nous auraient encore pu connaître une maîtresse de Byron et une maîtresse de Napoléon. Cette petite pas grand-chose de Mme Fourès, qui figurait en habits d'homme dans l'armée d'Égypte, ne mourut qu'en 1869. Plutôt que d'écouter la vague sur cette plage si triste, vaudrait-il pas mieux interroger les vieilles femmes ?

Nul signe ne marque sur la grève cet endroit où vont les pensées de tant d'admirateurs, mais on le reconnaît parce que c'est le point d'où cette solitude se déploie avec le plus de magnificence. Une mer sans voiles et d'un bleu profond, des pins terriblement déformés par le vent, et par-dessus, dans le lointain, les seuls Monts Pisans qui mettent un troisième bleu entre les teintes du ciel et de la mer, composent un ensemble délicat et puissant, où l'on se surprend à louer la nature d'atteindre ici la beauté sans prodigalités ni efforts. (Comparez à cette sobriété la Suisse, si ridicule avec ses rodomontades de montagnes, de précipices, de glaciers, de sapins, de nuages, d'avalanches et tout son matériel qui nous encombre sans nous toucher.)

Cette promenade, mieux qu'aucun traité, m'a donné le ton pour goûter l'art réaliste de Toscane et tous ces primitifs. Second bénéfice, j'ai rencontré un troupeau de chameaux qui s'en allaient travailler aux champs avec un nonchaloir attendrissant. Troisième bénéfice, à ne trouver au lieu funéraire de Shelley aucun signe matériel, j'ai senti une fois de plus que, pour les tombes, silence et nudité, c'est éloquence et beauté.

Si la mode se propageait de mettre des photographies dans les cimetières, ce serait un grand malheur. La somme de poésie qu'il y a dans l'univers en serait considérablement diminuée, car la mort perdrait sa mélancolie. C'est une impression que j'ai eu très forte au cimetière de Gênes. Les défunts y sont représentés en marbre, en bronze, tantôt couchés et recevant les derniers embrassements des leurs, tantôt en veston comme ils avaient coutume. Ils arrêtent toute sympathie. À les voir tels qu'ils furent, on bénit la mort. Mort bienfaisante, qui nous a délivrés de pareilles vulgarités ! À considérer ce sot, ce fat et ce gaillard, je me disais : « Enfin ! nous l'avons enterré ! C'est toujours un monstre de moins ! » Mais pas une fois, dans ce cimetière, je ne trouvai le sentiment que j'y venais chercher : ce que nous donne de regret vague un nom sur une dalle rongée, et de qui, bientôt, ce sera comme si cet être n'avait pas vécu.

Les beaux contrastes de Sienne.

Cette rude petite ville de Sienne, si pleine de volupté, apparaît à l'imagination comme la recéleuse chez qui le Sodoma vint entasser les trésors qu'il composait selon les conseils du Vinci et selon son propre cœur, qui était trouble.

Étrange enfant, cette Sienne, à la fois si dure et si souple, cerclée de murailles qui la compriment et assise avec aisance sur trois collines. Ces rues étroites, enchevêtrées, qui sans trêve grimpent et dévalent, que de fois je les ai suivies dans la fraîcheur qu'y maintiennent, même en été, les lourds palais qui les bordent ! Je les sillonnais en tous sens, entrant chez les antiquaires, m'intéressant à toutes les églises et me reposant enfin à la cathédrale parmi les charmants jeunes gens, vrais pages de plaisir, du Pinturicchio.

C'est la qualité de la lumière, plus encore que tant de chefs-d'œuvre particuliers, qui varie le pittoresque de Sienne. Au matin, quand tout l'être est léger et que le pied semble prendre de la joie sur les dalles élastiques des rues, j'ai vu, au fond de sa place fameuse, le Palais Public gai, jeune, avec ses créneaux qui lui font une couronne et sa gentille loggia. Une ombre fraîche et lumineuse l'adoucissait ; le soleil, en face, éclatait sur le marbre blanc de la fontaine, et tous les palais de cette place, si étrangement dessinée en forme de coquille, prenaient leur pleine valeur, rouges, gris, verts et violets... Et puis, je l'ai vu, ce Palazzo Pubblico, le soir, si sombre, si triste de son balcon désormais muet, de son beffroi dont la voix manque d'autorité et de sa haute tour qui n'aperçoit plus rien d'héroïque.

Une des plus fortes sensations de cette Sienne, dont les rues étroites, toutes dallées et fraîches, semblent les couloirs d'un immense palais, ce sont soudain des jours, des sortes de fenêtres, ménagés aux plus beaux points et d'où le regard, franchissant les ravins bâtis que forme la ville, embrasse les longs aspects vallonnés de cette campagne surprenante. Parfois encore, la rue s'élargit en terrasse, toujours bornée à pic par l'abîme et plantée de trois arbres, d'autant plus précieux parmi tant de pierres. Combinaison fort habile de l'art ou du hasard. Nous commencions vaguement à souffrir de ne fouler jamais de terre, de n'apercevoir jamais un arbre, mais seulement, entre les hautes frises des palais, une raie de ciel, et voici que soudain un mur s'abaisse à n'être plus qu'un garde-fou sur les pentes qui nous séparent de l'immense horizon.

Ce mélange un peu théâtral d'architecture et de nature, mis au point par les siècles, fait un divertissement artistique tel que jamais je ne me lassai d'en goûter l'imprévu. Les jardins les mieux étudiés, le Boboli avec ses trouées sur la campagne de Florence ou ceux des lacs Majeur et de Côme, à l'instant où leurs collines d'azalées défleurissent sous les magnolias commençants, ne passent pas en beauté ces places où les femmes de Sienne, en tirant l'eau du puits sous des arbres centenaires, embrassent un illustre horizon.

Tel est le prestige de Sienne grave et voluptueuse dans ses parties les plus modestes aussi bien que dans les promenoirs fameux que lui font sa cathédrale et sa place de la Seigneurie.

C'est le caractère de la Toscane entière. On ne saurait être jeune avec plus de gentillesse que ces territoires florentins ; oui, nulle part la jeunesse n'a été davantage une jolie chose à mettre dans son lit. Et si vives que soient dans cet air léger et brûlant les sensations, jamais elles n'y sont entachées de bassesse. Mais à Sienne, plus qu'en aucun lieu de Toscane, ces deux caractères, gravité et volupté, s'affirment avec intensité et par là contrastent fortement. Peu de nuances, des couleurs fortes et quelque chose de l'âpre sensualisme dont l'Espagne est exaspérée.

Dans cette étroite enceinte, tant de durs palais-forteresses, del Magnifico, Salimbeni, Piccolomini, Tolomei, avec leurs tours et leurs créneaux, nous remémorent des légendes tragiques jusqu'à la férocité, et puis, à leurs pieds, voici la petite maison trempée de dévotion de sainte Catherine, un des reliquaires qui ont mis dans le monde chrétien le plus d'attendrissement... Et quand nous visitons le Musée, même antithèse entre l'énergie sévère des primitifs Siennois et la force passionnée du Sodoma assisté des Beccafumi, des Pacchia.

Le Sodoma ! c'est la volupté du Vinci : mais le trouble qui nous inquiétait dans le sourire lombard, ici gagne tout le corps. Ce n'est point simplement un mystère spirituel que nous proposent, à l'oratoire de San Bernardino et à l'église de San Domenico, les tableaux du Sodoma, tableaux multipliés au point que Sienne en est toute modifiée et que, d'histoire et d'aspect si rudes, elle nous emplit pourtant de mollesse.

À Florence déjà, devant le *Saint Sébastien* des Offices, nous avions soupçonné son secret. Ce qui fait l'émoi de ce merveilleux jeune homme, ce n'est point la flèche qui traverse son cou, ni celle qui met sur sa cuisse deux minces filets de sang. Nulle femme ne s'y trompera. Involontairement, elles s'avancent pour recevoir ce beau corps dans leurs bras. Lui-même, avec cet air de vierge et sous cette impression nouvelle, croit mourir, veut des bras qui le serrent. L'extase, l'angoisse de ses yeux, de sa bouche entrouverte, avouent ce que nous dit d'autre part la sombre et brûlante image du Sodoma.

On peut le voir, peint par lui-même, dans une fresque de Monte Olivetto. Cette impérieuse figure olivâtre, long ovale qu'accompagne une large chevelure noire tombant jusqu'aux épaules, et puis ces yeux splendides, cette bouche trop épaisse... Ah ! te voilà bien, Antonio Bazzi, *detto* il Sodoma !

Chez un tel homme, les images sensuelles prennent une acuité exceptionnelle, rompent l'harmonie ou, pour parler librement, la médiocrité de notre vision ordinaire. Il transforme dans son esprit les réalités du monde extérieur pour en faire une certaine beauté ardente et triste.

Ils ont raison de se choquer, de s'épouvanter, ceux pour qui l'art n'est point un univers complet et qui, ne sachant point s'y satisfaire exclusivement, tenteront de transporter des fragments de leur rêve dans la vie de société : rien n'en résultera que désastres.

Les jeunes gens du Sodoma, qui mêlent à la vigueur physique attestée par leurs muscles d'athlètes une expression intellectuelle si aiguë qu'elle en devient douloureuse, sont une vision épuisante. L'exaltation psychique unie à cette force de vie atteint les plus hautes expressions du désir, du désespoir, de l'ardeur à la vie, et provoque en nous, tout au fond de notre conscience, des états inconnus dont la force surgissant pourrait bien rompre l'ordre social.

De ses femmes, les sentiments ne sont pas moins aigus. La *Madeleine* sur l'épaule du Christ mort appuie sa joue, lui tient la main, avec quelle secrète douceur ! Jamais tant qu'il vécut elle n'osa ce geste familier qui lui est infiniment sensible. – Voici sa *Judith*, jeune fille qui rentre au camp des Hébreux. À la voir qui passe ainsi, ce matin-là, ne dirait-on pas une vierge dont aucune image jamais ne brouilla le regard ? Et pourtant Holopherne était un vigoureux vivant ! Comme une femme oublie l'acte auquel elle s'est prêtée ! Petites mains qui tenez ce sabre sanglant, avant que le coq ait chanté, ne fûtes-vous pas deux petites mains frémissantes et caressantes ? – Et dans la fresque où le peintre représente l'épisode fameux du condamné qui, pour mourir sans blasphémer, exigea que la sainte lui tînt la tête sous la hache du bourreau, le groupe des vierges, accourues pour voir sur le tronc décapité le désordre de la mort, nous révèle le goût impur de la femme pour le sang et pour l'épouvante. Dans toutes les filles de Montmartre, haletantes de détails sur le dernier guillotiné, Sodoma m'a fait reconnaître Hérodiade. – Mais de ce maître, la force expressive sublime, c'est *Sainte Catherine* exténuée. Ce qu'elle fut, cette sainte, de qui Sienne est remplie, on l'entrevoit d'après ses portraits à peu près authentiques : une vieille fille énergique, fort intelligente, que n'arrêtaient ni le respect humain ni les obstacles. Ses ardeurs, très réelles, n'ont rien à voir avec la mollesse. Leur qualité apparaît toute dans sa démarche auprès de Grégoire XI, qu'elle fit rentrer dans Rome : « Pour accomplir votre devoir, très saint Père, et suivant la volonté de Dieu, vous fermerez les portes de ce beau palais et vous prendrez les routes de Rome où les difficultés et la malaria vous attendent, en échange des délices d'Avignon. »

Comment cette femme d'action, de génie énergique, exaltée par ses méditations solitaires, devint-elle dans les arts le plus voluptueux symbole ? La figure de sainte Thérèse a subi une transformation analogue. La légende toujours auréole de trouble et de charme ceux qu'elle choisit. L'imagination populaire ne peut s'accommoder de faits précis et répugne à l'analyse des caractères.

On suit la transition chez les artistes plus rapprochés de la sainte. Dans la salle du Conseil, au Palais Public, la délicieuse *Sainte Catherine*, de Vecchietta ! Quelle princesse du mysticisme ! C'est adorable et bien précieux, car il y a une intention de ressemblance et Vecchietta a dû se servir des portraits du temps. Le teint frais de la bonne nonne et les beaux grands yeux qui ont beaucoup pleuré, et l'arc de la bouche, et les longues mains aristocratiques qui portent les stigmates comme des joyaux... Elle a fait assez pour nous toucher si, nous présentant ses plaies, elle nous remémore ses vertus. Mais de ces vertus, les Siennois bientôt voulurent une représentation émouvante ; ils se convainquirent que celle qu'ils aimaient avait dû être la plus troublante des amoureuses. Est-il rien de mieux que leur maîtresse qui se pâme pour faire impression sur des hommes rudes ? Il fallut bien que Catherine, maîtresse de Sienne, se pâmât.

L'*Évanouissement de sainte Catherine*, par Sodoma, avec son corps ployé dont les molles étoffes nous révèlent la défaillance, provoque et contente nos forces secrètes. C'est tout notre être qui s'intéresse là. Un parfait objet d'amour, voilà ce qu'a mis Sodoma dans San Domenico de Sienne, et l'installant si mol et trempé de passion parmi ces duretés, il a créé un des contrastes les plus puissants que le monde de l'art propose à ses voluptueux.

Extrait de *Du Sang de la Volupté et de la Mort.*

NOTICES SUR LES AUTEURS

Dante Alighieri (1265-1321). Florentin d'origine, Dante entreprit une carrière littéraire sous le signe de la poésie, de la philosophie et de la théologie. Disciple de Guido Guinizelli et compagnon de Guido Cavalcanti (avec lesquels il participa au *dolce stil novo*), il fut impliqué dans les conflits politiques qui divisèrent les guelfes blancs et les guelfes noirs. Alors qu'il intercède pour les blancs auprès du pape, il est condamné par contumace en 1302. Il ne pourra jamais retourner à Florence. On le vit alors à Vérone, à Trévise, à Padoue, à Venise, à Lucques et enfin à Ravenne, où il mourut. C'est pendant son exil vagabond que Dante rédigea l'essentiel de son œuvre en langue toscane. Outre la *Divine Comédie,* il est l'auteur de la *Vita Nuova,* du *Convivio,* de la *Monarchia* et d'un traité de philologie en latin, *De vulgari eloquentia.*

Maurice Barrès (1862-1923). Ses premiers romans sont regroupés sous un titre emblématique, *Le Culte du moi.* Barrès aspirait à « augmenter l'individu », à « sentir le plus possible en analysant le plus possible ». Marqué par la guerre de 1870 (à huit ans, il vit les soldats allemands occuper la Lorraine, terre de ses ancêtres), il participe intensément aux combats politiques de l'entre-deux-siècles et de la guerre de 1914. Antidreyfusard, défenseur de l'ordre et des traditions patriotiques et morales, il estime que le moi n'a de valeur que s'il s'enracine dans sa terre natale. La nationalité française était pour lui « une énergie faite sur notre territoire de toutes les âmes additionnées des morts ». Ce sybarite austère, qui voulait se soumettre en même temps aux exigences du moi et à celles de l'ordre ancien, écrivait dans une prose magnifique. Il eut une grande influence sur la génération suivante, et notamment sur Aragon, Drieu la Rochelle et Montherlant. Fasciné par l'Espagne et l'Italie, il consacra plusieurs livres à ses impressions de voyage, comme *Du Sang de la Volupté et de la Mort.*

Boccace (1313-1375). Giovanni Boccaccio naquit à Certaldo, près de Florence. Son père l'envoya faire des études de commerce à Naples, où il demeura pendant douze ans. Il fréquenta la cour napolitaine, mena une existence oisive et raffinée et abandonna la carrière mercantile pour se consacrer à la poésie. Autodidacte, grand amateur de littérature latine et des poètes courtois, il ne dédaigna pas la tradition populaire, ni les anecdotes grivoises, dont il fit d'abord des poésies romancées (*Filocolo, Filostrato,* etc.). Les cent nouvelles du *Décaméron* révélèrent son talent de conteur. Après avoir assisté aux ravages de la terrible peste de 1348, sept jeunes femmes et trois jeunes hommes décident de quitter Florence pour se retirer à la campagne, où ils passent deux semaines à se raconter des histoires (à l'exception du samedi et du dimanche, réservés au culte religieux).

Paul Bourget (1852-1935). Influencé par le romantisme, Schopenhauer et le Parnasse, victime, comme il l'a dit lui-même, d'une « intoxication littéraire », Bourget a échoué dans son entreprise d'innovation poétique. Son désenchantement stérile annonce le décadentisme, dont on le tiendra d'ailleurs en partie responsable. Dilettante, voire dandy, émule de Taine et adepte du positivisme, il conçoit ses premiers romans comme des « planches d'anatomie morale » et passe naturellement de l'analyse expérimentale (*Un crime d'amour*) au roman d'idées (*Le Disciple*). Tour à tour attiré par le socialisme, l'idéalisme, la science, la bohème littéraire, le cosmopolitisme (*Sensations d'Italie*), l'aristocratie et les mondanités, sans cesse ballotté entre les différents courants d'une époque tapageuse, il finira par militer à l'*Action française* avant de se convertir au catholicisme sans pour autant réussir à se réconcilier avec lui-même.

Albert Camus (1913-1960). Prix Nobel de littérature 1957, romancier, dramaturge et essayiste, il illustra les notions d'absurde et de révolte, auxquelles il espérait ajouter un troisième volet (l'amour) quand il trouva la mort dans un accident de voiture. Né dans les environs de Constantine, en Algérie, il demeura toute sa vie attaché au tempérament solaire et dépouillé des pays méditerranéens. Dans *Noces,* outre l'Algérie, il évoque un voyage de jeunesse en Toscane. Les œuvres d'art et les paysages harmonieux de l'Italie centrale le réconfortèrent après un séjour kafkaïen à Prague, où il erra « la mort dans l'âme ». Ces pages, les plus lyriques peut-être de Camus, ont été écrites à vingt-trois ans.

Giacomo Casanova (1725-1798). Le chevalier de Seingalt, comme il s'était baptisé lui-même, mena à travers l'Europe une existence d'aventurier. Célèbre pour ses frasques, son « coursier » et ses multiples conquêtes féminines, il est devenu un des archétypes du *tombeur,* fort différent de Don Juan. Quoique superstitieux et enclin à toutes sortes d'idées ésotériques, Casanova est un jouisseur, et tous les plaisirs de la vie le comblent pour peu qu'ils soient à la portée de sa main. Cette vie éminemment dissipée lui valut entre autres d'être incarcéré dans la prison des Plombs, à Venise, sa ville natale. Usé physiquement par ses tribulations, il se retira au château de Dux, en Bohème, où il rédigea en français l'*Histoire de ma vie.* Comme l'a écrit Jean-Michel Gardair, Casanova est « l'incarnation des plus belles qualités de l'âme populaire italienne ».

Alexandre Dumas (1802-1870). L'auteur des *Trois Mousquetaires* écrivit plus de trois cents romans et plusieurs livres de voyages. Ses impressions ont donné matière à des récits où les anecdotes quotidiennes sont racontées au débotté avec une désinvolture sans pareille. *Une année à Florence* prolonge *Le Midi de la France.* Dumas débarqua à Livourne le 25 juin 1835, visita Pise, traversa Pontédéra et Empoli et passa le mois de juillet à Florence, c'est-à-dire une vingtaine de jours, qui lui fournirent suffisamment d'impressions pour qu'il s'autorise à nous donner le change avec un faux titre. Où qu'il aille en Italie, il est ébloui par les beautés locales. Le voyageur passionné qu'il était ne souhaite dès lors plus qu'une chose: nous faire partager son enthousiasme.

Anatole France (1844-1924). Anatole Thibault, alias France, était le fils d'un libraire parisien. Chroniqueur au *Temps*, il devient romancier et met en scène, dans *La Rôtisserie de la reine Pédauque* notamment, un critique voltairien de tous les pouvoirs, l'abbé Jérôme Coignard. Après l'affaire Dreyfus, il se sert de ses romans pour exprimer ses idées politiques et sociales (*L'Anneau d'améthyste, L'Affaire Crainquebille, L'Île des pingouins, Les Dieux ont soif*...). Il reçut le prix Nobel de littérature en 1921. *Le Lys rouge* raconte les tribulations amoureuses d'une Parisienne mondaine à la fin du XIXe siècle. Thérèse Martin-Bellème et son amant, le peintre Jacques Dechartre, se rencontrent à Florence, dont le célèbre emblème a donné son titre au roman.

Carlo Fruttero (né en 1926 à Turin) et **Franco Lucentini** (né en 1920 à Rome). Traducteurs de l'anglais (ils traduisirent entre autres Stevenson et J.D. Salinger), auteurs de comédies, de pièces radiophoniques et de chroniques satiriques (*La prédominance du crétin, La prevalenza del cretino*), ces écrivains associés devinrent célèbres dans les années 70 grâce à une série de *best-sellers* policiers, dont *La Femme du dimanche, L'Amant sans domicile fixe, Je te trouve un peu pâle* (*Ti trovo un po' pallida*) et *Place de Sienne, côté ombre* (*Il Palio delle contrade morte*). Ils terminèrent un roman inachevé de Dickens et dirigèrent pendant longtemps la fameuse collection de science-fiction, « Urania » (Mondadori). Ils ont aussi écrit un recueil de poésies (*Le plombier ne viendra pas*) et, plus récemment, *Incipit* (757 débuts faciles et moins faciles).

Jean Giono (1895-1970). D'origine piémontaise, Giono naquit à Manosque, en Haute-Provence, région qu'il ne quitta pratiquement jamais, à l'exception de quelques visites à Paris et d'un voyage tardif en Italie (1952). Après un séjour à Bologne, il traversa les Apennins et s'arrêta à Florence. Ses romans et ses récits peuvent rappeler Melville ou Stendhal, dont il a hérité de l'exceptionnel talent de chroniqueur. Réservé, ayant conservé la distinction de ses origines modestes, il fut très marqué par la Grande Guerre et laissa une œuvre à la fois épique et lyrique. Cet ancien employé de banque écrivait facilement, sans la moindre affectation, mais avec une régularité méthodique (deux pages par jour), comme en témoigne son *Voyage en Italie.*

Edmond (1822-1896) et **Jules** (1830-1870) **de Goncourt**. On leur doit un prix assez célèbre et un style, le style « artiste », qu'ils préconisaient. Prose nerveuse, « brossée » dans l'émotion de l'instant, « enlevée » plutôt, comme ces croquis de Fragonard qu'ils aimaient tant, et dont leurs fictions et leur fameux *Journal* (« poétique, fantastique, lunatique – un livre de rêve, donné comme le produit d'une suite de nuits hallucinatoires ») témoignent de bout en bout à coups d'observations elliptiques et de critiques d'art au brio un peu voyant. Comme Baudelaire, ces charmants dilettantes étaient sans cesse en quête du Beau, anti-spleen par excellence. L'Italie ne laissait pas de les *ravir.* On les vit notamment à Pistoie, à Sienne, à Pise et à Florence.

Nicolas Machiavel (1469-1527). Chancelier de la milice florentine, secrétaire de la République, Machiavel effectua plusieurs missions diplomatiques dans les diverses cours de France et d'Italie. Il est l'auteur d'une vingtaine de traités tactiques et politiques, dont *Le Prince,* qui consacra sa renommée. Après la mort de Laurent le Magnifique, le 4 mai 1519, il commença d'écrire, à l'instigation de Jules de Médicis (futur pape Clément VII), les *Histoires florentines* (*Istorie fiorentine*), qui fut du reste son dernier livre. Cette chronique raconte l'histoire de Florence depuis les origines jusqu'à la mort de Laurent. Le 6 mai 1527, les troupes de Charles Quint organisèrent le sac de Rome. Le 11 mai, les Médicis abandonnèrent Florence aux mains du parti aristocratique. Machiavel mourut le 21 juin d'une indigestion.

Curzio Malaparte (1898-1957). De son vrai nom Kurt Suckert, Malaparte participa à la Première Guerre mondiale et commença son activité littéraire au début du fascisme. Arrêté et relégué pendant cinq ans à cause de ses écrits subversifs (*Technique du coup d'État,* publié d'abord à Paris, en français), il devient ensuite correspondant du *Corriere della Sera* en Russie. Un roman, *Kaputt,* retracera cette expérience. À la Libération, Malaparte est officier de liaison entre les Forces alliées et le *Corpo Italiano di Liberazione. La Peau* lui vaudra une renommée internationale. À la fin de sa vie, il tâte du cinéma et du théâtre, sans obtenir de succès, et devient sympathisant maoïste. Il mourra au retour d'un voyage en Chine. Originaire de Prato, à quelques kilomètres de Florence, il est également l'auteur de *Sacrés toscans* (*Maledetti toscani*).

William Somerset Maugham (1874-1965). Après une enfance heureuse à Paris, cet Anglais de bonne famille aurait fait une carrière médicale si son premier roman, *Liza of Lambeth*, n'avait pas été un best-seller. Il avait vingt-trois ans. Ses pièces et ses nouvelles furent extrêmement populaires. Avec Bernard Shaw, P. G. Wodehouse et Evelyn Waugh, il est sans doute un des écrivains les plus caractéristiques de l'humour pince-sans-rire britannique. Ses caricatures et ses dialogues désopilants, aux euphémismes disproportionnés, lui ont valu une réputation de nouvelliste hors pair et de remarquable observateur. La causticité de son esprit n'est pas sans évoquer le regard du peintre William Hogarth.

Joseph Méry (1797-1866). Ami de Balzac, d'Hugo, de Gautier, de Musset et de Nerval, ce Marseillais fut un célèbre polémiste, auteur de force pamphlets bonapartistes dont le ton rappelle tantôt Paul-Louis Courier, tantôt Vivant Denon. On lui doit aussi des romans-feuilletons, notamment sur la Floride et les Indes, où il ne mit jamais les pieds. Alexandre Dumas disait de Méry qu'il savait tout, « ou à peu près tout ce qu'on peut savoir : il connaît la Grèce comme Platon, Rome comme Vitruve ; il parle latin comme Cicéron, italien comme Dante, anglais comme lord Palmerston ». Il publia enfin de nombreux recueils de nouvelles, dont la série des « Nuits »: *Les Nuits anglaises, Les Nuits d'Orient, Les Nuits espagnoles, Les Nuits parisiennes* et *Les Nuits italiennes.* Plusieurs chapitres de ce dernier ouvrage se passent à Livourne, à Pise, à Florence et dans la vallée de l'Arno.

Charles de Montesquieu (1689-1755). Charles-Louis de Secondat, baron de la Brède et de Montesquieu, fut d'abord magistrat au parlement de Bordeaux avant d'entreprendre une œuvre littéraire.

Les Lettres persanes paraissent en 1721. Cette critique des abus du pouvoir et de la bêtise des mœurs françaises sera à l'origine d'une longue réflexion politique qui donnera lieu à l'un des livres les plus importants du XVIIIe siècle, l'*Esprit des lois* (1748). Pour étayer ses analyses, Montesquieu a dû voyager à travers l'Europe : en Italie, en Allemagne, en Suisse, en Hollande et en Angleterre. La dynastie des Médicis, qui domina Florence et la Toscane pendant toute la Renaissance, fascina ce partisan de la « monarchie tempérée ».

Marguerite de Navarre (1492-1549). Sœur aînée du roi de France, François Ier, Marguerite d'Angoulême épousa le roi de Navarre. Henri IV était son petit-fils. Protégée par son frère, elle participa habilement au gouvernement du royaume et défendit les intellectuels qui voulaient réformer l'Église pour la ramener à un style de vie plus conforme à la simplicité et à la charité des Évangiles. Influencée par le *Décaméron* de Boccace, qui comprend cent nouvelles réparties en dix journées, elle voulut donner un tour hebdomadaire à son recueil, l'*Heptaméron*: 72 nouvelles, où elle fait le plus souvent l'éloge de l'amour vertueux. L'*Incontinence d'un duc* témoigne de l'humour et de la vivacité d'esprit de cette grande représentante de l'humanisme et de la Renaissance française.

Paul Claude Racamier. Président de l'Institut de psychanalyse familiale et groupale, et ancien directeur de l'Institut de psychanalyse de Paris, fondateur et directeur du Centre pilote de la Velotte à Besançon, le docteur Racamier est un des plus éminents spécialistes de la schizophrénie, auteur de plusieurs ouvrages théoriques comme *Le génie des origines, Le psychanalyste sans le divan* et *De psychanalyse en psychiatrie.* « Florence et Sienne » est extrait du « texte légèrement remanié d'un rapport présenté au printemps 78 au Congrès des Psychanalystes de langue française, qui se tenait à Florence ». Il figure dans le préambule d'un essai allégorique sur les schizophrènes.

Marcel Schwob (1867-1905). Grand traducteur de l'anglais (il traduisit Shakespeare, Defoe, De Quincey et Stevenson), Schwob admirait beaucoup l'auteur de *L'Île au trésor*, dont il était le disciple et l'ami. Sur les traces de son maître, il se rendit aux Samoas, archipel du Pacifique, où mourut le romancier écossais. Très érudit, l'esprit comme troublé par des rêves inquiétants, fasciné par le fantastique, il est un des rares représentants, en France, d'un genre « fin de siècle », mi-préraphaélite mi-médiéval, que les Anglais ont qualifié de *gothic* et les Italiens de *Scapigliatura*. *Les Vies imaginaires*, d'où est tirée la biographie de Paolo Uccello, doivent beaucoup à Mary Shelley et à William Blake, et aussi aux écrivains les plus intrigants de la littérature latine, tels que Lucrèce ou Pétrone.

Germaine de Staël (1766-1817). Fille du célèbre banquier genevois, ministre de Louis XVI, Germaine Necker épouse à vingt-six ans le baron Eric de Staël-Holstein, ambassadeur de Suède à Paris. Elle se fait l'émule des philosophes des Lumières et veut perpétuer la tradition intellectuelle féministe dans le sillage de Mme du Deffand, de Julie de Lespinasse ou de Mme Geoffrin. Elle ouvre dès lors un brillant salon rue du Bac, où elle reçoit La Fayette, Condorcet, Talleyrand, etc. Cependant son indépendance ne plaît guère à Bonaparte, qui lui ordonne de quitter Paris en 1803. Alors commence pour elle une vie voyageuse à travers l'Europe. De cette expérience naîtront des essais (*De la littérature*, *De l'Allemagne*, qui furent des livres fondateurs du romantisme) et deux romans, *Delphine* et *Corinne ou l'Italie*, qui illustre les différentes étapes de son voyage dans la péninsule, de 1804 à 1805. Exilée, Madame de Staël ouvrit un second salon à Coppet, près de Genève, qui devint un foyer d'opposition à l'Empire.

Stendhal (1783-1842). Sous-lieutenant au 6e régiment des Dragons, Henri Beyle connut l'Italie à dix-sept ans et s'enticha follement d'une Milanaise, Angela Pietragrua. Passionné d'opéra et de peinture, il collectionna les liaisons amoureuses et les « petits faits vrais » et écrivit à la hâte quelques romans où les protagonistes sont à la merci de leur amour et de leur ambition. Théoricien de l'amour (cristallisation), il fut aussi consul de France à Trieste et à Civita-Vecchia. Il regrettait l'épopée révolutionnaire de Bonaparte, détestait les dimanches les *ultra*, et le style de Chateaubriand. Dans son journal et ses *Souvenirs d'égotiste*, il masque volontiers ses clins d'œil avec des expressions anglaises ou italiennes. Il écrivait vite, à la manière de Diderot, pour un public du XXe siècle, à la rigueur de 1880. Il était né à Grenoble un 23 janvier ; il mourut un 23 mars à Paris, d'une attaque d'apoplexie. *Rome, Naples et Florence* est une espèce de vade-mecum inspiré d'un de ses multiples voyages sentimentaux en Italie.

Hippolyte Taine (1828-1893). Premier de la classe, ulmard recalé à l'agrégation de philosophie (ses thèses « trop audacieuses » faisaient peur à l'Académie), Taine enseigna d'abord dans des collèges en province, puis à Saint-Cyr, avant d'être nommé, à trente-six ans, professeur d'histoire de l'art à l'École des beaux-arts. Auteur d'essais sur La Fontaine et sur Tite-Live, il aimait aussi voyager. Pour la *Revue des Deux Mondes,* il écrivit des reportages-fleuves dans un style vif, somptueux et souvent cinglant, mais au lyrisme toujours contenu. Ses impressions critiques et philosophiques sur les mœurs et les paysages (Pyrénées, Angleterre, France, Italie) ont connu un immense succès. En 1864, il séjourna à Sienne, à Florence et à Pise.

Giorgio Vasari (1511-1574). Né à Arezzo, où il commença sa carrière de peintre, d'architecte et d'historien de l'art, il travailla ensuite à Florence dans l'atelier d'Andrea del Sarto. Sans jamais se départir du maniérisme toscan, il étudia les œuvres de Jules Romain à Mantoue, du Corrège à Parme et du Titien à Venise. Protégé par le cardinal Alexandre Farnèse, il vécut à Rome en compagnie des plus célèbres intellectuels de l'époque, dont Michel-Ange, qui l'encouragea à se consacrer davantage à l'architecture. Dès 1540, Vasari commença à rassembler des informations sur la vie et les œuvres des artistes de la Renaissance, et c'est à Rome qu'il entreprit d'écrire le tout premier ouvrage d'historiographie esthétique moderne : les *Vies des plus grands architectes, peintres et sculpteurs italiens de Cimabue à Michel-Ange,* dont la première édition date de 1550.

Nous remercions les éditeurs et ayants droit qui nous ont autorisés à reproduire les textes des auteurs suivants :

Albert Camus, *Noces.* © Gallimard.
Jean Giono, *Poèmes.* © Gallimard.
Lucentini et Fruttero, *La Couleur du Destin.* © Seuil.
Malaparte, *Sang et autres nouvelles.* © Le Rocher.
Somerset Maugham, *Madame la colonelle.* © Julliard.
Claude-Paul Racamier, *Les Schizophrènes.* © Payot.

TABLE DES MATIÈRES

Ce volume, publié aux éditions Sortilèges, a été achevé d'imprimer en novembre 2002 par Normandie Roto Impression s.a.s., 61250 Lonrai, France

N° d'éditeur : 4248 – N° d'imprimeur : 022728 – Dépôt légal : novembre 2002